WITHDRAWN

JORGE GUILLEN

PERSILES-78

SERIE *EL ESCRITOR Y LA CRITICA*

EL ESCRITOR Y LA CRITICA

Director: RICARDO GULLON

TITULOS DE LA SERIE

Benito Pérez Galdós, edición de Douglass M. Rogers.
Antonio Machado, edición de Ricardo Gullón y Allen W. Phillips.
Federico García Lorca, edición de Ildefonso-Manuel Gil.
Miguel de Unamuno, edición de Antonio Sánchez-Barbudo.
Pío Baroja, edición de Javier Martínez Palacio.
César Vallejo, edición de Julio Ortega.
Vicente Huidobro, edición de René de Costa.
Jorge Guillén, edición de Biruté Ciplijauskaité.

TITULOS PROXIMOS

Rafael Alberti, edición de Manuel Durán.
El Modernismo, edición de Lily Litvak.
Jorge Luis Borges, edición de Jaime Alazraki.
Novelistas hispanoamericanos de hoy, edición de Juan Loveluck.
Juan Ramón Jiménez, edición de Aurora de Albornoz.
Novelistas españoles de hoy, edición de Rodolfo Cardona.
José Ortega y Gasset, edición de Antonio Rodríguez Huéscar.
Ramón del Valle-Inclán, edición de Francisco Ynduráin y Pablo Beltrán de Heredia.
El Romanticismo, edición de Jorge Campos.
Vicente Aleixandre, edición de José Luis Cano.
Octavio Paz, edición de Pedro Gimferrer.
La novela picaresca, edición de Fernando Lázaro Carreter y Juan Manuel Rozas.
Francisco de Quevedo, edición de Gonzalo Sobejano.

861.6
G945zc

JORGE GUILLEN

Edición
de
BIRUTE CIPLIJAUSKAITE

Cubierta de AL ANDALUS

© 1975, BIRUTE CIPLIJAUSKAITE
© 1975, TAURUS EDICIONES, S. A.
Plaza del Marqués de Salamanca, 7. Madrid-6
ISBN 84-306-2078-8
Depósito Legal: M. 3.845-1975
PRINTED IN SPAIN

INDICE

CATMar30'82

1-25-82, Adler's 21.41

81-5048

NOTA PRELIMINAR

Preparar una antología siempre causa más quebraderos de cabeza que satisfacción. Pocas veces se realiza un plan originalmente concebido: hay que tener en cuenta varias limitaciones. Limitaciones impuestas por la editorial o por la censura; falta de generosidad por parte de ciertas editoriales; pereza de contestar en los autores: ya se ha eliminado una parte del proyecto inicial.

Tampoco es fácil acertar con el criterio de selección. Algunos editores de los primeros volúmenes de esta serie han optado por la inclusión de trabajos menos fácilmente accesibles o menos conocidos, dejando fuera a los «clásicos». Este ha sido el factor determinante también en la recopilación del presente volumen, ya que su intención principal es la de promover el conocimiento de la crítica escrita acerca del autor.

Si se comparan las bibliografías de estudios sobre Machado, García Lorca, Galdós o Unamuno con la guilleniana, causa casi asombro constatar que ésta es mucho menos copiosa. Lo cual tiene su aspecto positivo: son menos numerosos los comentarios «fáciles». (Siempre se le ha considerado «poeta difícil» a Jorge Guillén, aunque en realidad es más asequible que un García Lorca, por ejemplo.) Basta repasar la lista de tesis doctorales: con la excepción de dos o tres muy recientes, el nombre de Guillén figura rara vez en ellas. Y, sin embargo, es el poeta a quien se le han dedicado estudios serios y cumplidos antes que a cualquier otro de su generación. El libro ya clásico de Casalduero se publicó antes que la edición completa de *Cántico*: en 1946. Así (en 1949) los excelentes análisis de Blecua y Gullón. Los otros siguieron más espaciados, no por eso menos importantes. El 75.º aniversario del poeta vio aparecer dos colecciones de ensayos: *A Symposium on Jorge Guillén at 75* (*Books Abroad*, Winter 1968) y *Luminous Reality*. Y el 80.º ha traído un verdadero florecimiento de la crítica: los importantes libros de Macrí, Debicki, Ruiz de Conde, Prat, el perfil biográfico por Caro Romero y el hermoso homenaje de la *Revista de Occidente* que, de haber podido seguir mi gusto, hubiera pasado entero a la antología. El presente volumen, un tanto rezagado, también se ofrece como homenaje al poeta en esta ocasión.

Dos trabajos aún inéditos, leídos en el Simposio-Homenaje a Guillén organizado en este mayo por la Universidad de Wisconsin en Madison, representan la parte más original del libro*, uno ha sido retirado en el último momento. Por lo demás, se ha procurado reunir por lo menos algunas páginas de autores a cuya pluma se deben los libros más importantes. En algunos casos —Dehennin, Gil de Biedma— esto ha sido imposible, por no existir trabajos sueltos aparte del libro concebido como una unidad orgánica. Tampoco encontrará el lector los ensayos archiconocidos y de fácil acceso de Dámaso Alonso o de Luis Felipe Vivanco. (El de Amado Alonso, igualmente conocido, se incluye por ser el primer estudio tan importante en publicarse casi inmediatamente después de aparecer el primer *Cántico*; el de Curtius, por deseo expreso del poeta). La intención ha sido más bien incluir los menos asequibles, escritos en otros idiomas, o publicados en revistas menos universalmente presentes.

Tratándose de un poeta tan universal como Guillén, una parte del libro se dedica a estudios comparativos. El plan original proveía, en otra, un comentario a cada libro; al eliminarse uno u otro por razones distintas, algún aspecto quedará trunco. La antología se propone enfocar la obra de Guillén desde puntos de vista diferentes, haciendo resaltar su evolución, pero a la vez su permanencia. Lo temático va en esta obra siempre estrechamente unido a lo formal. Así, la división bajo la cual se presentan «aspectos generales» y «estudios estilísticos» no puede ser total. Todo *Aire nuestro* representa una unidad, un bloque sólido al que se le puede enfocar con varia luz, pero que

---

* Uno ha sido retirado en el último momento.

no admite fragmentación si se quiere penetrar su sentido más íntimo. «Poesía integral», ha dicho el poeta, corroborando su presencia en una edad que tan frecuentemente se acerca al caos. Esperamos que tal resulte la impresión que se lleve el lector de estos ensayos.

Quisiera hacer constar mi agradecimiento a los autores de los trabajos incluidos, que han autorizado generosamente —con la misma intención de homenaje— su reproducción y a don Jorge, sin cuya ayuda difícilmente hubiera conseguido alguno de los textos de las primeras reseñas. Asumo la responsabilidad por toda incorrección en la que se haya podido incurrir al preparar las versiones al español.

BIRUTÉ CIPLIJAUSKAITÉ

Madison, 8 de mayo de 1974.

I

EL POETA Y SU AMBIENTE

VICENTE ALEIXANDRE

JORGE GUILLEN, EN LA CIUDAD

I

Alto, muy alto, como si hubiera crecido repentinamente, casi podría decirse exhaladamente. La cabeza, pequeña, fina, ascendida allí, al extremo de la figura, para desde allí ya poder contemplar el paisaje redondo, bañada la frente en la altura, bajo una luz vertical que bajase sin mácula.

La primera vez que le vi no fue en la abierta meseta, ni en un jardín. Estaba sentado, y a mí me pareció que agachada la figura, como si el techo humoso le obligase. Era en un café —«La Granja El Henar», Madrid— hoy desaparecido. Se mascaba un humo grueso y se oía, no el blando rumor de los árboles de una alameda, sino el turbio repicar de las cucharillas de metal triste. No le veía bien. Cargado momentáneamente de hombros, como un atlante a quien abruma el sucio aire y su techo, hablaba con distinción, como excusándose, sonriendo con limpieza, poniendo aquí y allá la palabra nítida, señalando con la mano, idealmente, un cauce fresco donde restablecer un sonido real. Como separando el fraude de muchos ruidos que nos taponaban, con una confusión que estaba pidiendo despliegue natural y consiguiente esclarecimiento.

Tenía Jorge entonces treinta y cuatro años, lo recuerdo muy bien, y se hallaba al filo de la aparición de su primer *Cántico*. A su lado, Pedro Salinas, un año mayor, el decano de la generación. Estaba Federico. Un poco más allá, Rafael Alberti. Y algunos más. Creo que se hallaba también Manolito Altolaguirre, el benjamín. (Desde el mayor, Salinas, al más joven, Altolaguirre, había una distancia de catorce años, y entre esos dos límites corríamos todos.)

No sé lo que se hablaba, ni lo que no se hablaba. Recuerdo, sí, que de vez en cuando Jorge decía algo, y era como si su mano, armada de una fina cuchilla, operase sobre el tema allí extenso en el mármol. Había aislado un nervio, una fibra vibrante: lo mostraba, y casi siempre lo comentaba o lo cubría con una sonrisa de humor o de ironía... que le disculpase.

Alguien miró el reloj y empezó a despedirse. Jorge se puso de pie, desplegándose, a mí me pareció que sin enderezarse del todo. Atravesamos, en grupo numeroso, la mampara giratoria. La calle de Alcalá, por su porción más ancha, estaba soleada. Un aire transparente, se diría hialino, permitía ver, altísimo, el irradiante azul. Jorge había erguido su cuerpo del todo y, en lo alto la cabeza, la frente se oreaba de claridad, mientras el frunce de los ojos tamizaba el sol de las fachadas reverberantes. Se oía, ahora sí, un viento suave entre los árboles nuevos, recién expulsada su fronda joven. Bajamos hasta la ancha plaza. A la izquierda y a la derecha, los dos grandes paseos, con su verdor, su sensación de espacio, su juego justo de masas y resplandores. Jorge avanzaba, y con su mirada extensa, su figura cabal y congruente, su dicción precisa, iba hollando el jardín, gozando la luz, hallando medida y numen de la ciudad, que él pisaba tranquilo, mientras dialogaba, con una tensa conciencia de cada paso...

II

Había transcurrido una gran cantidad de tiempo Una larguísima, una tremenda ausencia. Jorge Guillén pisaba de nuevo Madrid, después de muchos años. Aquella tarde le vi entrar, y venía acompañado de Juan Guerrero Ruiz, el fiel amigo de la poesía.

Jorge, un poco menos afilado de carnes. Un poco más cargado, y no de sueño; como si la realidad, ahora con gravamen, le hubiera dejado una huella sobre los hombros. Un poco más desnuda la frente; el pelo, algo cambiado de color, con alguna hebra gris de luz que la tarde hubiese abandonado sobre la cabeza.

Sonreía, y todavía había una alacridad en los ojos: transparecía al fondo, casi irónicamente. Y se trocaba, de vez en vez, en una seriedad repentina. ¿Pedro Salinas? ¿Aquel amigo muerto? ¿Aquel otro...? La enumeración se ensordecía con elegancia, retenidamente dolorosa, en una relación desalentadora. Pero se cubría, muy pronto, de una tenue capa de humor sapientísimo. La antigua fidelidad al mundo real había sido probada, bien probada, v la victoria estaba obtenida a costa de un nuevo conocimiento. Miré su sonrisa. Más fina que nunca, habría tenido amargura en los grabados pliegues de la comisura si los dientes no brillaran todavía claros, si los ojos no siguiesen interrogando con un interés sin fin.

No nombró la soledad, ni la tristeza, mucho menos el dolor. La mano, más descarnada que antaño, más arrasada, se movía con expresividad. Estaba allí la tensión de la figura. Las sensaciones se habían abrasado; la carne con ellas. Y era una memoria o experiencia brusca la que se hacía presente en su movimiento. Mirando esa mano, alerta en el aire, se tenía la impresión de una acumulación de hechos ofrecida sólo por alusión, con una apurada y suprema virtud de síntesis. Agitándose, aunque fuese con lentitud, zigzagueaba allí una electricidad positiva, en rasgueos de luz que signaban un cielo hecho más que nunca de proximidad, a la medida humana.

Pronunció algunas frases graves, y a mí me pareció oir detrás un clamor casi mudo, fondo de sus palabras; un rumor de aguas no dichas, hervorosas bajo un seno de tierra, donde se hubieran hundido después de haber sido río claro, reflejo de luces contestadas bajo el cielo azul.

Descendimos al jardincillo de la casa. El cedro que lo presidía podía más, en su verdor perenne, que la tarde inverniza. Todo el jardincillo, avanzado ya noviembre, estaba desprovisto del fragor del estío. Pero el árbol ilustre, en su madurez, tenía esplendor contra el cierzo; poseía fe, daba señal y desplegaba sus ramas frondosas, con majestad, sobre la helada del atardecer. Era un duro «no importa» desde su tronco robusto sobre la ruina del jardín.

Salimos de su palio. Por sobre el ramaje de la madreselva —sólo unos nervios en evidencia que exhalarían mañana su afirmación de olor y color— miraba Jorge el crepúsculo aborrascado. Un viento largo, más frío que fuerte, movió sus cabellos lasos. (En ese viento sus ojos se humedecían, en un instinto profundo contra la sequedad que los provocaba.) Desde el fondo, un sol casi violeta daba convulso color a las formas todas. Allí su cuerpo envuelto, su ademán avanzador, su certeza afirmante parecían adelantar entre las ondas bajas. Pisaba la tierra violácea y se erguía sobre ella, vuelto un poco el rostro. Entre el viento no oí su voz. Pero entendí su gesto. Con el brazo que se levantaba sobre los ritmos bajos del color final, señalaba una increíble flor silvestre, tranquila, serena, que en medio del invierno total abría su confianza.

[*Revista Nacional de Cultura* (Caracas), XIX, CXXIV, septiembre-octubre, 1957; recopilado en *Los encuentros*, Madrid, Ediciones Guadarrama, 1958]

JUAN MARICHAL

HISTORIA Y POESIA EN JORGE GUILLEN *

> *La sustancia poética es la sustancia de la propia vida.*
>
> GOETHE

No es menester, creo, esforzarse en demostrar que las seis décadas que median entre la publicación de *Prosas profanas* (1896) y la concesión del Premio Nobel a Juan Ramón Jiménez (1956) constituyen la segunda «Edad de Oro» de la literatura multinacional de lengua castellana. No es, quizá, tan patente que esa segunda «Edad de Oro» abarque dominios culturales notoriamente yermos en la España de Cervantes y Velázquez: me refiero, por supuesto, a la actividad científica y al humanismo universitario. Justificar esta tajante afirmación ahora (que muy probablemente suena, a algún lector, a la ya secular cantinela de la llamada «Leyenda negra») me apartaría del tema de estas páginas. Baste apuntar que de un muy somero cotejo de figuras representativas de la segunda «Edad de Oro» con sus simbólicos ascendientes de la primera se desprendería la siguiente conclusión: Pablo Picasso y Manuel de Falla, Jorge Guillén y Jorge Luis Borges, Federico García Lorca y Pablo Neruda, Pablo Casals y José Luis

* Estas breves páginas fueron redactadas inicialmente (en lengua inglesa) para el volumen de homenaje a Jorge Guillén, *Luminous reality* (University of Oklahoma Press, Norman, 1969), compilado por mi buen amigo Ivar Ivask y por el que esto suscribe, para celebrar el 75.º cumpleaños del gran poeta castellano: los textos recogidos en dicho volumen fueron casi todos leídos en el primer simposio anual dedicado a un escritor de lengua castellana por el departamento de lenguas modernas de la Universidad de Oklahoma y por la revista internacional *Books Abroad,* que allí se edita y que dirige el profesor Ivask. A este último repito mi agradecimiento por su invitación a participar en aquella gratísima celebración y en el volumen que le dio forma permanente.

Sert, entroncan con Velázquez y Góngora, con Tomás Luis de Victoria, con Francisco Salinas y Juan de Herrera, con Quevedo y Zurbarán. Mas el linaje intelectual de Santiago Ramón y Cajal, Bernardo Alberto Houssay y Severo Ochoa —galardonados con el Premio Nobel de Medicina y Fisiología en 1906, 1947 y 1959, respectivamente— no puede hacerse remontar hasta los coetáneos de Lope de Vega pese a todas las fantasías de aquel gran arbitrista retrospectivo que fue don Marcelino. Ni tampoco puede encontrarse en aquella España un grupo comparable al de los humanistas universitarios de la Euro-América de lengua castellana de las seis décadas contemporáneas aludidas: es más, puede afirmarse con entera objetividad que la espléndida generación de Ortega, la generación de 1914 —Picasso, Juan Ramón Jiménez, Pablo Casals, Salvador de Madariaga, Manuel Azaña, Américo Castro, Juan Negrín, Pedro Salinas, Jorge Guillén, Joan Miró y muchos más— no tiene equivalente en toda la historia de la cultura de las naciones de lenguas ibéricas. Fue, en verdad, la primera generación española cuyas obras (en fisiología como en filología, por ejemplo) alcanzaron niveles equiparables a los transpirenaicos.

Por otra parte, en los últimos treinta y cinco años —o sea, en la época de la posguerra civil española— muchos lectores del mundo entero se han familiarizado con la poesía y el teatro del máximo creador artístico de la generación siguiente a la de 1914, la generación de 1931: Federico García Lorca. Y me aventuraría a sostener que para incontables personas cultas de nuestro tiempo —en los países exteriores a las fronteras linguísticas del castellano— la literatura española se reduce a dos nombres, Cervantes y García Lorca: puede incluso observarse que el nombre del poeta granadino condensa la imagen de su nación en las mentes de aquellos lectores. No puede negarse, por supuesto, que Federico García Lorca es uno de los símbolos más representativos de la enorme tragedia que es la historia del siglo XX: su muerte —el sacrificio del inocente por las fuerzas del mal— ha contribuido sin duda alguna a la extensión geográfica de su reputación literaria. Pero es, sin embargo, patente que el corte abrupto de la vida de García Lorca privó a la cultura de lengua castellana de una obra con un futuro de seguro alcance transnacional. Mas es igualmente obvio que para muchos de los lectores aludidos la obra de García Lorca confirmaba la imagen de España que habían elaborado los románticos transpirenaicos. El mismo Lorca preveía esta falsificación involuntaria del carácter de su obra y así decía en una carta a Jorge Guillén (enero de 1927) que le molestaba el «mito» de su supuesta «gitanería». Y añadía: «Siento que [los lectores] me van echando cadenas». Pero, a pesar de su legítima queja, no podía García Lorca impedir que un número cuantioso de sus admiradores (incluso dentro del ámbito de la lengua castellana) vieran en su obra el espejismo «andaluz» originado por los románticos británicos y franceses un siglo antes: la legendaria España de *Carmen* —la Andalucía zarzuelera de Prosper Mérimée y de Georges Bizet— reaparecía, para esos «encadenadores» lectores de García Lorca, en sus romances y en sus tragedias. Y así, paradójicamente, la «máscara» regional de García Lorca le ha transformado en el andaluz más famoso (si se exceptúa a Picasso) de los últimos tres siglos. En suma, que al ser identificado con la España de *Carmen* García Lorca se convirtió, después de Cervantes, en la faz literaria de su nación para una gran parte del planeta.

Mantener ahora que la actividad intelectual y artística española desde fines del siglo XIX ha sido justamente el escapar a todos los fáciles localismos podría parecer una negación del «culto» universal (¡muy merecido!) a la figura incomparable de Federico García Lorca. La raíz del esplendor cultural de la España representada por las tres singularísimas generaciones de 1898, 1914 y 1931 (Unamuno, Ortega, García Lorca) está precisamente en lo que ya en 1892 vio con certeza agorera Rubén Darío: «la universalización del alma española.» Y cuando Unamuno pedía en los ensayos de *En torno al casticismo* (publicados en 1895 en *La España Moderna*) que el intelectual español orientara su actividad profesional hacia metas trascendentes —«El hombre, esto es lo que hemos de buscar en nuestra alma»— proponía simplemente que sus compatriotas abandonaran su tradicional irresponsabilidad provinciana ante sí mismos y respecto a su propio país y se adelantaba al programa de acción intelectual expuesto por Ortega en 1910 («queremos la interpretación española del mundo»). Verdad es que una generación anterior a la de Unamuno —la de don Francisco Giner de los Ríos y de otros maestros «krausistas»— había intentado ya extender entre los españoles cultos el sentimiento trascendente de la existencia humana: y en muchos aspectos tanto Unamuno como Ortega fueron continuadores de la espiritualidad «krausista». Aunque Giner y sus colegas pedagógicos no querían apelar a sus compatriotas, para que reformaran sus hábitos mentales, en la forma casi altisonante de Unamuno y de Ortega: aquellos maestros eran reacios a toda formulación «quijotesca» e insistían, sobre todo, en la modesta y cotidiana tarea de mejoramiento individual. La generación de 1914 (la de Ortega y Guillén) supo aliar fecundamente la aspiración trascendente de Unamuno con el designio «krausista»: y de esa equilibrada aleación procede el esplendor cultural de las dos extraordinarias décadas pre-bélicas (1916-1936) de la España contemporánea.

Esplendor que se prolongó —en obras y tareas individuales— en las dos décadas siguientes en las tierras americanas que acogieron a los intelectuales y artistas españoles exiliados entre 1936 y 1939: y uno de cuyos efectos ha sido indudablemente el de contribuir a la universalización de la cultura latinoamericana actual. Mas sin llegar a ser una generación prácticamente exterminada —como lo fue la de Federico García Lorca, la de 1931: la que regó con su sangre los campos de batalla— la de 1914, la de Ortega, padeció una amputación considerable al producirse el tajo (para emplear el término tan adecuado de Francisco Ayala) de 1936. Algunos de sus hombres más representativos son *des hautes valeurs amputées* —como ha dicho André Malraux hablando de su admirado Barrès— y hay así en sus obras cercenamientos muy visibles. En algunos casos la fecha conclusiva (1936, 1940) se explica por sí sola. En otros el exilio o el aislamiento dentro de España determinaron prolongados (o definitivos) silencios: mas hay en la generación de 1914 una especie de premonición de barreras infranqueables por venir, desde sus primeras páginas o sus gestos públicos iniciales. Hasta en el mismo Ortega —tan dinámico en su temprana impulsión intelectual— se observa un relativo abandono del esfuerzo creador: quizá el peor enemigo psíquico del español (según Ortega), la desesperación nacional, se adueña de su persona y *calla* «por la herida», modificando la expresión proverbial. De ahí que resalte tanto, en la trayectoria de su generación, la obra y la ininterrumpida dedicación de Jorge Guillén. La definición de Alfred de Vigny —*Une grande vie c'est une pensée de la jeunesse réalisée par l'âge mûr*— se cumple plenamente y no sólo porque el poeta castellano ha tenido la buena fortuna de su longevidad. Someto a la consideración del lector la siguiente hipótesis: la continuidad creadora de Jorge Guillén corresponde a una inalterable fidelidad al principio impulsor de su generación. Porque había en la generación de 1914 (no obstante los desfallecimientos apuntados) una clara voluntad afirmativa del esfuerzo vital, como se desprende del muy revelador texto siguiente del gran matemático Julio Rey Pastor:

> «En oposición a la España introvertida, que deseaba Unamuno, poblada de hombres acurrucados al sol... consagrados a meditar sobre el enigma de la muerte, surgió una generación vigorosa y optimista, extrovertida hacia la alegría de la vida, que se propuso reanimar la historia de España por nuevo rumbo y hacia nueva meta, antípoda de la señalada por Unamuno.»

La poesía de Jorge Guillén —desde el primer *Cántico* de 1928 hasta *Aire nuestro* de 1968: sin olvidar el recientísimo *Y otros poemas* (1973)— se sustenta en la actitud vital de su generación española. O dicho en otros términos: *Cántico* (tanto el de 1928 como el de 1936) *está* en la historia española contemporánea, *es,* en verdad, «tiempo de historia»: para emplear las propias palabras empleadas por su autor al subtitular *Clamor* (1957). Georges Bataille, reseñando el notorio libro de Jean-Paul Sartre sobre Baudelaire (1946), señalaba que el filósofo erraba al suponer que *Las flores del mal* podían darse en tiempos diferentes al de su aparición originaria (1857): y asimismo afirmó que la exaltación de la vida terrenal tan característica de Guillén es impensable fuera del «aire» histórico de su generación española, de esa generación «extrovertida hacia la alegría de la vida» (como decía Rey Pastor). Sin caer en las frágiles trampas de la crítica literaria dizque marxista añadiría que el *Cántico* de Jorge Guillén responde muy directamente al dinamismo de la gran burguesía española —específicamente la burguesía empresarial— de las tres primeras décadas del siglo: el padre del poeta, don Julio Guillén, fue uno de los nuevos empresarios castellanos que contribuyeron considerablemente en el campo económico a la modernización de España La conexión del poeta con el resguardo paterno queda expresada en «Luz natal»:

> ¡Oh padre generoso,
> Siempre comba de amparo,
> A pie quieto muralla entre ese mundo
> Terrible y nuestra dicha,
> Con tanto despilfarro de ti mismo
> Luchador de una lucha
> Que fuera sumo juego,
> Alma ya sin cesar tan aplomada,
> Sin cesar en tu temple
> De varón generoso!

Quizá no sea ocioso mencionar ahora que precisamente la generación de 1914 (a pesar de su intenso rechazo de ciertas posturas unamunistas) se distingue también en la historia intelectual española por su carencia de actitudes parricidas o caínitas (empleando el neologismo unamuniano), tan usuales en las tierras de lengua castellana. Ni debe tampoco olvidarse (como lo señalaba Rey Pastor) la singularidad de la generación de 1914 en cuanto a las obsesiones mortuorias tradicionales en esas mismas tierras: así se explica también que Guillén sea el poeta del *estar* del hombre en su mundo de límites cronológicos. Como el apasionado escritor francés católico Ernest Hello (1828-1885) cree Jorge Guillén en la condición esencialmente «limitada» del ser humano (*La limite est le pays de l'homme*).

Los diversos factores históricos mencionados no son, por supuesto, la causa del arte poético de Jorge Guillén. La respuesta de Mallarmé a la torpeza verbal de su buen amigo el pintor Degas (aspirante a sonetista) viene aquí a punto: la poesía se hace con palabras. La obra de Guillén es, ante todo, la realización personalísima de un forjador del idioma lírico castellano: «Y la palabra. ¡Nuestra palabra! » Pero *Aire nuestro* (y desde luego *Y otros poemas*) es como toda gran poesía el espejo fiel de un mundo histórico: en las dos acepciones de la palabra «espejo», retrato y modelo, expresión y norte. Espejo que refleja y espejo que guía. Un escritor español de nuestros días ha dicho que la historia del hombre es la suma de sus gestas y de sus sueños. O si se prefiere podríamos alterar la famosísima definición orteguiana —«Yo soy yo y mi circunstancia»— dándole la formulación siguiente: «El hombre es su circunstancia *más* sus designios.» La literatura y particularmente la poesía, expresaría tanto el *estar* como el *soñar* del hombre: pocos poetas han cumplido tan consistentemente esa dual función de su obra como Jorge Guillén.

> «Queremos más España.
> ... ...
> Queremos un paisaje con historia.»

[*Luminous reality,* University of Oklahoma Press (Norman) 1969. Traducido al español por el autor]

IVAR IVASK

POESIA INTEGRAL EN UNA ERA DE DESINTEGRACION

Recientemente, una editorial americana me pidió que examinara la selección de autores hecha para un manual de literatura occidental del siglo XX. Lo hice, y noté inmediatamente que faltaba un número sorprendente de poetas sobresalientes, de lenguas más o menos conocidas. Recomendé con insistencia su inclusión, ya que en la literatura, menos conocida, de varios países de Europa oriental y septentrional la poesía representa sin duda ninguna el género más original: parece desarrollarse orgánicamente a través de siglos de tradiciones populares ininterrumpidas. La editorial aceptó a novelistas y dramaturgos incluso de segunda o tercera fila que había enumerado, pero opuso resistencia a poetas, incluso poetas importantísimos. ¿Por qué? Porque se supone que es imposible caracterizar la poesía en los renglones contados de un manual, y porque no se la puede traducir satisfactoriamente. Tal opinión encierra cierta verdad sin duda, y habría que sancionarla si viviésemos en una época de ficción y de drama. Pero ¿lo es la nuestra? Por lo menos la Academia Sueca parece tener la convicción de que el siglo XX es el siglo de la novela: de 1901 a 1973, el prestigioso premio Nobel fue concedido a 39 novelistas, 16 poetas y 8 dramaturgos. Confieso que a mí, tal proporción siempre me ha parecido desequilibrada a favor de la ficción.

Resulta casi fantástico ver cuántos de los novelistas y dramaturgos celebrados en su tiempo se han vuelto meras sombras en la historia literaria a pesar del prestigio que les había acarreado el premio Nobel. Esto no quiere decir que se haya hecho una selección mejor de *todos* los poetas. Consta, sin embargo, que éstos han resistido mejor la prueba del tiempo, particularmente aquellos grandes poetas que *no* recibieron el Nobel a la primera. ¿Se podría decir que sin unos valores firmemente establecidos y una sociedad estable ni la novela, ni el drama logran hacer frente a este siglo nuestro de cambios y de terror, mientras que la poesía puede proponerse eficazmente como tema la búsqueda misma de valores fundamentales? El teatro del absurdo a la Beckett y la paradoja del absurdo a la Kafka sólo llegan a un cierto punto. Pero la mejor poesía moderna nos abre las dimensiones más profundas de la verdad mítica que sigue siendo la base de esta era de conflictos y de angustia. ¿Será por esto que se habla tan a menudo de «la muerte de la novela» y de «la muerte de la tragedia», mientras no recuerdo que alguien haya proclamado en serio «la muerte de la poesía»? No surgiría la necesidad de un *living theater,* si éste no hubiera muerto, ¿no es verdad?

Se suele afirmar que los siglos XVI y XVII han sido los grandes siglos del drama en Inglaterra, España y Francia. De un modo semejante, al siglo XIX se le llama el gran siglo de la novela en varias literaturas. Si hablamos sólo de Europa y de las Américas, teniendo en cuenta que aún queda un cuarto de este siglo por transcurrir, tal vez no resulte mal a propósito preguntarnos si se ha destacado en éste algún género. Si hubiéramos de juzgarlo por el mero volumen de atención crítica con que se ha agasajado a la ficción y al drama (añadamos los premios Nobel), diríamos que hasta ahora, el siglo XX ha sido preponderantemente un siglo de la novela y del drama. Pero ¿resiste tal afirmación un enfoque comparativo de la situación? Si tuviéramos que enumerar a los novelistas y dramaturgos más importantes, de mayor originalidad e influencia en la literatura occidental del siglo XX, ¿cuántos nombres aduciríamos con toda seguridad? Tratándose de dramaturgos, los más votos irían probablemente a Brecht, Beckett, Pirandello, O'Neill, García Lorca, Shaw, Genet, pero incluso esta media docena sería inmediatamente disputada. ¿Y qué pasaría con una lista semejante de novelistas? Yo nombraría, sin tener que indagar mucho, a Proust, Joyce, D. H. Lawrence, Kafka, Mann, Faulkner. Probablemente se me pedirían explicaciones si quisiera añadir nombres como Robert Musil, Carlo Emilio Gadda o Guimarães

Rosa. Es verdad que la última década parece testimoniar un renacimiento de la novela en Hispano-América: García Márquez, Julio Cortázar, Lezama Lima, Carlos Fuentes, etcétera. Y sin embargo, quitando o añadiendo un par de nombres, aún dudo de que el consenso de la crítica sobrepasaría una docena en el mejor de los casos. ¿No será que la orginalidad y la intensidad poética se han dado en el drama y en la novela mucho menos de lo que se creería? Citemos a Jorge Guillén: «Estos últimos ciento cincuenta años de poesía —desde el romanticismo— han alcanzado en la invención un punto inaudito de intensidad, y los profetas que creían en la creciente contradicción entre el mundo científico y los mundos poéticos se han equivocado» [1].

En cuanto a mí, tengo la impresión de que la poesía es el género que menos se puede poner en disputa en este siglo. Iré aún más lejos, afirmando que el siglo XX ha sido uno de los grandes siglos de la poesía. Manteniéndome estrictamente en el campo de las estadísticas, me resulta completamente imposible reducir este asombroso renacimiento de la poesía en el siglo XX europeo y americano a una mera docena de poetas principales.

Más de un crítico ha llamado al siglo XX el segundo Siglo de Oro de la literatura española, particularmente en los años 1896-1936. Si hay que incluir verdaderamente a todos los géneros en esta denominación, permítaseme la pregunta: ¿a cuántos novelistas y dramaturgos importantes de este período podríamos nombrar sin hacer esfuerzo? Seguramente a García Lorca, trágicamente asesinado; pero incluso sus dramas son ante todo teatro poético. Tal vez, exceptuando a Pío Baroja y a Gabriel Miró (a quien Jorge Guillén incluyó entre los poetas en su *Lenguaje* y *poesía*, primero publicado en versión inglesa en 1961 por Harvard University Press), admitiríamos la verdad de que el siglo XX en España es el Siglo de Oro en la poesía, pero sin un Cervantes o un Calderón que pongan a prueba esta preeminencia. Junto con Francia y Rusia, la contribución de la poesía española es el acontecimiento más asombroso y enriquecedor en la literatura del siglo XX. Hugo Friedrich va aún más lejos al afirmar, en su *La estructura de la poesía lírica moderna* (ediciones en alemán en 1956 y en 1967): «Desde el fin de siglo, y en la

[1] *El argumento de la obra*, Barcelona, Sinera, 1969, p. 105.

estela del nicaragüense Rubén Darío, España ha experimentado un florecer de la poesía cuya cantidad, calidad y originalidad son tales que los críticos españoles hablan de un segundo Siglo de Oro en su literatura. Los críticos extranjeros sólo pueden asentir. Las obras de Antonio Machado, Juan Ramón Jiménez, Jorge Guillén, Gerardo Diego, Federico García Lorca, Dámaso Alonso, Vicente Aleixandre, Rafael Alberti y otros representan tal vez el producto más rico de poesía europea en la primera mitad de nuestro siglo» [2]. Sería difícil encontrar una objeción a esta afirmación, si añadiésemos además a poetas hispano-americanos como César Vallejo, Pablo Neruda (premio Nobel en 1971), Octavio Paz a esta lista. Pero aún limitándonos a la literatura peninsular, el diapasón es impresionante. Con el debido respeto al fervor romántico y el destino trágico de Federico García Lorca, no hay razón ninguna para estilizarle fuera de España hasta convertirle en un símbolo de la literatura española contemporánea. La guerra civil ha marcado a todos los poetas españoles importantes tan profundamente como la Revolución de 1917 y sus postrimerías a los poetas rusos. Muchos escogieron el exilio. Y sin embargo, ¡qué poesía han producido a pesar de estas adversidades! Una individualidad muy marcada caracteriza la obra de todos estos poetas. Yo diría, sin embargo, que Jorge Guillén será el que va a emerger eventualmente como el poeta más enriquecedor y más cumplido de esta generación extraordinaria. Es asombroso constatar que al cabo de medio siglo sus primeros poemas conservan su aire de modernidad escueta, atemporal, mientras que tantos poemas herméticos de los post-simbolistas, antaño famosos, los excesos emocionales de los expresionistas y las asociaciones libres de los surrealistas aparecen entrampados ya en las telarañas del tiempo.

El último libro de Guillén, *Y otros poemas*, contiene avisos irónicos a todo crítico que se precipite entusiasmado a exaltar al poeta, examinando su obra en el contexto de la literatura del siglo XX. El primer aviso amistoso es el siguiente:

«Es el mejor poeta», dijo alguno.
Pensó con ironía:
¿Cómo saberlo ahora? Vano afán.

[2] *The Structure of Modern Poetry*, Evanston, Northwestern University Press, 1974, p. 110 (trad. ed.).

¿Seré el primer poeta de mi calle?
No es seguro tampoco.
¡Cambio de domicilio tantas veces!

(YOP, 210)[3]

La segunda admonición se refiere a su «Obra completa»:

¡Inagotable vida! No hay «summa» que la encierre.
No concluye el poeta de reunir palabras
Jamás sobre el papel ávido con sus blancos.
Obra acabada nunca si no se detuviese,
—Fuerza mayor— la mano que traza aún más signos.

(YOP, 347)

A pesar del sabio escepticismo del autor, un crítico indagador no tiene más remedio que arriesgarse a una evaluación de la magnitud de la *summa* de este poeta, notable precisamente a causa de su integridad gozosa que no ha cedido a través de tantos cambios de domicilio.

Nadie hubiera podido predecir en 1928 que la primera edición de *Cántico,* tierno arbolillo de setenta y cinco poemas firmados por un poeta vallisoletano y publicados por la *Revista de Occidente* en Madrid, iba a crecer y ramificarse a través de otras tres ediciones hasta integrarse por fin a las casi 2.000 páginas de *Aire Nuestro,* publicado en Milano, y que éste a su vez haría brotar un retoño vigoroso que representa *Y otros poemas*: «meras» 530 páginas de poemas nuevos, publicados en Buenos Aires el año pasado para conmemorar el 80 aniversario del poeta. A primera vista se diría que estamos presenciando la transformación increíble de un «Valéry español», inicialmente muy parco en publicaciones, en el Lope de Vega de los últimos días. La edad goethiana del poeta exilado, sin embargo, la extensión y la perfección de su producción, los lugares dispersos de publicación presentan sólo el perfil de uno de los logros literarios más extraordinarios de nuestro siglo. Es significativo que nos hayamos reunido a ofrecer este homenaje al poeta en la Universidad de Wisconsin, Madison, y no en la Universidad de Madrid. Significativo no sólo por razones políticas, sino también

[3] *Y otros poemas,* Buenos Aires, Muchnik, 1973, abreviado como YOP. Las referencias a *Aire nuestro* (Milano, All'Insegna del Pesce d'Oro, 1968) se abrevian con la sigla AN.

porque demuestra el alcance de radio siempre mayor de la poesía guilleniana. El poeta vallisoletano hoy hace parte de la literatura universal, según lo atestigua el número creciente de traducciones y de estudios dedicados a su poesía.

Hay varias maneras para descubrir a un poeta. Un hispanista puede tropezar con Guillén después de haber estudiado nueve siglos del desarrollo poético. Le considerará como miembro de la famosa generación de los años veinte que formó el núcleo del con razón así denominado segundo Siglo de Oro español. En tal contexto, es probable que se le presente a Guillén como la encarnación ejemplar de la «poesía pura», descendiente directo de los grandes maestros del simbolismo francés, particularmente Mallarmé y Valéry. Hay verdad indisputable en tal aproximación, pero de ninguna manera es la más válida ni la más iluminadora. Si se me permite aducir mi propio caso, diré que descubrí a Guillén mientras estaba empezando mis estudios de literatura comparada, concentrándome en la literatura alemana y la rusa. Daba la casualidad que Valéry era mi poeta francés contemporáneo preferido, y conocía las traducciones de Lorca que habían aparecido en la Alemania de posguerra. Al leer a Jorge Guillén con ojos límpidos y sin orientación previa, lo que más me sorprendió fue su nuevo modo de acercarse a la realidad, la luminosidad cegadora y la vitalidad gozosa de sus versos que, en cuanto yo podía juzgarlo, no tenían igual en el siglo XX. Esta reacción inicial se corroboró cuando, en 1951, di con el artículo de Ernst Robert Curtius, donde se observaba: «Es raro, empero, que una obra poética del siglo XX no sea otra cosa que cántico, como ocurre con la de Jorge Guillén. Todo suena aquí en tono mayor, todo se mece y jubila a la luz del sol. No hay disonancias, ni neurosis, ni "flores del Mal". La creación es espléndida, como en su primer día»[4]. Curtius procede luego a demostrar que toda semejanza con Stefan George o Paul Valéry es meramente accidental. Su cita sin identificar: «La creación es espléndida, como en su primer día» procede de *Fausto*, de Goethe; se refiere al clásico alemán dos veces más en este ensayo, sin explorar, sin embargo, otras afinidades posibles entre los dos poetas. El ejemplo de Goethe tam-

---

[4] *Ensayos críticos sobre la literatura europea,* Barcelona, Seix Barral (1959), 2.ª ed., 1972, p. 470.

bién se me había ocurrido a mí cuando me enfrenté por primera vez con los cánticos de Guillén, pero quise indagar en poesía europea contemporánea antes de volver a Goethe.

El fervor extático de Gerald Manley Hopkins se presenta como el paralelo más cercano en la poesía inglesa reciente. En la rusa, la colección de himnos en verso, *Mi hermana la vida* (1922), de Boris Pasternak me vino a la idea mucho antes de que este autor hubiese logrado fama mundial con su *Doctor Zhivago* (i.e., El médico viviendo). Pero el tono y las imágenes de estos poetas eran demasiado románticos y no ayudaban a situar la austeridad clásica y el entusiasmo controlado del poeta castellano. Si hay algún poeta en el siglo XX que se acerca al «existencialismo jubiloso» (término de Eugenio Frutos) de Guillén, es el poeta griego contemporáneo Odysseus Elytis, nacido en 1911. He aquí algunos de sus títulos: «Sol el primero» (1943), «Alabado sea» (1959), «Seis y un remordimientos por el cielo» (1961), «El árbol de la luz» (1971), «El soberano sol» (1971). No sólo en sus títulos parece ser Elytis un hermano menor de Guillén. La cita siguiente de una carta suya a su traductor americano Kimon Friar hubiera podido figurar en la auto-interpretación de Guillén, *El argumento de la obra*: «Me comunico hacia arriba y hacia abajo —dice— del mismo modo que Heráclito entendía que estas dos maneras eran "una y la misma". Mi metafísica es la *física*: para mí, el otro mundo se habita y se juega dentro de éste. Creo en la restitución de la justicia que identifico con la luz. Y junto con un antepasado mío glorioso, digo orgullosamente, a pesar de la moda de mi tiempo, que "no me importan aquellos dioses cuyo culto se practica en la oscuridad"» [5]. Continuemos estas palabras del poeta griego con otras de Guillén:

[5] *Accent,* Summer 1954, p. 176. Otra cita de la misma carta es igualmente iluminadora: «Pero de otro punto de vista, mi huevo de Colón ha sido mi resistencia al *slogan* general que 'debemos presentar el drama agónico de nuestro tiempo'. Cuando la realidad logra superar la imaginación en atrevimiento, la exageración poética se vuelve inútil, y la afectación del dolor, un mero hacerse burdo de la sangre y de las lágrimas. Creo, al contrario, que el poeta debe encontrar las fuerzas espirituales que pueden hacer de contrapeso a este drama y esta agonía. Debe proponerse como meta tal nueva síntesis de los fragmentos de la realidad que le sea posible pasar por «lo que es» para llegar a «lo que puede ser», su meta siendo siempre un modelo de claridad que no tiene relación ninguna con el purismo de las escuelas precedentes de la poesía y del arte en el período entre las dos guerras» (p. 175).

«Ninguna fusión, ninguna magia. Sí el enriquecimiento de quien vive exaltando su vivir. En estas ocasiones prorrumpe de las entrañas mismas de la vitalidad, y con toda su fuerza de surtidor, un júbilo físico y metafísico, ya fundamento de una convicción entusiasta, de una fe: la fe en la realidad, esta realidad terrestre» [6].

Esta afirmación de Guillén, sin embargo: «ninguna fusión, ninguna magia» nos distancia de Elytis, haciéndonos retroceder hasta Goethe: a mi parecer, figura central para mejor comprensión del logro del poeta castellano desde una perspectiva de literatura comparada. Para empezar, recordemos que al ser confrontado con la figura simbólica de la Inquietud,* Fausto, encarnación goethiana del superhombre, que ascendía con la ayuda del diablo, exclama: «Könnt' ich Magie von meinem Pfad entfernen, / Die Zaubersprüche ganz und gar verlernen / Stünd'ich, Natur, vor dir ein Mann alleinz / Da wär's der Mühe wert, ein Mensch su sein!» [Si sólo pudiera quitar la magia de mi camino / olvidar totalmente los hechizos, / me encontraría como un hombre solo frente a ti, Naturaleza. / Entonces, valdría la pena ser humano] [7]. Fausto mismo no pudo conseguirlo en 1832. Podríamos añadir que tampoco lo lograron la mayoría de los poetas que siguieron al romanticismo, a través del simbolismo, expresionismo, surrealismo, hasta neorromanticismo, neosimbolismo, neosurrealismo. Aun el archilúcido Valéry compuso *Charmes*. Con una generalización amplia, se podría afirmar que mucha poesía occidental ha sido animada durante siglo y medio por una diversidad de los hechizos de Fausto, tomados de varias religiones, mitologías, misticismo, ideologías —incluyendo la salvación por el arte—; todo ello con la intención de llenar el hueco proverbial dejado por «la muerte de Dios».

Creo que la relación de Jorge Guillén con sus contemporáneos es parecida en varios respectos a la de Goethe con los autores románticos de su tiempo.

Hugo von Hofmannsthal ha definido la cualidad especial de Goethe como sigue: «Alemanes eminentes parecen nadar debajo del agua; sólo Goethe, como un delfín solitario, se mueve encima de la superficie centelleante» [8].

---

[6] *El argumento de la obra,* p. 53.

[7] *Faust,* Gesamtausgabe, Leipzig, Insel, 1941, p. 467.

[8] HUGO VON HOFMANNSTHAL, *Aufzeichnungen,* Frankfurt, s. Fischer, 1959, p. 80 (trad. ed.).

No resisto la tentación de parafrasear las palabras del escritor austríaco como sigue: Eminentes poetas del siglo XX parecen nadar debajo del agua; sólo Guillén, como un delfín solitario, se mueve encima de la superficie centelleante. Y se podría añadir que cada vez que nuestro delfín simbólico nada *en* el agua, nada contra la corriente de muchas modas de nuestro tiempo. Esto no quiere decir que Guillén no haga parte de nuestro tiempo, sino que sabe trascenderlo en el modo de un clásico verdadero como Goethe. No le tientan las «magias» del subconsciente.

En su ensayo «Goethe: características de su mundo», Curtius subraya ciertas cualidades que parecen igualmente aplicables a Guillén. Por ejemplo: «Originalidad sobre el suelo firme de la tradición: esto es lo que encontramos en Dante, en Shakespeare, en Racine, en el propio Goethe. En nuestros días en Hofmannsthal. La originalidad madura como un fruto para el poeta y el sabio. Mas sólo para ellos»[9]. Y resume el logro de Goethe como sigue: «Dante, Shakespeare, Goethe: tres figuras que hoy nos parecen curiosamente próximas entre sí. Cada uno de ellos —y cada uno a su modo— puede ser visto como la concentración en una sola persona del mundo espiritual de Occidente. La última vez que se ha logrado esta totalización de la tradición en una obra creadora original ha sido en Goethe... *Goethe creó una obra positiva y universal en una época de desintegración incipiente...* Pero si Goethe representa la última concentración del mundo espiritual de Occidente en un gran individuo, entonces es más y es otra cosa que un poeta alemán. Hay que comprenderlo en solidaridad con la herencia espiritual de Europa. Está en la fila de Homero, Sófocles, Platón, Aristóteles, Virgilio, Dante, Shakespeare. La conciencia de estar situado en esta línea sucesoria fue siempre en él muy viva. Su piedad hacia los "padres", su vinculación con los "dignos" del mundo anterior y con el coro de espíritus del pasado, su conocimiento del reino de los "maestros", del que él se consideraba ciudadano —este rasgo tan característico y notable de su espíritu, cobra después de estas consideraciones un sentido más hondo... ¿Ha sido Goethe el último en esta fila?»[10]. Curtius se mostró dis-

---

[9] CURTIUS, *Ensayos...*, p. 99.
[10] *Ibíd.*, p. 107. La cursiva es mía.

puesto a incluir al austríaco Hofmannsthal en esta fila ilustre. Si hubiera vivido para ver la conclusión de la trilogía guilleniana *Aire nuestro,* en 1968, probablemente hubiera admitido también al clásico español moderno a esta grande tradición. Quisiera sugerir precisamente esto, puesto que Guillén es algo más y es otra cosa que un poeta español.

Guillén tiene en cuenta sin duda ninguna a sus grandes precursores europeos, a Goethe entre ellos. *Homenaje* contiene tres glosas poéticas «Al margen de Goethe». La más interesante se titula «Lo humano efímero»: un comentario guilleniano acerca de la exclamación de Fausto moribundo: «Zum Augenblicke dürft' ich sagen: / Verweile doch, du bist so schön!» [Pudiera decir al instante: / demora, eres tan hermoso] [11]. El español afirma su fe en lo «humano efímero» de cada instante. Sin seguridad de la vida eterna, está dispuesto a enfrentarse con el olvido final. No obstante, podemos perseguir nuestra «intención de ser hombre dignamente» (AN, 1149) con un estoicismo complaciente. Es un poema magnífico que nos lleva directamente al centro de la cosmovisión guilleniana (AN, 1148):

Lo humano efímero

Zum Augenblicke dürft' ich sagen:
Verweile doch, du bist so schön!
(Faust, 2, V, «Grosser Vorhof des Palasts»)

Dure aún el momento que es la vida,
Sagrada así, ya desapareciendo,
Muriendo a cada instante
Sin ninguna aureola de infinito,
Sin promesa de fondos absolutos,
A través de momentos bellos, feos.
Siempre valiosos porque son reales
En ese más allá como un regalo
De la tierra, del agua, de la llama,
Del aire transparente,
O turbio, sofocante,
Regalo natural
—También quizá divino—
Con fuerza superior que se me impone
Para que sea yo quien la domine,
La sujete al nivel
De un equilibrio nuestro,
Mi meseta de amor, de gratitud.
¿Eternidad de Elena?
Quiero lo humano efímero.

---

[11] *Faust,* p. 472.

Guillén comparte con Goethe no sólo esta afirmación vital, sino también una fascinación semejante por la percepción visual, el simbolismo de la luz, del aire y del respirar, la salud y la «energía de normalidad» (término de Reyes). Las experiencias de la juventud, de la madurez y de la vejez han sido expresadas de manera memorable en la poesía de ambos. Ambos creen que incluso los acontecimientos más efímeros y ridículos de la vida pueden ofrecer una ocasión para un poema de circunstancias humoroso o compasivo: la palabra poética confiere dignidad. Comparten una curiosidad por la convivencia humana y todas sus ramificaciones. No puedo proseguir con es tos paralelos en el contexto presente, sin embargo, ya que la gran tradición de la que habla Curtius no se limita, para Guillén, a Goethe. Retrocede hasta Homero, Virgilio, Dante y otros. Detengámonos a examinar alguna referencia a Dante: son particularmente iluminadoras para nuestro caso.

Hugo Friedrich hizo notar que *Cántico* tiene una composición arquitectónica como la de *Les Fleurs du mal* de Baudelaire, con un orden numérico casi tan riguroso como en Dante»[12]. Esto, claro es, es aún más aplicable a *Aire nuestro*: *Cántico,* con su subtítulo *Fe de vida,* es sólo su primera parte. (No puedo resistir la tentación de ofrecer aquí un paréntesis: la definición siguiente de «fe de vida» que encontré en la edición de 1953 de *Vox*: *Diccionario General Ilustrado de la Lengua Española*: «*Fe de vida,* certificación negativa de defunción y afirmativa de existencia, dada por la autoridad competente.» Será por esto que la mayoría de los críticos dejan de traducir, asustados, el subtítulo al inglés). La sombra ilustre de Dante es evocada por Guillén mismo en el segundo *motto* de *Aire nuestro* (tras otro de la *Eneida* de Virgilio): *Legato con amore in un volume / ciò che per l'universo si squaderna.* En concordancia con el temperamento poético de Guillén, esta cita proviene de *Paraíso.* En la «Introducción» de su segundo libro: *Clamor / Tiempo de Historia,* encontramos otro *motto* de *Paraíso*: *Come letizia per pupilla viva.* Al completar la tarea ambiciosa de *Aire nuestro,* añadiéndole la tercera parte: *Homenaje / Reunión de vidas,* Guillén parece haber deseado señalar también las *diferencias* básicas entre la estructura poética

[12] *Friedrich, The Structure,* p. 149.

de su trilogía y la *Divina comedia*, encabezando la sección «Al margen del Aire nuestro» de *Y otros poemas* con las palabras siguientes de *The Necessary Angel* por Wallace Stevens: «Los grandes poemas del cielo y del infierno se han escrito, y el gran poema de la tierra queda por escribir» (YOP, 324).

Hemos examinado brevemente algunas maneras en que Guillén relaciona su propia poesía con la de dos de sus grandes precursores en la literatura europea, Dante y Goethe. En realidad, todo *Aire nuestro* está hincado, a través de *mottos* y referencias, en la literatura universal del pasado y del presente; como era de suponer, las letras españolas suplen la parte del león. Además de los numerosos poemas escritos «Al margen de» autores diversos —representando algunos de ellos unas auto-definiciones polémicas—, *Homenaje* e *Y otros poemas* contienen una serie de «variaciones», o sea, traducciones de un número asombroso de poetas. Enumeraré sólo a unos pocos: Cavalcanti, Tasso, Shakespeare, Angelus Silesius, Wordsworth, Hölderlin, Leopardi, Hugo, Basho, Rimbaud, Mallarmé, Whitman, Santayana, Yeats, Claudel, Valéry, Rilke, Wallace Stevens, Supervielle, Pound, Pessoa, Montale, Ungaretti...

Todos estos intereses literarios de Guillén podrían crear la impresión de que él es un poeta más bien académico, alejandrino, que experimenta la vida a distancia. No es verdad. Ha sido lector apasionado, por cierto, parcialmente por razones profesionales: ha explicado literatura durante la mayor parte de su vida. Lo que constituye la vivacidad sorprendente de sus poemas «Al margen de» otros autores y de sus traducciones es el hecho de que *éstos siempre se relacionan con la preocupación central de Guillén mismo como poeta.* Para decirlo en otras palabras: su selección de ciertos autores y sus textos nos permite entender mejor su propia poesía. Para Guillén, conversador apasionado, incluso encuentros imaginarios con autores de los siglos pasados se vuelven diálogos y debates vibrantes. Así, el poema acerca de Juan Ruiz, Arcipreste de Hita, termina con una estrofa muy característica (AN, 1211):

> Todo el libro conduce sin cesar hacia un hombre.
> Juan Ruiz es algo más que el hueco de ese nombre.
> ¡Tan persona se afirma! No me consolaré
> De nunca haber tomado con aquel Ruiz café.

Tienen estos poemas inspirados por otros escritores y su obra, por consiguiente, excitación real, un elemento de descubrimiento reciente. Guillén ama los libros, pero a la vez no le molesta la invasión de vida bruta en los volúmenes más valiosos bajo la forma de una polilla irreverente, una «docta polilla», a quien dirige el siguiente apóstrofe (AN, 986):

Polilla

Docta polilla dibujante
Que ornamentas el gran infolio
Con bien profundizadas curvas
—Oh latín de San Isidoro—
Y minando muchos renglones
Sin más que arabescos viciosos
—Capricho por sinuosidad—
Ilustras saber y decoro:
Eres en tus juegos mortales
La invasión de vida que adoro.

Así, poeta y crítico coexisten en estas páginas de poesía con una gracia natural.

Mirando desde la perspectiva de 1974, resulta difícil comprender cómo un investigador del calibre de Hugo Friedrich haya podido interpretar *Cántico* tan parcialmente. En su *Estructura de la poesía lírica moderna* leemos la afirmación siguiente: «Sólo una cosa es inequívoca: la ausencia de humanidad natural. (Humanidad natural aparece con más énfasis en la poesía de Guillén después de 1957)» [13]. No obstante, Friedrich admira mucho a Guillén: le coloca en el mismo grupo que a Mallarmé y a Valéry. Sin embargo, para encajarle en su esquema más bien estrecho de la poesía moderna, se concentra demasiado en ciertas características abstractas —que sí existen, pero predominan sólo en las dos primeras ediciones de *Cántico* (1928 y 1936). En las ediciones aumentadas de 1945 y de 1950, el diapasón temático y estilístico se expande notablemente: la lucha, el exilio, la muerte entran en su composición. ¿Pero no se encuentran ya en las primeras ediciones de *Cántico* las semillas condensadas del equilibrio clásico, una especie de poesía integral (el término es de Guillén), que luego culmina en la realización de *Aire nuestro*? Citemos al autor mismo: « ¡Poesía integral! Conocemos su fuente: el hombre entero con todo el rebu-

---

[13] *Ibíd.*, p. 151.

llicio de su imaginación y su corazón. Poesía individual y general, himno, elegía y sátira, cántico y clamor, pese a los anatemas de los Pedantes»[14].

Es significativo desde varios puntos de vista que Guillén haya intitulado su «gran poema de la tierra» *Aire nuestro* —este «aire nuestro» haciéndose eco de «pan nuestro» del *Padre nuestro*—, mientras que Pablo Neruda, por ejemplo, llamó su versión del «gran poema» más directamente *Residencia en la tierra.* Pero el aire hace posibles la vida y la palabra humanas. Como resultado, la voz del poeta puede entonar cánticos de delicia, clamar disgustada u ofrecer homenaje, admirando: *Cántico, Clamor, Homenaje.* La preferencia por Guillén del aire como *su* elemento deriva también del hecho de que éste es transparente y leve[15]. En este sentido es simbólico de la poesía guilleniana, que pocas veces es oscura o hermética. Confronta al lector con una escala muy amplia de metros, formas, tonos. Se puede abrir *Aire nuestro* casi al azar, y sea el poema un *trébol* —el equivalente guilleniano del haiku y del epigrama—, una décima elegante, un soneto, un romance, o un poema meditativo más largo en verso libre, es casi seguro que cada texto se revelará como un núcleo del mensaje luminoso del poeta. Las imágenes, los motivos, los símbolos tienen su propio modo de recurrir a través de *Aire nuestro* —y podría añadir, de *Y otros poemas.*

En una era de desintegración formal y moral, de ensayar hermético y experimentación surrealista, la inmensa autodisciplina y la perfección formal, llevadas a cabo en su poesía temprana, le prestaron buenos servicios a Guillén a través de toda su vida creadora. Con madurez y experiencia crecientes, fue calando sus redes de palabras cada vez más hondo en toda clase de aguas turbias de la vida, no sólo en los arroyos cristalinos que se deslizan suavemente. Siempre —no sólo en los años del exilio— ha sido gran viajero y amigo de las gentes más variadas. Su apetito insaciable por todo detalle de la vida, incluyendo anécdotas y perversidad ocasional, hace pensar en un novelista o un dramaturgo más bien que en un poeta de contención refinada que algunos siguen viendo en él.

---

[14] *El argumento de la obra,* pp. 104-105.

[15] *Light* en inglés puede tener dos sentidos: «leve» y «luz». En el texto original, el autor señala las dos posibilidades como aplicables a la poesía de Guillén. [Nota del ed.]

Tiene ojo maravilloso para la comedia humana, y la retrata con amor o con ironía. Como ha dicho él mismo más de una vez, es la vida normal lo que adora, pero es una vida normal vivida con energía e intensidad tan poco usuales que lo normal se transforma en arte válido universalmente. Esta vitalidad robusta trae otro recuerdo de Goethe, también de Pushkin. Pocos contemporáneos suyos la poseen.

Aire nuestro e *Y otros poemas* reflejan más de medio siglo, desde 1919 a 1972, o —puesto que los recuerdos del poeta alcanzan los primeros años del siglo— se podría decir que abarcan setenta y cinco años. Escribió su primer poema reconocido cuando tenía veintiséis años, y el último publicado fue compuesto al entrar en los ochenta. De su obra voluminosa se ha entresacado *Poemas de Castilla* (1968) y *Suite Italienne* (1964, 1968). Una *suite* semejante se compondría fácilmente con poemas inspirados por Francia. Recientemente, Justina Ruiz de Conde hizo una selección de poemas americanos, comentándolos en su *El Cántico americano de Jorge Guillén*. En *Historial natural* (1960) se recogieron algunos poemas que tratan de la flora y la fauna. Sin duda su gran obra poética servirá de cantera a otras antologías semejantes, agrupadas en torno a ciertos temas, en el futuro. Una selección que reuniría poemas que reflejan sus reacciones a la guerra civil y las postrimerías de ésta, por ejemplo, sorprendería a más de un joven crítico-poeta que tal vez no se daba cuenta del aspecto político de esta poesía que a veces puede ser ferozmente satírica (recuérdese «Potencia de Pérez» o «Guirnalda civil»).

Los términos que se han empleado con más frecuencia para caracterizar la literatura del siglo XX son «angustia», «desesperación», «rabia», «absurdo», «negación», «falta de sentido». Los valores positivos, cuestionables, a los cuales han recurrido algunos autores, han incluido una afiliación a rígidas ideologías políticas de la derecha o de la izquierda, una vuelta a dogmas religiosos, la creación de una mitología personal o, al contrario, una evasión de todo esto hacia el idilio puro. La poesía de Guillén sorprende a más de un lector por su claridad vigorosa y su integridad vital. Pero tal vez sea más interesante aún notar que el brío de Guillén no se apoya en una ideología, una religión establecida o el mito (aunque un diálogo constante con los tres atraviesa toda su poesía). Su solución sumamente personal es la de un individualista —podríamos decir, integralista— español que ha realizado su visión contra la corriente del tiempo. Ningún grupo ni «ismo» puede proclamarle suyo, aunque sus raíces se ahíncan en tiempo, lugar y generación concretos.

Es básicamente un humanista liberal: lúcido, independiente, equilibrado. Un humanista cuya afirmación de la vida y de la dignidad humana no se ha conseguido a expensas de independencia crítica, suscribiéndose a una ideología, un dogma o al misticismo. Es una afirmación arrancada a la negación. Guillén les encuentra bastante valor positivo al convivir con sus prójimos, a la naturaleza, a la literatura y a la cultura para que la vida y el arte le merezcan la pena. Como hemos dicho antes, al citar a Curtius, originalidad y tradición no se excluyen en los autores más grandes. Esto también se puede decir de Guillén. Lo más extraordinario en Guillén, como hombre y como poeta, es la intensidad de su atención abierta hacia todos y hacia todo, una franqueza que nunca lleva a la dogmatización o sistematización, sino que permanece transparente como el aire que nos rodea. O, recurriendo a otra imagen predilecta de Guillén, transparente como un cristal bien lavado que no impide la vista. Sin saber con certeza qué es lo que precede ni qué lo que sigue la vida humana, Guillén no desespera, sino que acepta y celebra precisamente esta limitación humana. La fuerza moral de su visión centrada con seguridad tiene sus raíces en la serenidad estoica. En esto continúa tradiciones antiguas romanas e hispánicas. ¿Qué otro poeta importante del siglo xx hubiera podido encabezar la obra de toda su vida con las palabras de Virgilio: «Hoc coeli spirabile lumen»? Permítaseme citar de una carta del poeta, donde cuenta cómo encontró este verso: «Dice Virgilio en el canto III de la *Eneida* "Hoc coeli spirabile lumen", o como se traduciría en endecasílabo, "esta luz respirable de los cielos". ¿Y no es ese el punto central de toda mi poesía?» [16]. Lo es con toda seguridad.

[Este trabajo fue leído en el Simposio-Homenaje a Guillén en la Universidad de Wisconsin, Madison, el 2 de mayo de 1974]

---

[16] Carta personal al autor de este ensayo con fecha de 6 de agosto de 1965.

II

AFINIDADES Y APROXIMACIONES

WILLIS BARNSTONE

LOS GRIEGOS, SAN JUAN Y JORGE GUILLEN

Jorge Guillén es un poeta de lo absoluto que aspira a expresar leyes fundamentales. Como tal, es un físico apasionado. Para encontrar sus antepasados hay que volver la vista no sólo hacia los nombres que se nos vienen a la mente espontáneamente —poetas como San Juan de la Cruz, Lope de Vega, Fray Luis de León y Jorge Manrique, que él admira y cuya lección no rechaza, citándoles en su propia obra—, sino también hacia aquellos con quienes las afinidades se establecen en cuanto a valores y métodos. Hemos de volver, pues, a los primeros físicos del Occidente: los filósofos presocráticos que, como Guillén, buscaban principios fundamentales para relacionar la materia y el ser.

Los filósofos presocráticos que se ocupaban de las ciencias se preocupaban por definir las partículas elementales que forman el substrato de toda materia. Las llamaban como nosotros, átomos: *atomata*: lo que no puede ser partido, lo indivisible. El cisma contemporáneo entre tendencias positivistas y metafísicos tradicionales o fenomenólogos ha causado que hoy los filósofos analíticos les atribuyan a los presocráticos un lugar de mayor importancia que en toda la historia de la filosofía desde ellos a nuestros días.

¿Cómo se expresaron estos físicos antiguos? En general, en poesía o en axiomas poéticos. No es poco irónica la idea de que los filósofos más científicamente inclinados antes del siglo xx hayan recurrido a la poesía como el medio más apropiado para expresar la verdad. Desde aquel entonces ha habido filósofos que han escrito «poéticamente» —Nietzsche, Bergson, Santayana, incluso Platón—, pero sólo los primerísimos atomistas griegos —y los filósofos latinos que les imitaron[1]— usaron poesía para hablar de filosofía.

Los filósofos griegos antiguos aspiraban, como Guillén, a relacionar todas las cosas y el ser en el mundo. Llegaron a soluciones distintas: las escuelas de los milesios, de los pitagóricos y de los eleatas tuvieron cada una su propio *logos*. Empédocles afirmaba que los cuatro elementos del cosmos son movidos por el Amor y el Odio. Heráclito vio una identidad de los opuestos en todas las cosas, tomando el fuego (la energía) como el principio unificador de base. Parménides, que escribió exclusivamente en hexámetros, descubrió la unidad del pensar y del ser, anticipándose a Descartes. El elemento común a todos los filósofos presocráticos era su creencia en un mundo material aprehensible, una realidad única, donde la divinidad se les arrebataba a los dioses y podía ser encontrada en este mundo común de la materia[2]. Los filósofos antiguos no disponían, claro es, de instrumentos mecánicos más desarrollados que permiten hoy a los hombres de ciencia examinar los substratos de la materia. Tenían que fiarse de lo que se percibía con el ojo. En esto también —y esto es curioso— se hallaban más cerca de Guillén, quien habla abstractamente de lo que puede ser aprehendido sólo sensorialmente.

Como los griegos, Guillén dice muchas cosas, pero también como ellos, tiene una sola noción central: *somos*. Este *nosotros* le incluye a él, a ti, a mí, a las cosas, al universo. La sorpresa creadora es un despertar hacia la conciencia del ser. Su gran anhelo consiste en establecer una conexión real entre él mismo y todo lo que le rodea. Para cumplirlo, empieza por enunciar: «No soy Narciso». Y afirma: «No hay soledad. Hay luz entre todos. Soy vuestro.» («Afirmación»)[3]; «Luz nada más» («Anillo», página 171). De estos poemas surge un teorema elemental que concuerda con la costumbre griega de aplicar lógica

---

[1] Lucrecio, por ejemplo.

[2] Una especie de panteísmo se encuentra en Heráclito: «Dios es el día y la noche, el verano y el invierno, la guerra y la paz, la plenitud y la indigencia.» En otros presocráticos la noción de Dios abarca sencillamente todo lo que es.

[3] *Cántico* (Buenos Aires, Ed. Sudamericana, 1950), p. 258. Todas las citas se tomarán de esta edición.

abstracta a objetos concretos en la vida. Se podría leer: 1. La luz está en mí. 2. La misma luz está en ti, en las cosas, en el universo. 3. Con la misma luz en todos nosotros, todos somos uno y lo mismo. Con esto hemos adelantado un paso más allá de la primera noción central, *somos*, y concluimos: *somos uno*.

Guillén parte de esta noción: *somos*, con su corolario *somos uno*, y la expresa de mil maneras, cada vez con una voz auténtica que transmite una experiencia concreta. A veces parece seguir a Heráclito al hablar de la unidad de los opuestos:

> Nubes por variación
> De azares se insinúan,
> Son, no son, sin cesar
> Aparentes y en busca.
>
> («Salvación de la primavera», V, p. 97)

Más adelante, escribe: «No soy nadie, no soy nada,/ Pero soy —con unos hombros...» («Cara a cara,» VI, página 523). Hay varios caminos que llevan al ser, al *gozo de ser* que él celebra. Si mencionamos las paradojas de Heráclito, la afinidad vale, pero éste es sólo uno de los múltiples modos que usa Guillén para afirmarlo. Se puede encontrar igualmente una afinidad con Parménides en la ecuación repetida de pensar y ser. Igual que para Parménides, para Guillén el alma y el cuerpo son uno. Ya Parménides quedó maravillado al reconocer «una conciencia intensa de la Realidad misma, la sensación de que existe, y el asombro que esto causa»[4]. Y volviendo a los griegos, hay también Anaxímenes que relacionó a todos los hombres y el mundo por medio del aire. Anaxímenes pronuncia: «Primero... así como nuestra alma, que es aire, da unidad a nuestro cuerpo, de la misma manera el aliento y el aire ciñen el mundo entero.» Y Guillén:

> A una creación continua
> —Soy del aire— me someto.
> ¡Aire en trasparencia! Sea
> Su señorío supremo.
>
> («El aire», p. 513)

Luego, confirma que su vida es aire, aire con fe:

[4] A. R. Burn, *A Traveller's History of Greece* (London, Hodder and Stoughton, 1965), p. 106.

Y la vida, sin cesar
Humildemente valiendo,
Callada va por el aire,
Es aire, simple portento.

Vida, vida, nada más
Este soplo que da aliento,
Aliento con una fe:
Sí, lo extraordinario es esto.

(«El aire», p. 510)

Mi propósito al establecer estos paralelos entre los griegos y Jorge Guillén no ha sido sugerir ni negar influencias directas sobre el poeta. Los griegos presocráticos, al comenzar su exploración del universo natural, dejaron esparcirse libremente los gérmenes de sus ideas por el mundo; ninguno podemos ser totalmente exentos de ellos. Me propuse más bien mostrar que Guillén, como los primeros filósofos-físicos-matemáticos, es un poeta que tiene la obsesión de buscar leyes fundamentales que expliquen el universo. Todo lo demás es secundario, aparece en minúscula. (En su libro, incluso los títulos de los poemas secundarios se imprimen con letra más pequeña.)

Así como los griegos más antiguos, Guillén se sirve de la poesía como el mejor medio de expresión. Como ellos, usa un vocabulario filosófico exacto, de abstracciones, para hablar de cosas específicas del mundo. Por esto se le puede considerar poeta absoluto, único en la historia de la literatura poética. Escribe, por ejemplo: «Ser, nada más. Y basta». La enunciación de las tres primeras palabras es filosófica y abstracta. La última oración, «Y basta», representa una expresión coloquial, pero de exactitud igual. Pone término a la abstracción de «Ser, nada más» y, como en muchos poemas suyos, contribuye al *tempo* ascendente de las ideas que, en Guillén, y sólo en Guillén, *vuelven extático lo abstracto.* Si Heráclito se sirvió del fuego para unir el mundo, Guillén, que no rechaza el fuego, se sirve de todos los elementos —fuego, aire, tierra, agua— y les infunde *fe de vida* y ser vibrante. Aun sus oscuridades vibran con entusiasmo. Guillén es el poeta del mundo que *palpita con vida.*

Para cautivar en palabras la viva esencia del «mundo con vida», Guillén ha inventado un lenguaje poético original: el lenguaje del éxtasis preciso. El poeta pide un lenguaje de «más verdad», refinándolo hasta no dejar en él más que palabras claves. Estas a su vez expresan ideas que son el meollo intelectual, sólo emociones que se han vuelto fuego. Guillén anhela la exactitud de la verdad con tal pasión que en su búsqueda de lenguaje preciso vuelve material la verdad abstracta:

> Y la verdad
> Hacia mí se abalanza, me atropella.
>
> («Más verdad», p. 354)

La invoca con todo su furor viril:

> Venga más sol feroz.
> ¡Más, más verdad!
>
> (Id., p. 354)

Guillén ha inventado el lenguaje del hombre de ciencia apasionado.

Ahora podemos juntar algunas de las nociones que acabamos de comentar. Hemos dicho que Guillén, como los presocráticos, se preocupa ante todo por descubrir la esencia soterraña del cosmos. Esta esencia se le revela igual fuera y dentro de él mismo. Así, los rayos del sol le despiertan no sólo hacia la conciencia de su propio ser, sino al mismo ser en el mundo. Acto seguido, afirma que él es uno con todo este *ser* en el mundo, sea planeta, luz, aire, una cosa, una mujer. Su relación con este *anillo* que le ciñe es *amorosa*; su energía total se dirige hacia este amor que le une al mundo. Para expresar todo esto, como un lingüista moderno, inventa un lenguaje nuevo con su propia estructura lógica y su léxico. Lo hemos llamado lenguaje del hombre de ciencia apasionado.

¿Se prestan estas observaciones a conclusiones ulteriores? Inevitablemente, hemos de buscar una figura y tratar de incorporar a Guillén, con toda su originalidad, a un sistema más general. Otros poetas han intentado —con menos suerte tal vez, y sin el rigor absoluto de Guillén— lograr cierta especie de unión. Guillén va más lejos que los otros en aclarar los laberintos de su autorealización con precisión, pero otros han explorado veredas metafísicas semejantes. Se les suele dar —no rara vez abusando— el nombre genérico de *místicos*. ¿Sería posible considerar como místico a un autor tan *secular* como Guillén, habiendo sugerido que es un hombre de ciencia? Por falta de un término más apropiado, le llamaremos precisamente esto: místico, místico secular. Lo cual impone una definición del término tal como lo usaremos. Con este propósito, será mejor hablar antes de otro gran místico español que le precede a Guillén: San Juan de la Cruz, el poeta español a quien más se parece y que le regaló el título de *Cántico*; poeta que también llamaremos —en su poesía, si no en sus comentarios— místico secular.

La mayor autoridad que induce a hablar de la poesía de San Juan como secular y *no religiosamente* mística es Guillén mismo. En cuanto yo sepa, es el único comentarista distinguido que haya hablado de la poesía de San Juan con objetividad crítica y que haya establecido una distinción entre el proceso místico religioso, atribuido por San Juan mismo a sus poemas en los comentarios, y los poemas mismos que son luminosas creaciones terrestres. Dice Guillén:

> Concluyamos, pues, que San Juan de la Cruz, el mayor poeta entre todos los místicos, compuso poemas que se suelen considerar místicos atendiendo a la biografía y a la alegoría, según una lectura poético-prosaica, que superpone a los versos los comentarios. La lectura poética en esta ocasión —ejemplar— no tiene nada que abstraer de los poemas, que lo son, y admirables, sin contener biografía ni alegoría. El valor poético no se ahonda si se le proyecta hacia la perspectiva conceptual [5].

Y a continuación:

> En rigor, muy escueto rigor teórico, no lo son ni lo pueden ser. La casi perfecta autonomía de las imágenes, con tanta continuidad referentes al amor humano, no admite ni la evocación de la experiencia, que no es concebible ni revelable, ni la intromisión del pensamiento sustentado por andamios alegóricos, fuera del edificio poético [6].

En los párrafos que acabamos de citar Guillén rechaza la noción de San Juan místico religioso en su poesía, oponiéndole a San Juan místico religioso en su biografía o en sus comentarios religiosos. Intentaremos mostrar, sin embargo, que mientras el término místico *religioso* es ambiguo cuando se trata de los poemas de San Juan, el término místico *secular* es apropiado tanto para San Juan como para Guillén.

---

[5] *Lenguaje y poesía* (Madrid, Alianza, 1969), p. 105.
[6] *Id.*, p. 107.

La tradición mística occidental de la que procede San Juan se anuncia en el presocrático Pitágoras. Los pitagóricos, más que otros filósofos griegos antiguos, trataban de «la purificación y la re-encarnación del alma». Siguiendo su teoría de números y su cosmología, dividieron al mundo en lo limitado y lo ilimitado, lo cognoscible y lo caótico, oscuro. El *dualismo* esencial de los pitagóricos culminó en la separación del alma y del cuerpo establecida por Platón, y más tarde en el corte cartesiano. En la *República* y en *Fedón* Platón establece una línea de demarcación absoluta que separa el pensamiento de las cosas materiales. El cuerpo y los sentidos forman un caparazón del que el hombre debe elevarse para llegar al conocimiento de la Idea y del Bien. El amor puro es una liberación de los vínculos del cuerpo hacia el mundo luminoso que existe fuera de la cueva para acercar el pensamiento al sol espiritual. El dualismo del cuerpo y del pensamiento, formulado por Platón y desarrollado luego por Plotino y los neo-platónicos, llega a formar la base del pensamiento místico religioso occidental. La idea del bien, propuesta por Platón, se transforma en Dios. El proceso místico de la oscuridad (la liberación del pensamiento de la materia), la iluminación y la unión con Dios vienen a constituir el tema de los escritos místicos desde Kempis y Eckhart a la prosa religiosa de San Juan y de Santa Teresa.

En San Juan la descripción de las tres etapas de oscuridad, iluminación y unión es el tema principal de los comentarios. En los poemas, la alegoría del proceso místico es expresada a través de la unión de los amantes. Es aquí donde Guillén niega que la simbolización del acto de amor transmita de veras una unión mística religiosa. En sus palabras, «la casi perfecta autonomía de las imágenes, con tanta continuidad referentes al amor humano», no admite «la intromisión del pensamiento sustentado por andamios alegóricos, fuera del edificio poético». ¿Qué es entonces lo que sugiere la escena de amor en San Juan? ¿Cómo se relaciona con Guillén, y cómo podemos inferir de esto que el misticismo secular de San Juan es análogo al misticismo secular de Guillén? Para contestar a estas preguntas se vuelve necesario examinar cómo usa San Juan en realidad la tradición mística *en sus poemas*.

San Juan es un poeta de paradojas. Como en Heráclito, aquí baja lo que sube, es claro lo que es oscuro; existe una unión de los opuestos. En lo tocante a la tradición mística también es un poeta de paradojas. Deriva ostensiblemente de la tradición platónica, y en sus comentarios se ve claramente que la noche oscura representa la lucha por liberarse de la carne. «Estando ya mi casa sosegada» significa, según el comentario, que cuando los sentidos duermen, el alma puede desasirse de ellos para llegar a ver y a unirse con Dios. A su vez, Platón considera el cuerpo como el asiento del alma que aprisiona el alma.

Escribe en *Fedón*:

> Mientras estemos en el cuerpo, y mientras el alma esté mezclada con esta masa del mal, nuestro deseo no será satisfecho, y nuestro deseo es el de la verdad. Porque el cuerpo es la causa de innumerables molestias para nosotros... además, aun si hay tiempo e inclinación hacia la filosofía, el cuerpo introduce alboroto, confusión y miedo en el curso de la especulación, impidiéndonos ver la verdad. Toda experiencia muestra que si queremos llegar al conocimiento puro de cualquier cosa, debemos deshacernos del cuerpo, y el alma misma debe aprehender todas las cosas en su esencia [7].

San Juan siguió a los místicos en su vuelo hacia la luz y la unión. Sus poemas amorosos, sobre todo «Noche oscura», cuentan la experiencia del paso de la oscuridad a la luz y a la unión. Pero aun si es posible que San Juan se inspirara en la tradición mística del dualismo pitagórico y platónico, donde el espíritu se libera de las ataduras del cuerpo corrupto para llegar al conocimiento puro del bien, alcanza —y esto parece paradójico— una meta muy diferente en sus poemas. Si leemos lo que dicen los poemas en vez de entender lo que él quiere que se entienda, vemos que celebran el amor plenamente humano, no el de un ángel incorpóreo o del espíritu. En esto es San Juan el primer poeta del Siglo de Oro español que sitúe el cuerpo completamente en el terreno del amor humano. Se desvía de las idealizaciones platónicas de Dante y de Petrarca que dominaban la poesía renacentista en toda Europa. Y se parece más a otro gran poeta de amor en Inglaterra, John Donne, el primer renacentista inglés que ni trascendió el sexo, ni buscó desasirse del cuerpo, sino que unió cuerpo y espíritu como elementos de la condición humana total. En poemas como «The Canonization», «The

[7] PLATO, *Phaedo,* translated by B. Jowett (Garden City, New York, Doubleday and Company, Inc., 1961), p. 498 (trad. ed.).

Good Morrow», «The Sunne Rising», y «Lovers infiniteness» Donne se regocijó tanto en la unión física como en la espiritual alcanzadas por el hombre. Tanto Donne como San Juan representan la posición aristotélico-tomista de que el amor es el acto de un organismo animado. Santo Tomás sostiene que el espíritu y el cuerpo del hombre están en armonía más bien que en oposición, y que el espíritu humano es capaz de realizarse sólo si le es dado manifestarse en una sustancia material [8]. La visión aristotélica corrobora lo bueno del cuerpo y le adscribe un papel necesario en el acto de amor.

En realidad, mientras intenta escapar del mundo y del cuerpo, San Juan los coloca en un centro magníficamente enfocado. Guillén se da cuenta perfecta de esta paradoja. Comentándolo a propósito de San Juan, da una exposición sucinta de su propio credo poético:

> La extraordinaria aventura de San Juan —su identificación con lo Absoluto— le conduce a escribir, según el modo más relativo y concreto, algunos de los más hermosos poemas del amor humano [9].

Al describir luego a San Juan con palabras que definen perfectamente su propia poesía, dice:

> Pero esta vida interior da lugar a la más valerosa afirmación de las cosas y de las criaturas; y partiendo humildemente de la inefabilidad de la experiencia, se consigue uno de los grandes triunfos del hombre sobre el lenguaje [10].

En estas nociones de «la afirmación del mundo y de sus criaturas» y de la poesía que es «iluminación y perfección» se encuentran los elementos del místico secular igualmente presentes en San Juan y en Guillén. Ambos siguen el paso de los místicos desde la oscuridad hacia la luz y la unión: si no teológica, sí *psíquicamente.* San Juan lo hace en práctica, si no con intención; Guillén, con intención clara y firme. San Juan dedica más atención a la unión entre el hombre y la mujer; Guillén, a la del hombre con las cosas en y por encima del planeta, incluyendo a la mujer y todo lo demás. Es en *Cántico es-*

---

[8] CHARLES M. COFFIN, *John Donne and the New Philosophy* (New York, The Humanities Press, 1958), p. 48. Coffin cita acerca de S. Tomás de Aquino a W. Windelband, *A History of Philosophy,* New York, 1898.

[9] *Op. cit.,* p. 108.

[10] *Id.,* p. 109.

piritual, poema de luz, donde San Juan se acerca más a *Cántico* de Guillén: celebra no sólo al hombre y a la mujer, sino a todas las criaturas errantes así como a la naturaleza.

Llegados a este punto, conviene precisar el uso de nuestra expresión «misticismo secular» en San Juan, ya que el lector podría preguntar si no es posible ver una afirmación alegórica en los poemas que contienen una implicación de una experiencia mística teológica. Sí es posible. Mientras San Juan evita el lenguaje teológico en los poemas centrales y, como en el *Cantar de los cantares*, permanece constantemente en el nivel del amor humano secular, los poemas contienen un sistema de vocabulario místico. Estas alusiones —estas flechas— insinúan la posibilidad de traducir la expresión secular en una noción religiosa: la unión del alma con Dios. Se debe recalcar, sin embargo, que la experiencia —sea cual fuere la transposición conceptual que el lector le aplique— es real. Ni una interpretación secular o religiosa, ni escepticismo o fe pueden disminuir o negar la realidad de la experiencia extática. Por fin, San Juan mismo, como dijimos, limita sus descripciones específica y tenazmente a acciones de amantes humanos.

Al hablar de Guillén dijimos que su primer descubrimiento como poeta consiste en constatar que *él es*, y el segundo, que *es uno con el mundo que le rodea*. Al describir su lenguaje y su búsqueda obsesionada de las leyes elementales del ser, le hemos relacionado con los presocráticos protocientíficos que usaron el lenguaje poético para describir el cosmos. Al referirnos a las tres etapas de la experiencia mística —*soy, veo, soy en unión*— hemos establecido una semejanza entre Guillén y San Juan, llamándoles a los dos místicos seculares.

Nos queda por examinar por fin la índole de su camino hacia el éxtasis. En los primeros versos de *Cántico*, Guillén escribe:

> (El alma vuelve al cuerpo,
> Se dirige a los ojos
> Y choca.) — ¡Luz! Me invade
> Todo mi ser. ¡Asombro!
>
> («Más allá», p. 16)

En el sentido aristotélico-tomista, cuerpo y espíritu se unen. ¡Y le invade la luz! La palabra ¡*asombro*! es usada por el poeta para expresar un estado de puro maravillarse que corresponde al *un no saber sabiendo* de San Juan: el instante en el que el místico queda *balbuciendo* al revelársele lo inefable. Como San Juan, Guillén no se encierra en su caparazón del ser. Se enfrenta, típicamente, del modo más elemental y primitivo, con la tarea de todo hombre: ser más, unirse, alcanzar el círculo que le circunscribe. Al despertar y constatar la soledad biológica del hombre, su *soledad sonora,* todo su esfuerzo se dirige hacia el restablecimiento del contacto con «el otro»: igual que en los primeros griegos. Define al otro —una mujer en «Salvación de la primavera»— como parte de los átomos de energía en el mundo, parte de su sustancia material:

> Me centro y me realizo
> Tanto a fuerza de dicha
> Que ella y yo por fin somos
> Una misma energía.
>
> (VIII, p. 102)

Para llegar a ella, invoca al amor:

> ¡Amar, amar, amar,
> Ser más, ser más aún!
> ¡Amar en el amor,
> Refulgir en la luz!
>
> (V, p. 98)

He aquí la iluminación. Apenas encuentra palabras en su asombro, y se repite como el balbuciente místico secular:

> ¡Tú más aún: tú como
> Tú, sin palabras toda
> Singular, desnudez
> Unica, tú, tú sola!
>
> (IX, p. 103)

Entonces, los dos se unen:

> Y se encarnizan los dos violentos
> En la ternura que los encadena.
> (El regocijo de los elementos
> Torna y retorna a la última arena.)
>
> («Anillo», III, p. 172)

Este instante de unión perfecta y el ansia de lograrla vuelven repetidamente en Guillén. Así como en San Juan, cada vez que se da, se repite la experiencia momentánea de una liberación total, un orgasmo físico y espiritual, que es la experiencia del místico secular. La *Llama de amor viva* guilleniana ilumina el clímax de

> Gozo de ser: el amante se pasma.
> ¡Oh derrochado presente inaudito,
> Oh realidad en raudal sin fantasma!
> Todo es potencia de atónito grito.
>
> (Id.)

El *atónito grito* es el instante del ahora total. Antes de llegar a él, ha de atravesar una tensión oscura (que puede ser un blancor tórrido):

> ¡Desamparo tórrido!
> La acera de sombra
> Palpita con toros
> Ocultos. Y topan.
>
> («El sediento», p. 74)

La última oración, *Y topan,* le lleva al clímax. Se unen. Se llega al colmo del éxtasis soñando despierto, bebiendo en el manantial del amor:

> ¡Ah! Reveladora,
> El agua de un éxtasis
> A mi sed arroja
> La eternidad. —¡Bebe!
>
> (Id.)

En las últimas páginas he citado aquí y allá algún verso para ilustrar el tema de la obsesión casi primitiva de Guillén por el ser, el fuego y la luz que aparecen al unirse el ser con las cosas en el mundo. Como los presocráticos y San Juan, Guillén entrega la divinidad de Dios al hombre. Llega a vivir la experiencia de los místicos de una manera secular, dando un salto desde la soledad oscura a la luz de la unión. Pero esta peregrinación desde lo diminuto hacia un ser más grande, de sí mismo al éxtasis se transmite no bajo la forma del alma en unión con Dios, sino en la conjugación de la pasión con el intelecto. Ningún poeta, posible excepción hecha de los científicos griegos más antiguos, ha usado jamás un lenguaje tan desnudo, tan puro filosóficamente para alcanzar este conocimiento del cosmos. Ningún poeta, posible excepción hecha de San Juan, ha sabido vivir tan plena y afirmativamente en la felicidad de la unión plena de su ser con la amada en este mundo, ahora, en este planeta, en este cosmos.

[Original inglés en *Luminous Reality* (Norman University of Oklahoma Press, 1969) pp. 19-23]

LUIS LORENZO-RIVERO

AFINIDADES POETICAS DE JORGE GUILLEN CON FRAY LUIS DE LEON

No es muy difícil encontrar en una literatura dos escritores que, perteneciendo a momentos distintos, tienen más en común entre sí que con otros, incluso los de su misma época. Es decir, a veces, existen entre dos artistas unas grandes corrientes de afinidad que se transmiten del uno al otro, forzándoles a adoptar una actitud paralela ante la vida. Tal es el caso de dos de los mayores poetas de la literatura española: fray Luis de León y Jorge Guillén. Su afinidad es de espíritu y trasciende las desemejanzas que puedan tener lugar entre sí.

Fray Luis poseía un gusto exquisito y, mediante una paciente labor de selección, alcanzó perfecciones estéticas extraordinarias. Aunque la primera edición de sus poemas es póstuma, se han podido comparar diversas copias manuscritas de una misma composición y observar la obra de lima a que sometía su creación. La forma definitiva es el resultado de la constante corrección a que se dedicó el poeta en busca de la expresión deseada; conseguida ésta, la empleaba siempre que se le presentase la ocasión. Su estilo se caracteriza por la justeza, por la exactitud y por la sobriedad propia del carácter del autor. Se sentía enamorado por la naturaleza y el mundo, para él poético, que concebía gobernado por la armonía. Sus fuentes fueron principalmente la Biblia y la antigüedad clásica, en particular Horacio. Sin embargo, sus odas, aun cuando recuerdan al modelo, son una genial creación suya con cantidades de haces multicolores, de formas concretas, de visión actualizada llena de expresión rítmica y de movimiento, jamás conseguidas por la fuente.

Jorge Guillén es, paralelamente, poeta de espíritu selecto, escrupuloso, que pule su poesía estéticamente perfecta, corrigiendo una y otra vez hasta conseguir la expresión exacta. Su poética sigue una marcha progresiva en profundidad y técnica expresiva, para concluir en una filosofía total del universo. Permanece siempre fiel, como lo hizo fray Luis, a unos pocos temas; pero evita la repetición por las exigencias, distintas para cada caso, que originan la estrofa, el metro y la rima. Su mundo es, también, perfecto, poético, gobernado por la armonía y el centro es el ser, el poeta cantando su canto. La forma de su métrica es, generalmente, de versos cortos con gran abundancia de heptasílabos y estrofas breves asonantadas con perfiles de consonancia perfecta, aunque al mismo tiempo emplea la rima propiamente consonante y el verso de arte mayor, si bien con menos insistencia. Fray Luis no había usado estos mismos moldes, pero sus formas tampoco son complicadas ni de difícil comprensión, por más que las de ambos sean muy cuidadas. La lira fue la estrofa en que compuso sus famosas odas; por consiguiente, hay abundancia de heptasílabos combinados con endecasílabos, versificando además en otros metros, como el octosílabo, el dodecasílabo, endecasílabo, etc.

Fray Luis plasmó en sus poemas una poesía que se desprendía de lo más íntimo de su alma, dictada por su aspiración al orden, a la paz, al gozo de la naturaleza y a la armonía, es decir, una poesía gozosa. Junto a ella encontramos otra fulgurante y enardecida contra la injusticia e incomprensión. En Guillén predomina, semejantemente, esa poesía gozosa de calma y armonía, sin oscilaciones, en la que puede haber una gran tensión de emoción, dando siempre la impresión de un perfecto control y dominio. Ni la poesía del uno ni la del otro es estática, sino más bien como un viaje a través de las emociones expuestas enfrente de la realidad sensible.

Habrá quien piense que las afinidades existentes entre la poesía de fray Luis y la de Guillén pueden ser una mera coincidencia. No obstante, hay razones más que suficientes para afirmar que éste es muy consciente de sus semejanzas con aquél. Guillén, además de publicar en 1936 una de las pocas ediciones críticas de la traducción de fray Luis del *Cantar de los cantares,* da evidencias muy al principio de que los lazos de unión entre los dos eran completamente intencionados, por su parte, titulando el segundo libro de *Cántico*: *Las horas situadas*, que es un heptasílabo de la traducción hecha por fray Luis del salmo 103 de David. Para asegurarse de que a ningún lector le pasaría inadvertido y se daría cuenta perfecta de que el título no era una casualidad, o quizá, temeroso de que por el verso no reconociese el poema y su autor, lo cita:

> Da el hombre a su labor sin ningún miedo
> Las horas situadas.
>
> FRAY LUIS DE LEÓN [1]

He ahí el epígrafe que se encuentra al dar la vuelta a la hoja del título, antes de la primera página de sus poemas. El segundo de los versos citados sugirió, indudablemente, a Guillén el suyo: «Las horas más cantadas» [2], cuya invocación inunda el alma del poeta de luz, de alegría, de paz y, absorto en la armonía del canto, olvida el dolor. El destino del hombre es buscar armonías divinas.

Las afinidades de Guillén con fray Luis no se reducen tampoco a un impulso de juventud, que pasa sin dejar rastro en la obra de madurez, ni a una especie de influencia presente sólo en *Cántico*, sino que están patentes en la obra entera suya, desde el primer *Cántico* hasta hoy día. Como prueba, tenemos el hecho de que Guillén en su último poemario, *Homenaje*, inserta dos poemas sobre fray Luis. El primero, dedicado a Joaquín Casalduero, es un breve romance titulado: «Al margen de fray Luis», en medio del cual pone entre comillas, como cita y rompiendo la uniformidad, un heptasílabo y un endecasílabo que son los dos versos iniciales de la oda a Salinas del poeta del Siglo de Oro:

> «El aire se serena
> Y viste de hermosura y luz no usada...»

Y termina glosando en octosílabos la estrofa entera de fray Luis. El segundo de estos poemas: «Fray Luis de León», uno de los predilectos del autor, que leyó el mismo Guillén en el Simposium recientemente celebrado en su honor por la Universidad de Oklahoma, está directamente inspirado también, tanto en la forma como en el contenido, en la oda a Salinas:

---

[1] JORGE GUILLÉN, *Cántico*, 2.ª ed. completa (Buenos Aires, Editorial Sudamericana, 1962), p. 106.

[2] *Ibíd.*, «Muchas gracias, adiós», p. 72.

El aire se serena,
Por claridad regala más espacio,
Maestro, cuando suena
La lira que a tu Horacio
No fue más fiel ni dio más gloria al Tracio [3].

Esta primera estrofa del poema de Guillén trae instintivamente al recuerdo la primera del de fray Luis. El primer verso es el mismo, en el tercero sólo sustituye el vocativo *Salinas* por el vocativo *Maestro,* y la forma estrófica es idéntica, lira de cinco versos con el segundo y quinto endecasílabos y los demás heptasílabos. La oda de fray Luis tiene todas las estrofas de la misma composición; la poesía de Guillén, no, sino sólo esa citada; lo restante forma lo que pudiera llamarse una silva. El verso final es un endecasílabo con dos hemistiquios, de los cuales el primero es, otra vez, el verso inicial de la oda a Salinas y el segundo las cuatro últimas sílabas del segundo verso: «El aire se serena. La luz no usada.» Así se halla entre *Las horas situadas* y *Homenaje,* como encerrada en un paréntesis, toda una larga serie de afinidades estilísticas y temáticas, que se transmiten de fray Luis a Guillén.

Entre las semejanzas de técnica estilística observadas en los dos poetas es notable la de elección de estrofas y su concatenación en el poema. Fray Luis prefirió la lira, porque facilita la eliminación de lo superfluo, cualidad indispensable en un tipo de poesía de contención como era la suya. La estrofa larga petrarquesca sería, por el contrario, una invitación a la palabrería. Fue, también, un maestro en el ensamblamiento de esas piezas en el poema y en la relación que guardan entre sí y con el conjunto. Guillén, igualmente, sabe escoger la estrofa apropiada para cada caso, y por lo general, sus estrofas son muy breves, porque su poesía es asimismo de contención, enlazándolas a la perfección entre sí y con el conjunto para construir poemas perfectos.

Ambos utilizan, por otra parte, recursos estilísticos semejantes en la composición de sus estrofas, a las que les imprimen un sello de originalidad y de unicidad. La exclamación, por ejemplo, les sirve de medio de expresión de los más encontrados sentimientos bajo los que vibran sus espíritus extraordinariamente sensitivos: pre-

---

[3] JORGE GUILLÉN, «Al margen de Fray Luis» y «Fray Luis de León», *Homenaje* (Milán, All'Insegna del pesce d'oro, 1967), pp. 47 y 134.

sagios, conmiseración, melancolía, alegría, etc. Fray Luis fue enormemente propenso al empleo de la exclamación, expresando con frecuencia sus sentimientos de admiración por medio de breves exclamaciones con escaso, o sin ningún, uso de verbos:

> ¡Oh, campos verdaderos!,
> ¡Oh, prados con verdad frescos y amenos!
> ¡Riquísimos mineros!,
> ¡Oh, deleitosos senos,
> Repuestos valles de mil bienes llenos! [4]

Guillén utiliza incesantemente la misma técnica: «¡Oh pulsación, oh soplo!»; a veces, una sola palabra constituye todo un verso: «¡Alegría!»; y todavía va más lejos, dominado por la pasión y el pulso irrefrenable, irrumpe con reiteraciones: «¡Ay, amarilla, amarilla, / Ay, amarilla, amarilla!» [5].

Mediante la interrogación obtienen efectos estilísticos similares y la emplean con la misma insistencia que la exclamación. Frecuentemente se encuentran en sus poemas breves expresiones interrogativas que expresan diferentes sentimientos, el de dolor por ejemplo, como los versos de fray Luis: «¿Qué tienes del pasado / tiempo sino dolor?...» [6], y lo mismo este otro de Guillén: «¿Dolor? También. ¿Fatal? Ni se disculpa.» Hasta pueden carecer por completo de verbo: «¿Por dónde al fin, por dónde?» [7]. Otras veces se trata de estrofas enteras de series interrogativas en continuo crescendo y con encabalgamientos, de lo que puede servir de ejemplo la de fray Luis:

> Aqueste mar turbado,
> ¿quién le pondrá ya freno? ¿Quién concierto
> al viento fiero, airado?
> Estando tú encubierto,
> ¿qué norte guiará la nave al puerto? [8]

Formas que también son abundantes en la poesía de Guillén:

---

[4] Fray Luis de León: *Poesía* (Zaragoza, Clásicos Ebro, 1956), p. 48.
[5] Jorge Guillén, «La rendición al sueño», «Navidad» y «Noche del gran estío», *Cántico,* pp. 144, 200 y 185.
[6] Fray Luis de León, «A una señora pasada la mocedad», *op. cit.,* p. 38.
[7] Jorge Guillén, «Sol en la boda» y «Esperanza de todos», *Cántico,* pp. 152-120.
[8] Fray Luis, «En la ascensión», *op. cit.,* p. 69.

¿Para quién, para quién tan lejos,
Pulsación confidente?
¿Hacia dónde,
Recatos veladores,
Hacia dónde se aleja
La mirada,
Tan retraída y plena?
¿Hacia la seña
Clara
De otra verdad? [9]

En varias ocasiones, fray Luis dejó doblemente expresada la pasión, la desesperación, la melancolía u otras emociones por exclamaciones, interrogaciones y encabalgamientos concentrados en una estrofa, desequilibrándola:

¡Ay, Padre!, ¿y dó se ha ido
aquel raro valor?, o ¿qué malvado
el oro ha destruido
de tu templo sagrado?
¿Quién cizañó tan mal tu buen sembrado? [10]

Guillén utiliza igualmente este recurso y con la misma finalidad, como el ejemplo siguiente, en el que la excitación emocional es menor, quizá, pero los encabalgamientos son más abruptos:

¡Posesión de la vida, qué dulzura
Tan fuerte me encadena!
¿Adónde se remonta el alma plena
De la tarde madura? [11]

Uno de los recursos técnicos más repetidamente empleados, tanto por fray Luis como por Guillén, es el encabalgamiento. Casi se puede decir que no han escrito una estrofa que no encierre uno o varios. Muchos de ellos son tan sencillos, tan naturales que pasan inadvertidos, pero una gran mayoría son enormemente ásperos, llegando al extremo de dejar una palabra como colgada de la sima, separada. Entre sus encabalgamientos más atrevidos se cuentan aquellos que separan el verbo del sujeto, quedando éste al final del primer verso y aquél en la primera palabra del siguiente. Los que dividen el verso entre el sustantivo y su complemento, ocurriendo a veces en una serie sucesiva de versos. Y más abruptos aún son los

---

[9] Jorge Guillén, «La rendición al sueño», *Cántico*, p. 144.
[10] Fray Luis, «A todos los santos», *op. cit.*, p. 73.
[11] Jorge Guillén, «Mesa y sobremesa», *Cántico*, p. 137.

que segmentan la frase nominal adjetivo-sustantivo, como sucede en estos versos de la *Vida retirada*:

> Y sigue la *escondida*
> *Senda* por donde han ido [12].

Clase de encabalgamiento que también es corriente en la poesía de Guillén, si bien, en el que cito a continuación el orden de los términos se invierte, el sustantivo termina el primer verso y el adjetivo empieza el siguiente:

> Un calor de *misterio*
> *Resguardado* en tesoro [13].

Mucho más áspero todavía, el encabalgamiento más abrupto de todos, es el que divide una palabra, dejándola a horcajadas sobre los dos versos. Fray Luis lo hizo sólo un par de veces y siempre se trata de un adverbio derivado de adjetivo, separando éste de la terminación *-mente:*

> Y mientras *miserable-*
> *mente* se están los otros abrasando [14].

Guillén lo hace con dos palabras que se conciben como una unidad:

> Casi oscurecidos *bajo*
> *Relieves* a trechos casi
> Morados... [15]

Y divide, también, vocablos, llegando a un extremo más avanzado que fray Luis. No sólo separa partes de un compuesto, sino que divide en sílabas un nombre o pronombre, y lo hace en un buen número de ocasiones:

> Trasformaréis en Edad
> Dorada infundiéndoles *vos-*
> *otros* vuestra realidad [16].

Entre las figuras retóricas más usadas por ambos a la vez se cuentan el polisíndeton y el asíndeton, que tie-

---

[12] FRAY LUIS, «Vida retirada», *op. cit.*, p. 24.
[13] JORGE GUILLÉN, «Salvación de la primavera», *Cántico,* p. 101.
[14] FRAY LUIS, «Vida retirada», *op. cit.*, p. 28.
[15] JORGE GUILLÉN, «Del alba a la aurora», *Cántico,* p. 461.
[16] JORGE GUILLÉN, «Tréboles». *A la altura de las circunstancias* (Buenos Aires, Editorial Sudamericana, 1963), p. 106.

nen por objeto el obtener diferentes efectos artísticos. Fray Luis empleó más la reiteración de copulativas para conseguir estrofas en un crescendo pausado y acompasado, dando la impresión de que cada término que sigue a la conjunción es el último de la enumeración y, de improviso, recuerda otra cosa nueva:

> ¿Quién es el que esto mira,
> Y aprecia la bajeza de la tierra,
> Y no gime y suspira,
> Y rompe lo que encierra
> El alma y destos bienes la destierra? [17]

Guillén recurre al polisíndeton con menos frecuencia, sin embargo, lo utiliza bastantes veces:

> Y entre un renacer y un morir
> Día a día te das y alumbras
> Lunes, martes, miércoles, jueves
> Y viernes y... [18]

Aquí la repetición de la copulativa afecta menos a la velocidad del ritmo, más bien une los términos de unas unidades enumerativas. Con el polisíndeton emplearon su opuesto, el asíndeton, y para producir efectos contrarios. Mediante las copulativas, los términos se añadían analítica y tranquilamente, ahora con la ausencia de las conjunciones se precipitan, se amontonan, aumenta la velocidad y los versos se suceden en rápido crescendo:

> Vivir quiero conmigo,
> Gozar quiero del bien que debo al cielo
> A solas, sin testigo,
> Libre de amor, de celo,
> De odio, de esperanzas, de recelo [19].

Fray Luis no utilizó tanto esta figura retórica como la anterior, sin embargo, es fácil encontrar en su poesía estrofas como la citada. Guillén, por el contrario, abunda en estrofas enumerativas sin una sola copulativa:

> ¡Confusión, con un rayo
> De sol buido sobre los metales,
> Arneses, lentejuelas, terciopelos
> De Triunfo!

---

[17] FRAY LUIS, «Noche serena», *op. cit.*, p. 47.

[18] JORGE GUILLÉN, «Vida cotidiana», *A la altura de las circunstancias*, p. 147.

[19] FRAY LUIS, «Vida retirada», *op. cit.*, p. 26.

La esperanza valiente
Se interna, se difunde,
Hermosa, general:
Pueblo, compacto pueblo en ejercicio
De salud compartida,
De una salud como festivo don,
Como un lujo que allí se regalase [20].

Los dos combinan con igual acierto la asonancia de vocales y consonantes en sus versos y estrofas, para motivar el vínculo entre significante y significado, o producir un efecto musical armónico. Fray Luis nos dejó excelentes ejemplos de versos que son la resonancia de las emociones de su alma conmovida por lo expresado en la estrofa o poema:

¿Qué vale el no tocado
tes*o*ro, si corr*om*pe el d*u*lce sueño,
...? [21]

La insistencia del acento sobre las vocales o/u produce en el verso ese sonido oscuro, de aspecto melancólico, que concuerda con la preocupación del poeta, pues las riquezas tan apetecidas por el avaro no le traen la felicidad, sino el desasosiego. Guillén hace combinaciones vocálicas muy parecidas y consigue el mismo resultado:

En clausura, muy lejos
Se inf*un*de, se ref*un*de, se p*o*sa al fin remot*o* [22],

La reiteración de las vocales u/o acentuadas y la posición de la *u* en sílaba trabada por nasal da al verso el sonido oscuro, de intimidad y lejanía. Nótese, además, que la dominante de este verso es la sexta «refunde», lo mismo que en el verso anterior de fray Luis «corrompe». En Guillén, incluso se encuentran algnos versos, donde no hay más que vocales velares: «Yo los toco, yo los uso» [23], esto indica hasta qué extremo llega su dominio de la técnica de acoplamiento de sonidos y sentimientos. En otros casos, no utiliza ni una sola vocal oscura; entonces, la representación acústica pasa a representación óptica y lumínica, que refleja la tranquilidad del espíritu del poeta:

---

[20] JORGE GUILLÉN, «Esperanza de todos», *Cántico,* pp. 119-120.
[21] FRAY LUIS, «A Felipe Ruiz», *op. cit.*, p. 37.
[22] JORGE GUILLÉN, «La rendición al sueño», *Cántico,* p. 144.
[23] *Ibíd.,* «Más allá», p. 20.

A mí una pobrecilla
mesa de paz bien abastada
me basta, ... [24]

Con Guillén pasa lo mismo: abundan los versos de emociones alegres, en los que no hay ninguna vocal velar: «*Facilidad, felicidad sin tacha*» [25]. Más sorprendente es todavía su similaridad en el fuerte contraste de sonidos, haciendo eco a vocales frontales con la resonancia de una *o* acentuada, como lo hizo fray Luis: «¡oh, cara patria!...», «¡oh, muerte que das vida!...» [26], y lo hace Guillén, creando una simetría de altura y profundidad de emoción: «—¿Dónde está, dónde estará? / —¡Aquí está!» [27].

La extraordinaria preocupación, que por el lenguaje tienen los dos constituye otro de sus paralelismos estilísticos. A ambos les es la expresión tema de meditación y de estudio, siendo tanto el uno como el otro verdaderos artesanos de la lengua, que buscan la expresión justa y apropiada a lo que desean manifestar. En su poesía de omisión, un vocablo puede valer por toda una expresión; nos conmueven por la magia de su palabra y fijan en la lengua la complejidad de su creación poética. Por eso, especialmente en el estilo de fray Luis, se puede observar la repetición de las formas elegidas por el poeta entre otras innumerables. En su poesía, las imágenes y adjetivos varían muy poco en situaciones semejantes, para él, el día, por ejemplo, es siempre *claro día*: «cruje, y en ciega noche *el claro día* / se torna...», «... y resplandece / muy más que el *claro día*» [28]. El gozo, la tranquilidad que inspira la soledad y aislamiento lo condensa en la expresión, *sin testigo*: «gozar quiero del bien que debo al cielo / a solas, *sin testigo*», «con la hermosa Caba en la ribera / del Tajo, *sin testigo*» [29]. Guillén se siente tan compenetrado con las expresiones de fray Luis, que unas veces las usa en un orden más suyo, pero con semejante valor: «Tiende a ser *claro el día*» [30], no hace más que poner el artículo entre

[24] FRAY LUIS, «Vida retirada», *op. cit.*, p. 28.
[25] JORGE GUILLÉN, «Paso a la aurora», *Cántico*, p. 111.
[26] FRAY LUIS, «Profecía del Tajo», y «A Francisco Salinas», *op. cit.*, pp. 44 y 32.
[27] JORGE GUILLÉN, «Feliz insensato», *Cántico*, p. 114.
[28] FRAY LUIS, «Vida retirada» y «A don Pedro Portocarrero», *op. cit.*, pp. 28 y 30.
[29] *Ibíd.*, «Vida retirada» y «Profecía del Tajo», pp. 26 y 41.
[30] JORGE GUILLÉN, «Paso a la aurora», *Cántico*, p. 107.

el adjetivo y el sustantivo, para desnudar la frase de la ampulosidad barroca. Otras veces, las conserva tal como aparecen en el modelo, incluso la posición: «Ajenas a su propia / Ventura *sin testigo*»[31]. Son muchas las formas de los poemas de Guillén que están inspiradas en otras de fray Luis; por ejemplo: de «*El aire* el huerto *orea*[32], son resonancias: «como una *brisa orea* la blancura», «Tanto sol va en *la brisa* que ella *orea*», «*Orea* una frescura» y el nombre derivado de este verbo: «Hoja en la rama, calandria, / *Oreo* sobre murmullo»[33]. De la oda «A Francisco Salinas» toma el primer verso entero: «El aire se serena» y lo emplea repetidas veces, como en los poemas ya citados de *Homenaje*. Además utiliza la estructura, el ritmo y resonancia en otros poemas: «Humo hacia el sol. *El aire* se concreta», «Palmaria así, la hora *se serena*»[34]. Otras muchas expresiones y figuras retóricas de la poesía de uno y otro son igualmente afines, pero, aunque no hubiera más que las consideradas, serían suficientes para afirmar que entre fray Luis y Guillén existen numerosos lazos de unión, por lo menos, en lo que a técnica se refiere.

Las corrientes de afinidad de fray Luis y Guillén afectan, también, a algunos de sus conceptos. Sin olvidar que sus fines últimos son distintos, lo cual producirá ciertas diferencias en el orden de valores, expondré a continuación algunas de estas semejanzas. En primer lugar, es notable su similitud de sentimientos hacia la naturaleza. A fray Luis, sus vivos deseos de amor y poesía le hacían contemplar los huertos y prados y describirlos con una belleza pocas veces conseguida en la literatura española. Pero no era un mero pintor de la naturaleza, sino que el entendimiento controlaba su visión y el poeta se perdía en la contemplación de la belleza:

> Del monte en la *ladera*
> por mi mano plantado tengo un huerto,
> que con la primavera
> de bella flor cubierto
> ya muestra en esperanza el fruto cierto[35].

---

[31] *Ibíd.*, «Salvación de la primavera», p. 94.
[32] FRAY LUIS, «Vida retirada», *op. cit.*, p. 27.
[33] JORGE GUILLÉN, «Anillo», «Vacación», «Luz natal» y «La vida real», *Cántico*, pp. 168, 138, 349 y 470.
[34] *Ibíd.*, «Mesa y sobremesa» y «Vida extrema», pp. 137 y 392.
[35] FRAY LUIS, «Vida retirada», *op. cit.*, p. 26.

Guillén tampoco mira a la naturaleza pictórica o interpretativamente, la contempla, controlando su visión el entendimiento, y se parece a fray Luis, además de en su actitud, en la forma de expresarla:

> Asciende mi *ladera*
> Sin alterar su acopio de silencio.
> Llamándome
> Se ahonda el vallecillo.
> Susurro.
> En una rinconada de peñascos,
> De la roca entre líquenes y helechos
> Rezuma
> Con timidez un agua aparecida [36].

El primer verso de esta cita es una resonancia del primero de la de fray Luis, suenan lo mismo, terminan en el mismo vocablo y casi dicen lo mismo. Ambos dan la impresión de la elevación del suelo, conseguida mediante los términos: «*monte-ladera*» y «*Asciende-ladera*». Continúa luego describiendo, con intensidad y belleza extraordinaria, de una manera muy semejante su respectiva contemplación de la hermosura de esos dos paisajes.

Fray Luis expresó las ventajas de huir al monte, a la fuente, es decir, de retirarse a la naturaleza, para disfrutar de la creación de Dios, de la paz, de la soledad y olvidarse de todas las preocupaciones que ocasionan el poder y las riquezas mundanas:

> El aire el huerto orea,
> y ofrece mil olores al sentido;
> los árboles menea
> con un manso ruido,
> que del oro y del cetro pone olvido [37].

Guillén ama, con igual pasión que fray Luis, lo umbroso del paisaje y a él se retira a gozar de su frescura, de su verdor y de sus perfumes, despreocupado de todo lo demás, porque la naturaleza le ofrece placer de amigo:

> De pronto
> Se oscurece el rincón, las hojas pálidas.
> ... ...
> Bajo la mano quedan.
> Hojas hay muy lucientes
> Y oscuras.
> ¡Rododendros en flor!

---

[36] JORGE GUILLÉN, «Tiempo libre», *Cántico*, p. 165.
[37] FRAY LUIS, «Vida retirada», *op. cit.*, p. 27.

Extendidos los pétalos,
Ofreciéndose al aire los estambres,
Muy juntos en redondo,
La flor es sin cesar placer de amigo [38].

Así, enamorados de la naturaleza y disfrutando de sus esencias y hermosura, los dos se ponen a cantar: «tendido yo a la sombra esté cantando» [39], dice fray Luis. Guillén es feliz en el campo y su felicidad se transforma en alegría que es canto:

Las alegrías de un hombre
Se ahondan fuera esparcidas.
Yo soy feliz en los árboles,
En el calor, en la umbría [40].

El punto de vista que los dos poetas tienen de la naturaleza es distinto del de los románticos, quienes la consideraban como un espejo suyo. Para fray Luis, la naturaleza es parte de la creación divina de la que él forma parte, y Guillén coincide con su modo de ver las cosas, al considerarse a sí mismo parte del mundo.

Entre los paralelismos de contenido, es importante notar su preocupación por el tiempo y lugar presentes, ahora y aquí. El presente es tema trascendente en la poesía de ambos, pero de una manera muy especial en la de Guillén. Fray Luis expresó en varias ocasiones las sensaciones del momento mismo en que estaba experimentándolas, «aquí» y «ahora»:

Aquí la alma *navega*
por un mar de dulzura, y finalmente
en él ansí *se anega,*
que ningún accidente
extraño o peregrino *oye* o *siente* [41].

Toda la felicidad espiritual que inundaba su alma era actual: «navega», «se anega» y en el mismo lugar en que estaba en aquel momento «aquí», era también simultánea a la música de Salinas, que estaba escuchando en el mismo instante y le abstraía tanto que le hacía olvidar todo lo extraño a sus acordes «oye o siente». Incluso llegó a la

---

[38] JORGE GUILLÉN, «Tiempo libre», *Cántico,* pp. 157-158.
[39] FRAY LUIS, «Vida retirada», *op. cit.,* p. 28.
[40] JORGE GUILLÉN, «Sabor a vida», *Cántico,* p. 51.
[41] FRAY LUIS, «A Francisco Salinas», *op. cit.,* p. 32.

actualización del futuro, poniendo el verbo en presente modificado por el adverbio *ya,* como hizo en *Profecía del Tajo*:

> *Ya* dende Cádiz *llama*
> el injuriado conde, a la venganza
> atento y no a la fama,
> la bárbara pujanza
> en quien para tu daño no hay tardanza [42].

El tiempo juega un papel importantísimo en la comprensión de la poesía de Guillén. El tiempo relativo en el sentido histórico de presente, pasado y futuro casi no existe en su arte, lo concibe todo aconteciendo, «aquí» y «ahora», delante de sí:

> *Aquí soy* consistencia de este valle,
> Un chopo de una margen,
> Atmósfera tangible de llanura,
> Calor aún de viento
> Sobre aquellas espigas [43].

También atrae el futuro al *ahora* mediante la forma del presente y el adverbio *ya*:

> Sonando, despejándose,
> *Ya* la profundidad de la mañana
> *Me conduce* otra vez a mi memoria [44].

Acepta plenamente el presente, se abraza con él, lo cree eterno: «De un más sensible sin cesar Presente», y, aunque el tiempo en sí pueda pasar, para el poeta, lo que nunca pasa es la presencia constante de un yo que es siempre «ahora»: «Sobre su cima, sobre los tangibles / Siglos aquí salvados, tan presentes» [45].

Finalmente, quedan por considerar algunas de sus relaciones de sentimientos hacia la música, pues el alma de ambos está hecha para la armonía y la expresan maravillosamente en su arte, los dos aman la música·

> Surge el grupo de sonidos.
> Parte alegremente exacto.
> Por amor a las escalas
> El silencio queda abajo.
> ... ...
> (¡Música en alma disuelta,
> Onda hacia piélago vago!) [46]

---

[42] *Ibíd.*, «Profecía del Tajo», p. 42.
[43] JORGE GUILLÉN, «Luz natal», *Cántico,* pp. 346-347.
[44] *Idem.*
[45] *Ibíd.*, «La vacación» y «Tiempo al tiempo o El jardín», pp. 248 y 399.
[46] *Ibíd.*, «Contrapunto final», p. 504.

Fray Luis escribió una oda entera en la que consigue la únión con la armonía del mundo y con su primera causa. Para él, la armonía musical humana y la celeste eran aspectos del reflejo de la armonía divina. Su alma se dirigía, por la música, a su natural armonía y despreciaba la vulgar:

> El aire se serena
> Y viste de hermosura y luz no usada,
> Salinas, cuando suena
> la música extremada
> por vuestra sabia mano gobernada.
> A cuyo son divino
> mi alma, que en olvido está sumida,
> torna a cobrar el tino
> y memoria perdida
> de su origen primera esclarecida [47].

El aire se hace más delicado y sus conmovidas vibraciones producen el arte más puro, la música, que toma por cuerpo una hermosura lumínica. Por este arte, el poeta sube a la eterna armonía: pero vuelve al mundo material mediante el nombre «Salinas», que es quien ejecuta la acción del verso: «Por vuestra sabia mano gobernada.» Como el ejecutor es humano, la música tiene que ser necesariamente de la tierra. Después el alma despierta del olvido en que se halla en este mundo para volverse, según corresponde a su origen, a las cimas de la armonía universal. A Guillén también le pertenece la música, cuya armonía lo introduce en donde «no hay discordia posible». La siente como el arte más puro que no emplea colores, ni palabras, ni masas, sino que es simplemente vibración armoniosa, conmovida, llena sólo de hermosura luminosa. La palabra poética se adelgaza igualmente, se hace transparente cuando suena la música, la poesía:

> Aire novel nos serena
> Y viste de luz no usada
> Cuando el concierto es concierto
> Y un Salinas nos encanta [48].

El aire que se ha hecho más tierno, más inmaterial, serena el ánimo del poeta, lo inunda de lumínica hermosura y la música lo eleva hasta el límite donde la realidad culmina en absoluta armonía:

---

[47] Fray Luis, «A Francisco Salinas», *op. cit.*, pp. 31-32.
[48] Jorge Guillén, «Al margen de Fray Luis», *Homenaje*, p. 47.

¡Música, poderío!
Y me fía a sus cúspides,
Me colma de su fe,
Me erige en su esplendor,
Sobre el último espacio conquistable,
Me tiende a su ondear de creaciones,
Junto al más fresco arranque de alegría,
Me expone frente a frente
De la gran realidad en evidencia,
Y con su certidumbre me embriaga.
¡Armonía triunfante!
Imperando persiste,
Hermosamente espíritu [49].

El final de la oda de fray Luis es un deseo de continuar escuchando eternamente tan dulce música y una invitación a los demás a participar de este sumo bien. El poeta pide al músico, en una especie de apóstrofe, que siga tocando aquel acorde a sus oídos, porque posee la magia de despertarle para la contemplación de lo divino y adormecerle al mundo:

¡Oh desmayo dichoso!
¡oh muerte que das vida!, ¡oh dulce olvido!,
durase en tu reposo
sin ser restituido
jamás aqueste bajo y vil sentido.
... ...
¡Oh!, suene de continuo,
Salinas, vuestro son en mis oídos,
por quien al bien divino
despiertan los sentidos,
quedando a los demás adormecidos [50].

Guillén desea con igual ansiedad que la música suene ininterrumpidamente, porque lo remonta a la participación de la absoluta armonía, que es sumo bien, e invita a los amigos a participar de esta realidad, «Es despliegue mismo / —Oíd— de un firmamento». Unicamente no aparece la polaridad de fray Luis, despertar a la contemplación de lo divino —amortecer a lo demás:

Suena, música, suena,
Exáltame a la orilla,
Ráptame al interior
De la ventura que en el día mío
Levantas.
Remontado al concierto

[49] Jorge Guillén, «El concierto», *Cántico,* pp. 182-183.
[50] Fray Luis, «A Francisco Salinas», *op. cit.,* pp. 32-33.

De esta culminación de realidad,
Participo también de tu victoria:
Absoluta armonía en aire humano[51].

El punto de arranque de la oda a Salinas fueron las teorías pitagóricas y platónicas, que defienden que el alma es armonía y la música es la purificación del alma. Por la música se limpia de lo inarmónico que la rodea y retorna al mundo de las armonías de «la más alta esfera». Esto envuelve nuevamente a fray Luis con los pitagóricos en lo que concierne a la teoría de las esferas o ruedas celestes, que en su movimiento producen y transmiten un sonido musical de inefable concierto. La armonía del alma del poeta está en consonancia con la del universo y se unen y confunden:

Traspasa el aire todo
hasta llegar a la más alta esfera,
y oye allí otro modo
de no perecedera
música, que es la fuente y la primera.
Y como está compuesta
de números concordes, luego envía
consonante respuesta,
entre ambas a porfía
se mezcla una dulcísima armonía[52].

Estas esferas de las teorías filosóficas helénicas eran diez en número y fray Luis, en la estrofa 5.ª de «Canción al nacimiento de la hija del marqués de Alcañices», menciona la sexta y la tercera, que corresponden a Júpiter y Venus respectivamente. Guillén capta admirablemente la íntima conexión de estos versos de la oda a Salinas con Pitágoras y Platón, y percibe el proceso de cristianización de las teorías paganas, conseguida, quizá, por San Agustín, quien considera la armonía del universo como el maravilloso canto de un excelso músico (Dios). Fray Luis, partiendo de la concepción agustina, pretende alcanzar la unión mística del alma con Cristo, como indica magistralmente Guillén al final de sus dos liras referidas a las últimamente citadas y comentadas:

Oías el acorde
Reservado a tu alma en el silencio
Total de las estrellas,

[51] JORGE GUILLÉN, «El concierto», *Cántico,* p. 183.
[52] FRAY LUIS, «A Francisco Salinas», *op. cit.,* p. 32.

O compartías música en la pausa
Del ocio con amigos.
Todo es número, tácito o sonoro.
Entre sus concordancias te conducen
Pitágoras, Platón.
Y arriba, Cristo,
Centro, ya no doliente [53].

La conformidad de estos versos con los de fray Luis no es sólo de contenido, sino también de forma (liras) y de movimiento ascensional de los poemas de que proceden. Hay, además, una gran compenetración del espíritu del poeta muy intencionada y buscada por Guillén. Por consiguiente, las observaciones aquí anotadas me permiten finalizar, afirmando que entre los dos poetas existe un marcado paralelismo. Quizá, junto con San Juan de la Cruz, sea fray Luis el poeta de la literatura española a quien Jorge Guillén es más afín. Sobre todo por el interés y la compenetración que tiene con la oda «A Francisco Salinas».

[*Cuadernos Hispanoamericanos*, núm. 230, febrero 1969]

[53] JORGE GUILLÉN, «Fray Luis de León», *Homenaje*, p. 134.

CLAUDE VIGÉE

JORGE GUILLEN Y LA TRADICION SIMBOLISTA FRANCESA

El *Cántico* de Jorge Guillén es una de las obras más sobresalientes de la poesía europea contemporánea. Se la ha relacionado frecuentemente con la tradición de Góngora, poniendo por otro lado de relieve lo que debe a los grandes simbolistas franceses. No nos vamos a ocupar aquí de las relaciones de Guillén con los poetas barrocos españoles. Trataremos en cambio de determinar la naturaleza de los lazos que le unen con el simbolismo francés. Numerosos críticos se han referido ya a este tema; pero en general lo han hecho de manera sumaria. Sus comparaciones apresuradas hicieron que Guillén apareciera a los ojos de algunos como un epígono de los simbolistas, como una tardía encarnación española de Mallarmé y de Valéry. Pero , como intentaremos demostrar a lo largo de este ensayo, éste es un error de apreciación literaria, error que tiende a aumentar la confusión que actualmente reina en el terreno de la crítica poética occidental.

Cuando apareció la primera edición de *Cántico* (1928), el joven poeta acababa de traducir *Le Cimetière Marin* de Valéry, traducción que se publicó en el número de junio de 1929 de la *Revista de Occidente,* que fundó y dirigió Ortega y Gasset. Entre las influencias sufridas por el poeta en sus comienzos, Dámaso Alonso señala, de un lado «el cubismo... con sus puros estudios y análisis de la forma, sin contenido o con mínimo contenido de representación real...», y de otro «la poesía de Valéry con su maravillosa tersura y nitidez. La poesía de Valéry pudo ser para Guillén un acicate inicial. La admiración que por él siente ha quedado consignada en muchos sitios...» (*Tri-*

vium, mayo de 1949). A este respecto, es interesante hacer notar que Guillén ha negado con frecuencia toda relación consciente con el cubismo, al que su crítico J. Casalduero da cabida en su estudio de *Cántico*. Por su parte, Amado Alonso afirma en *Insula* (septiembre de 1949): «Salvar lo perdurable y esencial del seguro naufragio que es el azaroso existir temporal ha sido una exigencia sentida con vario vigor y diferente claridad por otros poetas desde Mallarmé...» Y en el prefacio a *Fragments d'un Cantique* (Seghers, París, 1956), Jean Cassou escribe prudentemente: «Las comparaciones que han podido establecerse entre Guillén y Valéry se fundan en su respeto de las métricas tradicionales, en su necesario empleo del lenguaje más puro y en una concepción prácticamente igual del arte poética en cuanto búsqueda apasionada de una exactitud y en cierto modo de una solución.»

Pierre Darmangeat, en el reciente y bello estudio que ha consagrado al poeta [1], llega a conclusiones parecidas, que nosotros aceptamos sin reservas. Por su parte, Ernst Robert Curtius, en el prefacio a sus traducciones de Guillén, se refiere a Valéry únicamente para oponerle al poeta español: «Qué ardiente contraste nos ofrece el asentimiento al ser de Jorge Guillén.» Por el contrario, en su sugeridor ensayo *Die Struktur der Modernen Lyrik* (Rowohlt, Hamburgo, 1956), el profesor Hugo Friedrich pone de relieve la filiación directa que según él une a Mallarmé con Guillén por el intermedio de Valéry: «La poesía de Jorge

---

[1] «Quizá convenga preguntarse sobre un paralelo que se hace con frecuencia y que se admite casi sin discusión. La amistad de Guillén y Paul Valéry y los rasgos comunes a sus dos estéticas (búsqueda de una expresión rigurosa, desprecio por la anécdota y por un sentimentalismo insulso, alianza de la sensación y de la inteligencia, búsqueda del yo en una especie de éxtasis lírico e intelectual), sin hablar de la traducción del *Cimetière Marin*, son cosas que pueden inclinarnos a hacer comparaciones fáciles... Pero la verdad es que Guillén le tiene a la realidad viviente el más profundo respeto, el más ardiente amor. Cosa que resulta ajena a Valéry cuando se deja arrastrar por el juego de sus «sustituciones», cuya cruel hilación no vacila en atravesar el umbral de lo viviente o de lo humano... Por este lado, Valéry se emparenta con el materialismo mecanicista del siglo XVIII, que desmonta lo viviente pieza a pieza para poder decir: «Ya ven, no era más que esto.» Pero así el poeta francés se olvida de lo esencial: la vida que engendra el profundo mecanismo de los intercambios. En esto veo una superioridad incontestable de Guillén sobre Valéry. Sin el apoyo de ninguna doctrina filosófica, gracias a su fidelidad a la vida cálidamente sentida, el poeta español expresa la fecunda dialéctica del ser, capaz de una incesante creación». (PIERRE DARMANGEAT: *Jorge Guillén ou le Cantique Emerveillé*. Librairie des Editions Espagnoles, París, 1958.)

Guillén se sitúa en la esfera de influencia de Mallarmé y de Valéry... Su oscuridad... la coloca entre las obras más arduas que puedan leerse en la poesía lírica contemporánea. Ningún yo personal se expresa a través de ella. Los "ojos espirituales" constituyen su tema; cosa que nos recuerda la "mirada absoluta" de Mallarmé.» Desde este punto de vista, Hugo Friedrich analiza el soneto «Cierro los ojos» de Guillén, cuyo título tomó el poeta español de un soneto de Mallarmé. El crítico alemán da fin a su estudio de *Cántico,* «esta poesía nacida de la herencia de Mallarmé» (pág. 139), descubriendo otras semejanzas entre Guillén y sus maestros franceses: «Igual que en Baudelaire, lo inorgánico surge en Valéry y en Guillén *como signo de una espiritualidad exaltada por encima de la vida*» (pág. 144).

Como vemos, la opinión de estos eminentes críticos de la poesía moderna sobre Guillén está lejos de ser unánime. Citemos, para completar este vistazo crítico general, el juicio muy mesurado de Joaquín Casalduero en su obra de conjunto sobre *Cántico*:

«Se ha relacionado a Jorge Guillén con Paul Valéry, y creo que hay que relacionarlo no sólo con Valéry, sino con la poesía francesa del siglo XIX y con toda la poesía española... Jorge Guillén se ha formado en la poesía española y la francesa. Grandes escuelas. La poesía española y la francesa han estado colaborando, coadyuvando, preparando el advenimiento de *Cántico*» [2]. Pero, aunque se admita todo esto, el verdadero problema sigue en pie: ¿Cuáles son exactamente las relaciones temáticas entre el *Cántico* de Guillén y la poesía francesa del siglo XIX, de la que Valéry fue heredero? Un estudio más detenido de esas relaciones podría reservarnos algunas sorpresas.

Llegados a este punto, nos encontramos en la necesidad de definir, aunque sólo sea de manera sumaria, los elementos de pensamiento de sensibilidad que bajo la etiqueta de «Simbolismo» estructuran a la poesía francesa a finales del siglo último y en el primer cuarto del actual. En la obra de Mallarmé la hipérbole poética transmite un mensaje de negación absoluta. Como muy bien muestra Hugo Friedrich en el estudio citado anteriormente (pá-

---

[2] JOAQUÍN CASALDUERO, *Cántico de Jorge Guillén,* Madrid, 1953.

gina 97), el símbolo será para Mallarmé y sus discípulos el instrumento de la *abolición* de la realidad concreta: «Para mí, dice Mallarmé en respuesta al cuestionario de Jules Huret, el caso de un poeta, en esta sociedad que no le permite vivir, es el caso de un hombre que se aisla para esculpir su propia tumba» (*Pléiade,* pág. 869). Este pensamiento resuena a través de *Toast Funèbre, Le Tombeau d'Edgar Poe* y *Prose pour des Esseintes.* Sin él sería imposible entrar en el universo poético de Mallarmé. Ese pensamiento implica lo que por otro lado nos revela toda la obra del poeta: «el odio a la creación y el amor estéril a la nada» (*Pléiade,* pág. 261). Este odio y esta negación de la vida caracterizan la corriente fundamental de la poesía europea desde Baudelaire. No es el mundo, ni la vida humana, ni la realidad maldita,sino únicamente el arte (concebido como un puro artificio, como una construcción autónoma del espíritu), lo que constituye el valor supremo. El creador mortal de la belleza se ha confundido ya en la tumba con la ausencia; el único testigo que nos haya dejado es «el gladiolo demasiado grande», la flor hiperbólica del poema. Desafiando tanto a la ironía de la existencia como a la de la muerte, esa flor se abre para siempre sobre el vacío sepulcral que revela y esconde al mismo tiempo:

> Elle dit le mot: Anastase!
> Né pour d'éternels parchemins,
> Avant qu'un sépulcre ne rie
> Sous aucun climat, son aïeul,
> De porter ce nom: Pulchérie!
> Caché par le trop grand glaïeul.

La simbolización excesiva, la hipérbole mallarmeana que caracterizan al arte y a la poesía en un período de trascendencia negativa, tienden a destruir la imagen verbal significante y a aniquilar el signo mismo en lo que tiene de concreto y de audible. Víctima finalmente de «su casi desaparición vibratoria», la obra se hunde en el silencio, por encima de lo humano. Para sugerir la ausencia de ser, la irrealidad de la experiencia vivida en este bajo mundo y la ruina de las significaciones terrestres, el poeta se ve forzado a transformar los modos recibidos del lenguaje y de la percepción, que sirven por el contrario para revelar lo que está ahí, el contenido concreto de la experiencia. En *La Musique et les Lettres,* Mallarmé define así la naturaleza y el objeto del acto poético:

> Conozco instantes en los que, en virtud de una secreta disposición, nada, sea lo que sea, debe satisfacer. *Otra cosa...* parece que el disperso temblor de una página no quiera sino aplazar la posibilidad de otra cosa, o palpita de impaciencia ante ella. Sabemos, cautivos de una fórmula absoluta que evidentemente no es más que lo que es. Evitar en el acto no obstante, con un pretexto, el señuelo, pondría de manifiesto nuestra inconsecuencia, negando el placer que queremos obtener: pues ese *más allá* es su agente, su motor diría si no me repugnara operar, en público, el desmontaje impío de la ficción y consecuentemente del mecanismo literario, para mostrar la pieza principal o nada. Pero yo venero la forma en que, gracias a una superchería, proyectamos, a cualquier altura prohibida y de rayo, la consciente falta en nosotros de lo que resplandece allá arriba. ¿Para qué sirve esto? Para un juego. En virtud de una atracción superior como de un vacío, tenemos derecho, extrayéndole de nosotros mediante el tedio por las cosas si se establecieran sólidas y preponderantes, a separarlas locamente hasta que se llenen de él y también a dotarlas de resplandor, a través del espacio vacante, en fiestas a voluntad y solitarias (*Pléiade*, p. 647).

Por medio de las cosas separadas de lo real «por una atracción como de un vacío», se crea «el arabesco total» del poema mallarmeano, «ciframiento melódico callado» (pág. 648) de esa Nada que es la verdad última. El más allá trascendente, «la consciente falta en nosotros de lo que resplandece allá arriba», es el motor de la inspiración. La proyección hacia el más allá de la hipérbole poética (la creación literaria propiamente dicha) se revela ser una superchería sagrada, destinada a evocar lo que por naturaleza no es reducible a nuestra experiencia terrestre. Mallarmé transforma, pues, el lenguaje de los hombres en el de los ángeles. «Dar un sentido más puro a las palabras de la tribu» significa purificarlas lo más posible de su contenido existencial, de la hez de la experiencia vivida. Los nombres aparecen como helados, las frases sólo tienen una acción negativa, la sintaxis se halla casi desprovista de verbos. El tiempo verbal se hace estático, estratificado como el espacio. Las palabras en fin sustraídas al exterior viviente designan, a través de su geometría centelleante como las facetas de las joyas, el absoluto negativo de que son símbolo vacío. Escrutarlas es recibir la revelación sensible —apenas sensible— de «la pieza principal o nada». Como dice muy bien Hugo Friedrich en el estudio anteriormente mencionado: «Se puede hablar de un nihilismo idealista» (pág. 95).

En una carta a Henri Cazalis, escrita en julio de 1868, Mallarmé comenta así el soneto «Ses purs Ongles»:

> Extraigo este soneto... de un estudio proyectado sobre la palabra: es un soneto inverso, quiero decir que el sentido, si es que tiene uno, ...es evocado por un espejismo interno de las palabras mismas... he tomado este tema de un soneto desnudo reflejándose en todas las formas... (*Pléiade*, p. 1.484).

Observemos que el contenido de este soneto, «si es que tiene uno», está en la evocación de la angustia, de la soledad, de la ausencia, de la agonía. Entre los falsos objetos, abolidos o abandonados, que se reflejan sin fin, se abre la amenazante verdad de la nada. Albert Thibaudet interpreta el poema del siguiente modo:

> Mallarmé considera un objeto o trata un tema trasladándose al último límite en que cesan de existir, en que se convierten en ausencia, en nostalgia, en que de su desvanecimiento extraen un valor superior de sueño (*Pléiade*, p. 1.496).

El mismo Mallarmé resume su arte poética en este pasaje de *Crise de vers*:

> El hablar se refiere a la realidad de las cosas sólo comercialmente. La literatura se contenta con hacer una alusión a ellas, o con extraer su cualidad que quedará incorporada en una idea.

En la obra de Mallarmé, esa «idea» es siempre la visión de la nada, la revelación del vacío por que hubo de pasar en Tournon cuando la famosa crisis espiritual de 1864. En abril de 1864 escribe el poeta en *Symphonie Littéraire*:

> Me hundo cada día en un tedio más cruel (*Pléiade*, p. 261).

El 3 de junio de 1863 se queja a Cazalis:

> Sí, este mundo tiene un olor de cocina... Oh Henri mío, abrévate de Ideal. La felicidad de aquí abajo es innoble (*Pléiade*, pp. 1.418 y 1.419).

Hérodiade, fragmento concebido por la misma época, expresará esta revulsión ante una felicidad puramente humana: «Por lo demás, no quiero nada humano, y esculpida...

Tales son, resumidos, los sentimientos de Mallarmé sobre la existencia terrestre, la poesía, el lenguaje y la realidad. El Simbolismo francés es la expresión mayor de la rebelión nihilista a fines del siglo XIX; al mundo vilipendiado de lo inmediato opone un antimundo abstracto, construido, a partir de un lenguaje «puro», según rigurosas normas intelectuales. Sus formas desnudas se alejan de la realidad concreta, pues se enderezan a la manifestación paradójica de la nada, el nuevo absoluto de la modernidad. «Nul Styx» es el emblema de esta búsqueda, el Santo Grial negativo de la teología abisal:

> Car le Maître est allé puiser des pleurs au Styx
> Avec ce seul objet dont le Néant s'honore [3].

Si leemos el *Cántico* de Jorge Guillén a la luz del pensamiento mallarmeano y simbolista, se imponen ciertas analogías de superficie. Pero, si no se quiere caer de nuevo en la trampa de las generalizaciones apresuradas, conviene definir claramente la naturaleza y los límites de esas analogías. En una de sus primeras publicaciones, el poema en prosa titulado *Aire-Aura* (1923), el aire del espacio es percibido por el joven Guillén como «el comienzo de la trascendencia» (E. R. Curtius): «El aire no es humano; el aire es el cielo.» Observamos, pues, en Guillén, en el momento de su formación, una vacilación, una atracción momentánea hacia el punto de vista transcendental, atracción que encontramos con mayor frecuencia en Baudelaire (*Elévation*) y en Mallarmé (*L'Azur*) que en sus propios escritos de la madurez. La divisa de Baudelaire, «Anywhere out of this world», no es en modo alguno la de *Cántico,* que desde su primera versión de 1928 celebra la «fe en la vida» terrestre: *Cántico. Fe de vida,* tal será el título completo de la obra en las ediciones ulteriores (1945 y 1950). No obstante, las primeras tentaciones del «en otra parte», del ultramundo transcendental —tentaciones de origen semicristiano y semisimbolista— nos permiten comprender la violenta reacción posterior de Gui-

[3] Ver el excelente comentario de HUGO FRIEDRICH a «Ses purs Ongles» (*Op. cit.,* pp. 98 y 99).

llén contra ellas. Será gracias a este efecto de contrachoque dialéctico como el poeta podrá encontrar una voz tan potente para celebrar el «aquí abajo», este mundo terrestre que anatematizaron lo mismo Baudelaire que Mallarmé y Valéry. En adelante, y evitada ya la trampa del más allá, las semejanzas entre Guillén y los maestros simbolistas serán de naturaleza ambigua; incluso las intenciones formales del poeta español revelan una preocupación completamente diferente de la de Mallarmé.

Cabría afirmar, por ejemplo, que, a semejanza de Mallarmé, Guillén ve en la poesía el arte de la hipérbole. Pero esto es decir muy poco, pues la hipérbole en la poesía de Jorge Guillén se sitúa en el extremo opuesto de la concepción mallarmeana de la hipérbole fúnebre (que oculta a manera de adorno o de reto la realidad de la nada y de la muerte), llevando a su expresión extrema el sentimiento que el poeta tiene de la presencia de la vida, del mundo, del ser, de la alegría humana —«Más allá» y «Vida extrema», tales son los títulos significativos de los poemas más célebres de *Cántico*. En contraste con ellos. *Toast Funèbre* y *Hommage et Tombeaux* son fórmulas que resumen la intención profunda de Mallarmé.

Guillén tiene también de común con Valéry y Mallarmé la obsesión por el poema organizado y concreto, el culto por la obra de arte dotada de una estructura sin falta alguna, en la que nada se deja al azar. Los poemas son objetos perfectamente «fabricados». «Orden». «perfección»: cualidades muy guillenianas. *Cántico* no es una simple colección de poemas, sino «La Obra» por excelencia. El libro forma un todo orgánico en cuyo seno se integra la experiencia de una vida entera. «Ve usted, en el fondo —dice Mallarmé— el mundo está hecho para acabar en un poema.» Pero —y en esto radica la gran diferencia— Mallarmé no hizo más que soñar tal realización, cuyo esbozo trazó. Para él «El Libro» en un sentido absoluto fue siempre una simple nostalgia, una ausencia cuyo vacío se abre sobre el absoluto y que se une a través del silencio al vacío transcendental. Guillén, por el contrario, creó su Libro Mayor de este lado de la realidad, lo encarnó *hic et nunc*. El poeta aplicó su instinto de claridad y de rigor geométrico a los materiales sensuales de la existencia humana, en lugar de proyectarlas al «espacio vacío» de la negación y de la idea pura. Según Paul Valéry el producto de la actividad poética es a lo más, dada la naturaleza misma del espíritu humano, «un fragmento perfectamente ejecutado de un edificio inexistente» (*Variété* V, pág. 113). Por su parte, Guillén piensa la creación del fragmento sólo en función del conjunto; dando de este modo nacimiento al «edificio» mismo, que en el escéptico Valéry permanece en estado de fantasma.

Hugo Friedrich observa que Guillén, como Mallarmé, pone de relieve el aspecto *esencial* de las cosas más que su existencia contingente revelada a los sentidos o su humilde valor de referencia humana: «Las cosas —escribe a propósito de *Cántico*— se someten "llorando" a la idealidad pura. El lenguaje no las engalana, sino que por el contrario desvela su esencia desnuda, que quedará integrada en relaciones completamente ideales... Esta operación se extiende a todo el reino de lo viviente y de lo sensible... *Pero lo metamorfosea y lo enajena...* Sobre una ciudad estival (que en un principio recibe el nombre de "ciudad de azar") se posa la luz sedosa que hace lisas y netas sus líneas; esa luz "se emborracha de geometría", es presa de las "beatitudes de lo exacto"; así se convierte en "ciudad de la esencia" (*Ciudad de los estíos*)» (*Op. cit.*, pág. 138). El crítico sugiere que la «Ciudad de los estíos» de Guillén, para transformarse en una «ciudad esencial», ha perdido su cualidad de *Zufallstadt*, de ciudad de azar, pura contingencia para uso del hombre terrestre. Vista en la perspectiva de Mallarmé y de Valéry, no cabe duda de que ésta es en efecto la significación de la Ciudad guilleniana: una anticiudad poética construida por el pensamiento puro y por los artificios de la abstracción, a la manera de *Bizancio* de W. B. Yeats. Nadie más que Mallarmé separa, «como a la vista de atribuciones diferentes, el doble estado de la palabra, bruto o inmediato aquí, esencial allá» (*Crise de Vers, Pléiade,* pág. 368). El es quien define la poesía como «la maravilla de transformar un hecho de naturaleza en su casi desaparición vibratoria según el juego de la palabra... para que de ella emane, sin la traba de eco próximo o concreto, la noción pura». Guillén, por el contrario, se niega constantemente a aceptar esa distinción idealista entre «lenguaje bruto» y «palabra esencial», entre los signos despreciados de la realidad existencial concreta y aquellos que sugieren «la noción pura». *Hacia el poema,* que es en cierto modo su Arte Poética, afirma la falsedad de tal dicotomía: «El sonido me da un perfil de carne y hueso.» Como Goethe, Guillén descubre el *Ur-*

phänomen en los acontecimientos más humildes de la vida fenoménica y, como justa compensación, siente que la vida humana se muestra en su apogeo cuando nuestra conciencia de la esencia encarnada de las cosas llega a su plenitud. Entonces, dice el poeta, «Cuerpo es alma y todo es boda» («La isla», «Júbilo»). Guillén saluda así al mar, imagen de la totalidad del mundo:

¡Oh concentración prodigiosa!
Todas las rosas son la rosa.
Plenaria esencia universal.

Por su parte, Mallarmé no encuentra la flor universal más que en «la ausente de todo ramillete». Sus esencias se extenúan en la nada, de este lado del mundo visible. Hugo Friedrich tergiversa las intenciones de Guillén porque trata de hacer entrar su obra en la concepción poética mallarmeana. Como demuestra todo el capítulo que consagra al poeta español, su prejuicio platónico le condena a pasar en silencio una diferencia de orientación ontológica que es precisamente lo que constituye el valor y la originalidad de *Cántico*[4].

Si Friedrich considera a Guillén «como uno de los más difíciles entre los poetas líricos contemporáneos» (*op. cit.*, pág. 137), Amado Alonso califica su escritura de «elemental y transparente» —cualidades muy poco mallarmeanas—; «sintaxis —trabazón mínima y justa, construcción con bloques yuxtapuestos, sin argamasa...: la convergen-

[4] En la tradición del platonismo, recogida por el Cristianismo, por el idealismo y por los simbolistas, las apariencias de nuestro mundo constituyen, en relación con el de las ideas, «una región inferior de lo real, real todavía, pero a medio camino de la nada y donde originalmente seríamos precipitados por el accidente exterior de una caída. Ahora bien, en el poema de Parménides no encontramos ni el menor rastro de semejante caída. Por el contrario, lo que sorprende es la inicialidad y como *esencialidad* de la δσζα no mediatizada por ningún mito de la caída. En ningún momento se le ofrece al hombre otra condición que aquella en que se ve obligado a luchar con las realidades de este mundo. En ningún momento se extiende sobre el mundo de las δοποῦτα (apariencias) la sombra de lo provisional, ni se introduce en él una nostalgia que levantaría contra el destino tanatóforo de los hombres la pretensión de una salvación... Las δοποῦτα (apariencias) de Parménides no son en modo alguno ilusiones próximas al no-ser, sino las cosas mismas de este mundo tal como se dejan encontrar, en su esplendor y en su gloria, en el lugar único y central de su manifestación» (JEAN BEAUFRET, *Introduction à une lecture du Poème de Parménide,* Presses Universitaires de France, pp. 31 y 32).

Todo lo que Jean Beaufret escribe aquí a propósito de Parménides puede aplicarse literalmente al *Cántico* de Guillén.

cia de todos los sentidos en el de la vista». Este lenguaje visual, directo y fuerte, tiene poco que ver con las curvas laberínticas, las sugestiones complejas, las oscuridades y la musicalidad de Mallarmé ni con el tono preciosista y los amaneramientos arcaizantes de Valéry. Para Mallarmé las transposiciones de imágenes y las modulaciones musicales infinitas, así como las suntuosas correspondencias sinestésicas, en el sentido baudelairiano del término, constituyen la base de la expresión poética.

> Ya lo sé, se quiere limitar el Misterio a la Música; pero lo escrito también aspira a él (*Pléiade*, p. 385).

Es cierto que Guillén muestra una inclinación por los vocablos tomados de la geometría y por ciertos términos generales de un carácter «intelectual» muy pronunciado. Pero su gusto por un vocabulario de tipo conceptual, que más de un crítico le ha reprochado, no debe confundirse con el de los simbolistas franceses. En éstos el empleo del pensamiento abstracto y del lenguaje puro y concentrado que le corresponde va ligado a su creciente extrañamiento de la realidad existencial, a la que odian. Las palabras clave del léxico mallarmeano, tales como «Tedio», «Azul celeste», «Cielo», «Yo», «Belleza, «Nada», «Ausencia», «Puro», «Sueño» o «Silencio», designan de diversos modos la huida hacia la idealidad abstracta, lejos de un presente demasiado brutal:

> Mais, hélas! Ici-bas est maître...
> Et le vomissement impur de la Bêtise
> Me force à me boucher le nez devant l'Azur.

Pero el vocabulario a veces demasiado exacto de Guillén, despojado de adornos hasta la sequedad y semejante al de la técnica y las obras de precisión, apunta a la finalidad contraria: gracias a esas herramientas precisas, duras y aceradas, el hábil ingeniero del ser, el especialista en «Mecánica Celeste» que es Guillén intenta someter lo real múltiple que le desborda por todos lados. «Su línea abstracta —dice pertinentemente Casalduero— conserva en sí el temblor de la vida y su unidad no es el efecto de la abstracción, sino de la integración. Guillén no impone al mundo un esquema, sino que le escruta con tal atención que en él encontrará el secreto de su existencia.» Para poseerla más plenamente, trata de organizar, con ayuda de instrumentos que simplifican la visión de ella, la presencia invasora del mundo. Por ejemplo, al torbellino luminoso de la noche lo estiliza de la siguiente manera:

¡Ciudad en traslación
Hacia una claridad
De estrella sin error!

(«Traslación», *Cántico*, p. 407)

Citemos este otro pasaje del artículo de Amado Alonso «Jorge Guillén, poeta esencial»:

> Y este afán de perseguir en lo real, efímero y azaroso su significación extratemporal y abstracta, viene a saturar hasta las últimas células de ese organismo poético: su vocabulario... La geometría tenía que dar a este poeta sediento de exactitudes sus más seguras referencias.

Nada más alejado de la teoría y de la práctica de los Simbolistas franceses. Estos ven en el artificio del lenguaje abstracto y de las formas geométricas un medio de *escapar* al mundo aplastante de los hombres o de la materia, no de explorarle y de gozarle con mayor pasión clarificándole gracias a las herramientas de un intelecto poderoso. Se emplean, pues, en ambos casos medios de expresión semejantes con efectos totalmente diferentes, y ello porque son la expresión de dos puntos de vista metafísicos opuestos.

Y si las semejanzas formales entre Guillén y sus predecesores franceses se revelan, al analizarlas, en alto grado ilusorias, en tanto que divergentes en sus mismas significaciones, ¿qué diremos de su tratamiento de los temas comunes a los poetas occidentales a partir de Baudelaire? Es cierto que a Guillén le viene de sus maestros franceses una sabiduría técnica indiscutible; pero esa sabiduría le sirve para *invertir el sentido* y hacer un uso personal de sus formas, asimiladas primero a fondo. Así, los temas de *Cántico* se relacionan con los de Baudelaire, Mallarmé y Valéry sólo de una manera dialéctica, por oposición de intenciones y contraste absoluto de su contenido.

Sea o no este reto intencionado —y a veces lo es, sin equívoco ni duda posible— los poemas de *Cántico* constituyen de hecho una refutación sistemática de las principales actitudes filosóficas y de los valores humanos encarnados por el Simbolismo francés. Vista desde este aspecto, la obra de Guillén es una vasta crítica de la metafísica, de la moral y del arte poética de los Simbolistas. Sólo un análisis detallado de *Cántico*, hecho desde estos tres puntos de vista, permitiría justificar semejante aserción.

Como en todo auténtico creador, el arte poética de Guillén se confunde con sus intuiciones éticas y metafísicas más vastas y a través de ellas alcanza a los temas dominantes de su obra. Esta coherencia interior del pensamiento mismo, estructurada en los planos más diferentes, es lo que da su unidad a *Cántico*.

Gracias a esta sana reacción contra sus grandes predecesores los Simbolistas franceses, la «obra» de Guillén me parece ser la primera y la más importante entre las que, sin recurrir a una ortodoxia filosófica o religiosa preexistente, inauguran una nueva era en la historia de la sensibilidad occidental. Con este gran poeta hispánico comienza una aventura, la reconquista de la realidad perdida, que es la meta de las nuevas generaciones de poetas y escritores europeos. La obra y el pensamiento de Jorge Guillén hacen presentir, en particular, el movimiento que se va esbozando en la poesía francesa actual, heredera como el poeta español —y con la misma ambivalencia profunda— de Baudelaire, Mallarmé y Valéry. Es hora ya de que descubramos a este precursor tan mal conocido por la mayoría de nosotros. Jorge Guillén es nuestro aliado natural en la lucha que también nosotros hemos emprendido, en pos de Rimbaud, contra la desesperación y la nada. Su obra constituye un punto de referencia en nuestra búsqueda del ser oculto en el corazón de las cosas mortales. Este ensayo quisiera, situando al poeta español con respecto a nosotros, contribuir a hacer más accesible la obra mayor de Guillén, a fin de que no se quede en el coto cerrado de los escasos críticos o especialistas del hispanismo contemporáneo en Francia.

Cántico aporta un mensaje que no se había escuchado claramente en Europa quizá desde la época de Parménides. Guillén nos muestra la presencia del «virgen, vivaz y hermoso hoy» aquí mismo, en este mundo que aún no está dicho, que quizá nunca habrá nacido totalmente, pero que sigue metido en un eterno Paso a la Aurora:

¿Vuelve todo a surgir como en primera vez,
Este universo es primitivo?

Mejor: todo resurge en esbeltez
Para ser más...
... Todo es nuevo... Tan nuevo que nadie aún lo ha dicho.

Así comienza, con cada nueva alba, la tarea inagotable del Primer Hombre, tarea que consiste en nombrar y en exaltar al mundo que nació vencedor de la nada: «*Lucha el ser contra la nada.*»

[*Cuadernos* (París), núm. 45, nov.-dic. 1960]

FRANZ BÜCHLER

VENTANA A LO DIAFANO

(VIRGINIA WOOLF Y JORGE GUILLEN)

Desde principios del siglo xx ha cambiado no sólo la dirección de la mirada: se ha transformado la mirada misma. Los ojos ven no ya el árbol, sino el crecer. Perciben el correr, no el río. El ser invisible se ha vuelto visible. La conciencia esclarecida se dejó coger —más, arrebatar— por el movimiento. Mientras, incluso el peligro de este movimiento ha adquirido visibilidad. De devorarse a sí mismo. De atomizarse.

No se debe perder lo conquistado después de apenas haber pisado el pie el continente desconocido. Este se debe convertir en terruño fructífero para los que vengan. No es un *fata morgana.* Pero sigue siéndolo para un sinnúmero. No deben olvidarlo los pioneros espirituales. Si no, corren el riesgo de desaparecer sin huellas en la selva, y de que se rompa el lazo que les une a la muchedumbre que desconoce el continente. Hay que construir caminos a través de la tierra apenas habitada aún. —También el movimiento contiene continuidad, no sólo la permanencia. Si no, lo nuevo adquiere un carácter infantil que es igual a lo senil. La marcha en vacío siempre diferente meramente por serlo es tan monótona como la fijación de valores gastados. El transcurso del tiempo esencial contiene una tensión que posibilita la transformación en lo atemporal. Esta tensión amenaza desaparecer. El nuevo paisaje literario, nacido de la conciencia dinámica transformada, ha adquirido sustancia mientras tanto, permanencia en el flujo de los acontecimientos: un espacio que hace posible una vida no vivida aún; no un fin en sí mismo, sino una esfera para convivencia humana iluminada, ampliada.

Son sorprendentes las afinidades soterrañas entre autores contemporáneos sumamente individuales y diferentes: cifras que emergen de imágenes decisivas. Así, la red de hilos espirituales que se teje como dibujo de fondo en el mundo de las novelas de Virginia Woolf, quitando importancia a todo lo tosco del primer plano, se acerca mucho a la geometrización de la que se sirve Jorge Guillén para liberar a lo esencial de lo accidental. A su vez, Virginia Woolf representa un puente entre la afirmación guilleniana del mundo y su negación en Beckett. Los signos que ella dispone artísticamente son los de Guillén, no de Beckett. Provienen, sin embargo, contrariamente a los del poeta, no del mundo del júbilo, sino de una melancolía absoluta. Una melancolía que ama el mundo con una intensidad igual a la del júbilo guilleniano. No obstante, *time passes*, según reza el *motto* de la inolvidable parte central del tríptico *El faro*: Virginia Woolf fija su mirada no en la luz presente, sino en la oscuridad que le seguirá. Igual que Beckett. Contrariamente a esto, para el poeta español (...) lo sintomático es la monomanía que hace estallar el caparazón exterior del ser: la misma fuerza que da poder al arte para convertir, por medio de la forma, nuestra realidad accidental en esencial. Los dos autores persiguen el mismo fin. Y los dos lo alcanzan, el uno a través de sumo júbilo, el otro por una queja profunda. Los dos hacen ver muy claramente que no se trata de una perspectiva positiva o negativa en el ser —causa de tantas polémicas y de tantos errores—, ni del éxito o fracaso, sino de la aprehensión del objeto al que se enfoca por medio de la perspectiva: su sustancia vivida o sufrida intensamente, delante de la cual la perspectiva del sujeto pierde importancia.

Una cifra igualmente característica de Guillén y de Virginia Woolf es la «ventana». *Ventana-window* sirven para un movimiento único de la abstracción que acerca las cosas —haciéndolas transparentes sin quitarles sensualidad— precisamente al distanciarlas. Gran parte de la magia de los dos autores reside en esto. «La ventana» se titula la primera parte del tríptico *El faro* (...). Es la magia de la ventana misma lo que determina la mirada. En el espíritu de Woolf, una experiencia extremadamente dolorosa era la ventana de la conciencia haciéndose luz sobre la «realidad»: «algo que veo delante de mí, algo abstracto y sin embargo presente materialmente en él prado y en el cielo.» Entre el balcón abierto donde está sentada la protagonista, Mrs. Ramsay, al principio del libro, y la ventana en el despacho de su marido, donde ella se encuentra de pie al terminar la primera parte, se despliega la curva de un «instante»: la segunda cifra que une a Guillén con Virginia Woolf. Un «instante» mágico ofrece a la vista de Eleanor —en *Los años*— a través de la ventana del cuarto de baño el jardín cubierto de nieve y un hombre que atraviesa la calle. Torbellino de nieve y torbellino de vida humana se funden, alternando.

Se diría que Guillén, en un instante muy diferente, transparente por su propia situación de ventana de invierno, ha mirado aquella escena de Woolf cuando celebra, en «Con nieve o sin nieve», la «diáfana alianza» de la ventana y del invierno: «Los dos, trasparentes, / Hacia la verdad». Así el hombre y su *tú*. El poema termina: «Tu amor en el centro, / Y el mundo nevado! » (*Cántico,* p. 38-39). El hombre mismo se vuelve ventana en otros poemas, yo y tú a la vez: «Soy como mi ventana» (p. 145) o « ¡Tú, ventana a lo diáfano! » («Salvación de la primavera», IX, pág. 103). El cristal ofrece la unidad concentrada de distancia y transparencia que confiere esencia a las cosas del mundo y que protege al autor tanto de la torre de marfil altiva como de la entrega descuidada al accidente. Lo enuncia en la fórmula más concisa: «¿Marfil? Cristal.» Al autor le basta, para su posición justa, «el cristal / De una ventana que adoro». («Cara a cara», V, pág. 521.) Para confirmar el ser, ofrece gracias casi religiosamente a este poder de esencia. El cristal, que crea distancia, y el marco, que delimita un fragmento, colaboran con la luz: la «ventana» intensifica el proceso de espiritualización que crea el mundo y al hombre por medio de la abstracción. Transforma una mirada distraída en un «instante» condensado: esta segunda cifra que también para Virginia Woolf tiene significación en potencia. De Mrs. Ramsay se dice que «transformaba el instante en algo permanente». Para otros, estos instantes reveladores son «cerillas que iluminan la oscuridad inesperadamente».

Sólo la tensión de una fuerza especial consigue que «lo más profundo de un instante» (Woolf) se dé como «perfección de un instante» (Guillén) para lograr la «plenitud de un instante». Así como Guillén, mirando la nieve, descubre el amor en el centro, la pintora que retrata a mistress Ramsey en el balcón ejecuta la pincelada decisiva, liberadora en el centro del lienzo, en la última página de la novela, con una «tensión» repentina. Tenemos, pues, una cifra más: «tensión»: *Afán* e *intensity* se corresponden en Guillén y Virginia Woolf como *ventana* y *window*. Pero este afán es un ser, no un devenir: un ser cuya fuerza interior promete más ser: «Mrs. Ramsay parecía recogerse con una media vuelta y esparcir en seguida diagonalmente por el aire una lluvia de energía, una columna como surtidor; parecía con ánimo nuevo y llena de vida, como si todas sus energías se hubieran fundido en una fuerza única». Para el poeta español *afán* significa un ser en todas las cosas, un «Afán de más fragancia de tomillo, / De relieve en el monte que la esparce, / De amplitud en el viento allí más ancho» («Noche del caballero», p. 426). La vocación de éste (Don Quijote) es la de «un hombre que es más que hombre» (p. 429). Se trata de la tensión existencial que escucha los latidos del corazón, no el alboroto del monstruo, según lo explica Unamuno en su comentario al capítulo correspondiente de Cervantes, sea lo que encuentra don Quijote un monstruo verdadero o sólo batanes, batanes de la vida y de sus ilusiones. Es la tensión existencial que se repite como un estribillo a través de la última parte entera de *Cántico*, «Cara a cara», que es en cierto modo una continuación de «Noche del caballero»: «Ni cedo, ni cederé» (p. 519). ¿De dónde surge esta fuerza última en Guillén o en Woolf? Nace de la «sencillez», de la ingenuidad, con la que el hombre, el caballero, el autor se mantienen abiertos para el asombro. Este asombro desde un fondo primitivo es la última palabra de Guillén. Virginia Woolf da la misma palabra como cifra a Mrs. Ramsay: «Su ingenuidad de corazón causó que cayera a plomo, como una piedra, al lugar preciso: se diría un pájaro que se posa». La ingenuidad es «el vuelo arrebatado del alma hacia la verdad.»

Empalidece la subjetividad del hombre, y se pone de relieve el ser de las cosas, su esencia. Los tabiques de separación se han vuelto tan delgados para Mrs. Ramsay que percibe alrededor de sí, «en un estado de ánimo que se mueve en felicidad», el «durar» esencial de las cosas: sillas, mesas, mapas; «todo se volvió un fluir continuo»; no importaba a quién pertenecerían cuando ella hubiese muerto. Con la misma actitud hacia la muerte, Guillén percibe la continuidad poderosa de una capital en la imagen de la circulación de automóviles: «¡Avisos verdes, rojos! / Y se deslizarán / Los coches a través / Del tiempo y su verdad.» («Como en la noche mortal», pág. 83.) Los avisos continuarán dando señales verdes y rojas que dirigen el torrente incesante del ser aun cuando un rojo habrá hecho parar definitivamente el transcurso de una vida. El que sigue verá encenderse de nuevo la luz verde. Los muertos y los vivos quedan hermanados por el ritmo continuo de las luces que cambian. El espíritu lírico llega aquí a tocar el épico. La batahola del azar de una muchedumbre de gran ciudad cobra claridad y forma permanentes (en «A vista de hombre») desde cierto «punto de vista del hombre». Otra vez tenemos aquí la ventana como punto de abstracción, por medio del cual uno de tantos azares llega a ser instante, volviendo esenciales tanto al sujeto como el objeto.

No ocurren las cosas muy diferentemente en la obra principal de Virginia Woolf, *Las olas.* Seis personajes llevan allí, a pesar de la proximidad, una existencia de aislamiento. Pero de vez en cuando llega el instante mágico. El clavel rojo en un florero del restaurante «se ha transformado en una flor exagonal, flor hecha de seis vidas». Y al fin: «Por un instante vimos el cuerpo del hombre total extendido entre nosotros.» ¿Qué pasa? El hombre esencial, único, abierto en seis figuras, llega a vivir el instante de luz, el único importante, aunque luego se extinga de nuevo en la oscuridad. «Nosotros seis de entre quien sabe cuántos miles de millones prorrumpimos, durante un instante inmensurable, hecho de la plenitud de tiempo pasado y de futuro, en llamas con triunfo. El instante lo era todo, el instante bastaba. Y luego rompimos, separándonos, cual una ola que rompe.» Las ondas: quien lee a Virginia Woolf aún resonándole Guillén en el oído, cree, al llegar a ciertos pasajes, que éstos fueron traducidos del español. Y al revés. Más de un verso, como el principio del largo poema «Cara a cara», hace pensar en una imagen correspondiente en *Las olas*: feroz como un tigre surge la vida, el «monstruo al que estamos atados». El espanto frente a la vida y la espiritualización con que se le confronta, superándolo o evadiéndose de él, quedan perpetuados en una de las oraciones más esenciales de *Las olas,* que vuelve repetidamente como un *leitmotiv.* Nace de lo más espiritual de la figura con más sensibilidad entre las seis, Rhode: «El tigre dio un salto, y la golondrina sumergió su vuelo en estanques oscuros al otro lado del mundo.» El espíritu épico llega a rozarse con el lírico. El espíritu que se aprehende no es pensamiento, sino luz, la luz sensual en su pureza. Sólo que, contrariamente a Guillén, ésta desaparece en Virginia Woolf inmediatamente en la oscuridad del oleaje.

No hay error posible: no se trata aquí de analogías. La diferencia entre los dos autores es tal que sobra recalcarlo. Se trata más bien de un motivo fundamental de la época. No de júbilo o de la melancolía en el hombre. El tema central de los autores más diversos es la espiritualización de las cosas y el iluminarse de su desconocida imagen de fondo en la conciencia.

[*De Wasserscheide zweier Zeitalter.* Heidelberg, Lothar Stiehm Verlag, 1970]

III

REACCIONES TEMPRANAS DE LA CRITICA

JOSE BERGAMIN

LA POETICA DE JORGE GUILLEN

Bajo un rumor de números ardientes

J. G.

Ni Valéry. Ni Góngora. Ni Juan Ramón Jiménez.

Ni juntos —sería incoherente ni por separado pueden indicar estos nombres una relación poética que sirva para definir la situación crítica del libro de Jorge Guillén: *Cántico.* Situación crítica como lo es la de cualquier poesía determinada: porque toda poesía determinada implica una poética determinante, que, a su vez, explica esta poesía. Sin choque con su propia conciencia crítica, la obra poética no existe. La crítica es consecuencia de la poesía, se deduce de ella y la corrobora; la afirma, negativamente, como el Mefistófeles goethiano la creación divina; tiene la virtud de una línea: subraya con su trazo la sombra que proyecta toda luminosa creación poética: la define por su misma generación, relativamente espontánea, limitándola, terminándola, determinándola. La poesía existe porque se determina o define a sí misma críticamente, situándose, o sea, relacionándose; y esta relación, puramente, exclusivamente poética —no histórica ni psicológica—, no es de semejanza, sino de diferencia: no hay relación ni definición posible, que no sea: diferenciación.

Ni Valéry. Ni Góngora. Ni Juan Ramón Jiménez. No hay relación —poética. Ni hay diferenciación posible. Estos nombres —próximos a la devoción o amistad personal de Jorge Guillén— no lo son a su poesía: su divergencia los separa del libro *Cántico.*

La poética de Jorge Guillén pone a su poesía —apuradísima— en verdadera situación crítica, en constante peligro, que puede ser de muerte: porque empieza por ponerla en razón, en el más apurado trance de razón poética.

Su primera y más grave —crítica— afirmación es ésta: tener razón poética de ser. Y para ser, nacer poético,. tener que echar raíces; solamente así podrá la poesía originarse, sorprenderse: haciéndose de nuevas.

Ponerse en razón

Cántico es un libro antológico, o sea, en cierto modo, un libro final: suma de unidades poéticas distintas, sin fusión ni confusión lírica total en unidad poemática. Un libro de poesías se compone, poemáticamente, por multiplicación, unificado, o se descompone, dividido en unidades poéticas independientes, adicionadas, no multiplicadas en el todo. *Cántico* es un fervoroso aleluya total poético, así adicionado de exclamaciones —el poeta diría de *olés*— al milagro constante de lo creado, a la novedad poética del universo. Cada poesía es un poema de exaltación, de goce: al reunirlos forman un *cántico,* más bien que acordado, fugado, o punteado más que rasgueado. Por eso se ríe como Demócrito y no llora como Heráclito. Por eso forma para los sentidos un mundo aparte, una construcción pura (el poeta diría: *mecánica celeste*): un orden y concierto espiritual. En este sentido, *Cántico* es un libro *capital* y *único,* como quería Mallarmé.

Lo primero, para el poeta de *Cántico,* es ponerse en razón, en trance de razón. Por eso empieza por tomar sus medidas: por medir sus palabras; para contar con ellas, para calcular el peligro. Escribir —en prosa y en verso— es, en principio, contar con las palabras: la medida de esta relación es variable pero exacta, pura, necesaria. El arte poético verbal es un análisis y una síntesis: descompone el lenguaje vivo para componerlo nuevamente. La génesis de la poesía —de una poesía— es su razón de ser poética: su invención o descubrimiento. Como la figura del espacio geométrico, toda figuración poética se define por su propia ley engendradora, por la medida de su relación espiritual, imaginativa. Esta medida es lo que Goethe llamaba: «pensar en imágenes», y Novalis: «lo único real absoluto»: cosa de razón, pero de pura razón poética.

La poética que parte de este postulado racional se pone realmente en un compromiso: se compromete, da la cara: una cara de la razón. Los griegos divinizaban la razón

—para distinguirla— en múltiples caras: una de estas caras era Hermes, el del pacto con Apolo (la música por la luz), verdadero compromiso, pacto poético. Otra: Orfeo, que por volver la cara sólo halló una sombra (crítica situación). Hermetismo y orfismo son caras de razón poética. Mallarmé lo comprendió así cuando escribía: «la interpretación órfica del universo es el único deber del poeta y el juego literario por excelencia». También Poe, dando carácter axiomático a la poesía, difícil equilibrio oracional. Estos nombres: Poe, Mallarmé, son vecindades poéticas del libro *Cántico*. Relaciones para definirlo por diferenciación, por distancia: distancias no salvadas porque no se pueden perder. La pérdida de la distinción poética racional es la de sus imitadores o falsificadores engañosos: de los que materializan la relación poética y confunden la forma, medida espiritual, con el molde vacío (cualquier métrica o sistematización hueca, restos mortales de distintas poesías): el neo-clasicismo o anti-neo-clasicismo, que es igual: seudo-retoricismo o anti-seudo-retoricismo. Una falsa interpretación de la poesía de Jorge Guillén fue inevitable: los tontos picaron el anzuelo: y admiraron o vituperaron por equivocación, sin enterarse. Esto ha sido también su valor (personal y literario) consecuencia indirecta, social, de su situación crítica —poética— verdadera.

Echar raíces

La materia imaginativa del pensamiento en la pintura o en la música —lenguajes poéticos— se ofrece al arte más desnuda que la palabra. Cada palabra del lenguaje —propiamente dicho— lleva tras sí, al arrancarla de su terreno o lugar propio, común, extrapoético, múltiples ramificaciones, raicillas, antes invisibles. El poeta, al desarraigar la palabra, analiza o descompone esta complicadísima arquitectura vegetal para trasponerla —componerla—, trasplantarla, arraigándola de nuevo en el sitio propio o lugar poético que le corresponde. A veces, el poeta modifica estas raíces verbales, dirigiéndolas a la absorción de jugos más profundos. Y va formando, a medida que piensa —a la medida imaginativa de su pensamiento—, nuevas raíces; echando raíces verbales al pensar poético. Concepción radical es ésta de la poesía: lo que había empezado por ponerse en razón acaba por echar raíces. Radicalismo verbal poético. El poeta que así piensa, que así hace, piensa lo que hace y hace lo que piensa: hace radicar su poesía en el pensamiento.

De este modo, la poesía actualiza el espíritu, porque no es actual, sino actuante; su ser poético no es un estado —transitivo—, sino una razón —substantiva—; por eso actúa y no actualiza, porque mejora lo presente —los presentes psicológicos o históricos, que son, naturalmente, pasados. Cuando una poesía determinada radica la razón es porque su poética —determinante— ha razonado sus raíces.

La poética de Jorge Guillén ha razonado su radicalismo de lenguaje, para dar substantividad verbal a la poesía: forma poética. El poeta conoce a sus clásicos, cuando aprende que no son suyos, que es la única manera posible de que sean clásicos. O dicho de otro modo: el poeta escarmienta siempre en cabeza ajena. Y de eso le sirven las demás poéticas: de escarmiento. Jorge Guillén (como otros poetas actuales) es un escarmentado de Góngora —como lo es también de Calderón— y, en general, del siglo XVII español (de las poéticas de ese siglo) —y del «simbolismo» francés, y de Valéry, y de Rubén Darío, y de Juan Ramón Jiménez. Sin que todo esto le haya servido de otra cosa más que de escarmiento —que ya es bastante—: sin que nada de esto pueda servir para definir o diferenciar su poesía, porque con nada de esto se relaciona poéticamente, sino histórica o psicológicamente. En cambio, habrá que indicar con la poesía de Jorge Guillén una relación poética distinta: la del movimiento llamado «creacionista» (Huidobro, Gerardo Diego, Juan Larrea): oposición poética clara, contraposición evidente, porque radica en la razón de ser de la poesía; en la substantividad poética propuesta. De un lado (el de Jorge Guillén) se afirma la universalidad poética del pensamiento por su radical lenguaje intraducible. De otro (el «creacionista») la singularidad poética del pensamiento por su desarraigado lenguaje traducido. (De este lado, indicaré, de paso, que se afianza mejor cada día el puro talento poético de Juan Larrea.) Lo contrario de echar raíces es desecharlas. Pero una y otra posición racional poética —concepción poética— es igualmente radical.

Hacerse de nuevas

El arte poético (racional, radical) es arte de hacer (no hay arte de engendrar), y la poesía es arte hecho (*artefacto* de los escolásticos): cosa y no persona: realidad espiritual (no hay otra), imaginativa. Por eso la poesía se hace —inevitable paradoja— haciéndose de nuevas. Nace en la sorpresa —como la razón en el asombro— y se sorprende de nacer. Radicalmente. «Rehecho como la planta nueva» —escribe Dante—; «rehecho» y no reengendrado (que sería absurdo); hecho y rehecho y requetehecho, para novarse o renovarse verdaderamente; esto es, de veras, no de vidas; no por ser razón (lo que será siempre un engendro), sino por razón de ser poética (realidad: cosa de ideas). Nueva planta: nueva construcción.

La realidad poética, cosa ideal poética, la causa ideal de la poesía (y no hay otra causa de poesía que ésta, no hay otra cosa en la poesía que esto: las ideas), la ideación o formación poética es su novedad, su novación o renovación —que es lo mismo— imaginativa. La poesía no se hace, realmente, más que de nuevas. Por eso dura, perdura, o sea, que va siempre de sorpresa en sorpresa. Eterna novedad.

La poesía de Jorge Guillén se hace de nuevas espontáneas y malignamente: hermética como la razón: presa en la sorpresa. El poeta la sorprende y se sorprende: por su novedad, o sea por su distinción, porque se hace —la poesía— verdaderamente: de razón, de raíz de nuevas.

P. S. Jorge Guillén: *Cántico* (1919-1928) inicia una serie de publicaciones que edita la *Revista de Occidente.* La presentación esmerada de este volumen debe citarse como ejemplo de *orientación,* excepcional entre ediciones españolas.

[*La Gaceta Literaria,* núm. 49, 1 de enero de 1929]

AZORIN

LA LIRICA ESPAÑOLA: EPOCA

Cuatro paredes blancas: nada más. Cuatro paredes enjalbegadas de cal cándida. Cándida como el espíritu que aquí alienta. Una mesita y unas sillas. La mesa y las sillas, de pino, sin pintar, toscas, con los nudos de la resina visibles. En este aposento mora un poeta. El aposento, que, en 1534, tenía en Roma uno de los santos más sugestionadores, más humanos, más cordiales de todo el santoral: San Felipe Neri. El aposento —cuatro paredes blancas—, que en 1560 tenía en Montilla un hombre tan sensitivo, tan emotivo —al igual San Felipe era inteligencia— como el beato Avila. La santidad es lo supremo en ética; la poesía lírica es lo más alto en estética. ¿En qué siglo vive el poeta? ¿Es coetáneo de estos dos hombres admirables, San Felipe Neri, el beato Juan de Avila? Las cuatro paredes que albergan la santidad o la poesía lírica son un principio, parecen una iniciación; pero en realidad son un resumen y un epílogo. Nada más bello, más conmovedor, más espléndido. Los muros, nítidos; las sillas y la mesita, de tosco pino. Después de los primores y las maravillas arquitectónicas; a lo largo de toda la serie de los monumentos majestuosos, como resultado, como corolario, estas cuatro paredes, cubiertas de blanca cal. Suprema belleza; tan sencillo todo y tan bello —paredes y muebles— como la santidad de Felipe o el estro del poeta lírico. Después de estas cuatro paredes, no hay cosa más bella. ¿Cómo se desliza el tiempo dentro de estos cuatro muros, a lo largo de las generaciones? ¿De qué modo, ahora, en este minuto de éxtasis del santo o de inspiración del poeta se va transformando la luz, de segundo en segundo, sobre los blancos planos de los muros? El tiempo y el espacio sentidos por un santo, por un poeta, entre las cuatro paredes blancas de un pobre aposento. Evolución del tiempo y del espacio a lo largo de los siglos y a través de la sensibilidad de un poeta lírico. El aposento de las paredes nítidas es igual en el siglo XV, en el XVI, en el XVII, en el XVIII, en el XIX y en el XX. Pero, poco a poco, a lo largo de las generaciones, dentro de este tan reducido ámbito, estos blancos planos de las paredes y estos espacios que existen entre campanadas y campanadas del reloj cercano, se van modificando, transformando, subvirtiendo. No es preciso salir al mundo vario y tumultuoso; no es necesario dejar estas cuatro paredes albas. Aquí, dentro de estos muros, se puede experimentar toda la honda transformación del espacio y del tiempo. Y estas cuatro paredes blancas no son las mismas —siendo idénticas— en el siglo XVI y en el XX. Por la ventana se ve la perspectiva de la calle; la vista abarca también un pedazo de cielo, azul o gris; a lo lejos se columbra la campiña verde. El poeta se halla sentado ante su mesita de tosco y oscuro pino. Es un poeta imaginario; un poeta que cuenta unos tres, cuatro, seis siglos. Y a lo largo de todas estas centurias ha ido él, a través de sus nervios, a través de su inteligencia, sintiendo como las blancas superficies, el cielo, la lejana campiña, la perspectiva de la calle han ido trastocándose, interfiriéndose, de singular y originalísimo modo. De Jorge Manrique, el lírico lejano, a Jorge Guillén, el postrero y grande lírico español. Las blancas paredes y todo el espacio vario que se columbra desde la ventana no dan a los ojos y a la sensibilidad la misma suma de interferencias en el primer poeta que en el segundo. El mundo visto y observado es el mismo en Jorge Manrique, o en Garcilaso, o en Bécquer; pero en Jorge Guillén toda esta suma de paredes blancas, de cielo, de campiña verde ha cambiado totalmente. La subversión ha sido profunda.

Fuera de este cuartito, por el ancho mundo, las nociones —las sensaciones— de tiempo, de espacio, de duración, de presencia, se han modificado también profundamente. ¡Qué honda modificación no ha traído al concepto de presencia la radiodifusión!; ¡Y cómo el concepto de espacio ha sido modificado por el cinematógrafo! El poeta Jorge Guillén —el más exquisito poeta lírico español en la hora presente—; el poeta ha ido recogiendo en sus versos, prístinos, sencillos, inmaculados, todas esas hondas transformaciones. Se escribe mucho —sobre todo, en Francia— sobre los problemas de métrica; cada gran poeta publica un Tratado de esta materia del número y de la medida de los versos. El tema —con perdón— nos parece secundario, secundario y escolástico. No es modernamente lo importante, en el estudio de un poeta lírico, la métrica, sino la física. ¡La física de un gran poeta lírico! La física de nuestro Jorge Guillén en su libro reciente —tan bellamente editado— *Cántico*. La manera como se dan los planos y las interferencias en los versos de Jorge Guillén. Física singular, originalísima, la del poeta lírico moderno. Física que no es la de Garcilaso, ni la de Jorge Manrique, ni aún la de Góngora. Un Universo nuevo, tal como lo ve la inteligencia moderna, se refleja en estos versos, tan límpidos, de Jorge Guillén. Otros poetas, compañeros suyos de generación, se entretienen a veces, graciosa y elegantemente, en modificar, principalmente con metáforas, la superficie de las cosas. Jorge Guillén va más hondo, llega más adentro: no es la metáfora lo nuevo en su poesía: es todo el juego de planos del mundo visible. Y del invisible. *Cántico* marca, a nuestro parecer, una época en la evolución de la lírica española. Con emoción profunda, sagrada, cogemos este hermoso libro. Con emoción vemos al poeta, como vemos el santo entre las cuatro paredes blancas, desnudas, cubiertas de cal. Y la mesita de pino tosco, sin pintar. San Felipe Neri es un exquisito poeta que se inclina ante las cuartillas en el silencioso y nítido aposento.

[*A B C*, 17 de enero de 1929]

JAIME TORRES BODET

POETAS NUEVOS DE ESPAÑA: JORGE GUILLEN

Para los que, de prisa, se han puesto a afirmar la decadencia de la lírica española contemporánea, estos años recientes (1927-1928) marcan dos fechas de rectificación. El primero, cuajado de inquietudes y de nombres, incitaba a la lectura, aunque, acaso, no fijaba a la crítica un valor claramente definido. Más que el mérito de la realización —llena, no obstante, de aciertos susceptibles de comprobar la eterna capacidad juvenil de nuestro idioma— lo admirable en esa pléyade de jóvenes poetas era la voluntad de precisión, el conocimiento de los problemas que toda buena lírica debe estar en aptitud de vencer y el respeto por la dignidad de un arte que, durante el Romanticismo, no conoció, desgraciadamente, límites en el exceso. A la cabeza de este conjunto, se destacaban las figuras de Gerardo Diego y de Rafael Alberti, henchido el primero de sugestiones modernas y valiosas, deliciosamente centrado el segundo en el corazón de las tradiciones populares de la melodía española antigua.

1928 nos presentó a dos poetas. A dos poetas de los que se puede o no gustar, pero que, incuestionablemente, no podrían sin injusticia acogerse a los beneficios de la impreparación: Federico García Lorca, el fino gitano de los *Romances,* y Jorge Guillén, que reúne sus mejores versos en el volumen que acaba de editar *Revista de Occidente.*

Frente a la alegría andaluza, sensual y ricamente colorida de García Lorca, la obra de Jorge Guillén, concebida toda en aires fríos de altiplanicie, adelgaza un semblante geométrico y adquiere, como la gota de lluvia que resbala en un cristal muy puro, un doble volumen —cóncavo y convexo a la vez— hecho del doble reflejo del vidrio y del agua. Aire, agua, cristal... ¿No bastarían estos solos términos a definir todo un momento actual de nuestra poesía?

Al lirismo de hoy la realidad demasiado presente le repugna. Por eso le hiere la forma de los objetos que enriquecieron la utilería teatral de la retórica modernista y, siguiendo la fuga de Juan Ramón Jiménez hacia el dominio de la fantasía interior, busca su verdad en la desnudez de los conceptos puros y juega con abstracciones, en una delicia de perfumes y de ecos que hace del poeta una especie de matemático impar, susceptible de contener un mundo de realidades cuantiosas en la fórmula de una sola ecuación feliz o en el círculo de una sola metáfora perfecta. Lo encomiable de esta promoción contemporánea del lirismo español es precisamente la honradez con que reconoce los puntos de contacto que la ligan al temperamento excepcional de Juan Ramón Jiménez. ¿Y por qué había de negarlos? ¿No son, por ventura, las influencias —cuando el que las recibe las vivifica y las renueva— verdaderas «afinidades electivas» como las que Goethe escogió para ejemplo de uno de sus más preciosos relatos? Si alguna hay entre el libro de Jorge Guillén y la obra de Juan Ramón Jiménez, es sin duda de esta especie, noble categoría de la amistad en que el poema del uno viene aromado de la fragante emanación del otro, eco en que la voz, en lugar de atenuarse, se articula separadamente, flor de la nueva realización en que el jardín entero del gran poeta de *Eternidades* se reconoce y se cultiva con un matiz distinto. Con un matiz distinto que, en el caso de Jorge Guillén, resulta más severo, acaso de menos temperatura cordial.

Hay poetas que persiguen la novedad a través del laberinto de las formas. La libertad, para ellos, más que un derecho, es un deber: no los define, los inicia. El ejemplo de esta categoría de artistas lo dio Gerardo Diego al publicar casi a un mismo tiempo dos obras tan diversas como *Versos humanos* y *Manual de espumas*. Otros como Rafael Alberti —como el mismo García Lorca— no necesitan alterar la melodía externa de sus canciones, porque la poesía en ellos es un fenómeno natural como el de la respiración y requiere —también como la respiración— un ambiente propicio. En el caso de García Lorca este ambiente no es ni el de la tradición ni el de la novedad. Ni le precisa límites el tiempo, sino el espacio: ni es atmósfera de una época, sino de una región. Podría prescindir de todo, hasta de la Historia... ¿Pero cómo pudiera prescindir del clima?

Jorge Guillén, en cambio, no tiene por qué abandonarse a la solicitud de un medio sensual, como García Lorca, ni siquiera buscarse, como Gerardo Diego, en los corredores de un hermoso laberinto. Su única galería, como la de Narciso, tendría que ser una galería de espejos paralelos, sin cielo ni fondo, hecha sólo de claridades superpuestas en que los planos de la realidad y de la fantasía se multiplicaran constantemente por dos. De allí que el pudor sea su primer escrúpulo. En tanto que —gracia de torero— García Lorca parece desnudarse hasta cuando se adorna, Jorge Guillén se hace de su propia sinceridad una túnica, sólo permeable a las miradas de los iniciados. ¿Oscuridad? Se ha acusado tanto de ella a los mejores poetas de ayer y de hoy que bien podría tildarse de oscuro a Jorge Guillén... para favorecerlo. Pero no, no es oscuridad la suya, como tampoco lo es la de Mallarmé, o de Valéry, espíritus que le han impresionado infinitamente, sino claridad como la del aire que, cuando más claro vibra, más se disimula a los ojos y menos lo hiere o lo traiciona la luz.

De las maneras que el pudor asume en su obra, la que más pronto se advierte es el respeto por una forma exterior que ni se acomoda sumisamente al molde habitual, ni lo violenta. Por eso, a la unidad prosódica de sus versos ciñe el mayor caudal de emoción abstracta y la mejor cantidad de sensibilidad lírica. De allí las aristas de sus construcciones poéticas, pero también su elegancia, su fina, esencial y sólida elegancia de esqueleto. De allí, además, su predilección por el otoño, en que los árboles se despojan de toda opulencia y se descubren a sí mismos en la exactitud del ramaje desnudo. Hallo un ejemplo de esta predilección del poeta en esta página excelente:

Ya madura
La hoja para su tranquila caída justa,
Cae. Cae
Dentro del cielo, verdor perenne, del estanque.
En reposo,

8

Molicie de lo último, se ensimisma el otoño.
Dulcemente,
A la pureza de lo frío la hoja cede.
Agua abajo,
Con follaje incesante busca a su dios el árbol.

Poeta panteísta, Guillén inicia sin quererlo dentro de formas extraordinariamente sobrias, un retorno a la religión de los mejores simbolistas: Régnier, Maeterlinck y Moréas. Sólo que, mientras ellos buscaban la huella del dios evasivo en las arenas de una playa dudosa, él las quiere grabar sobre diamantes. Y si la aridez de su abstracción hace desear, por contraste, la cálida temperatura sensual de García Lorca, advertimos que, a la segunda lectura, la fantasía del lector empieza a ceder, como la hoja del otoño, a la *Pureza de lo frío* y se recrea dentro de este cielo del estanque en que, para decirlo con sus propias palabras,

El agua desnuda
Se desnuda más.

[*Excelsior* (México), 20 de enero de 1929]

ESTEBAN SALAZAR Y CHAPELA

NOTAS CRITICAS. POESIA. GUILLEN, JORGE: *CANTICO*

Domina el *Cántico*, primer libro de Jorge Guillén, un espíritu inmaculado (por decirlo así), Jorge Guillén parece no ver las cosas —el mar, los atardeceres, las alboradas, la tierra— con los ojos. Parece ver, en cambio, con el espíritu. Todo en él es visión directa del alma, contacto directo de la sensibilidad, compenetración continua, directa también, con los elementos...

De aquí que sus versos aparezcan tan espirituales —como espiritados—, tan agudos y sin sensualidad. O con una sensualidad hecha quinta esencia de lo sexual. Para Jorge Guillén las cosas no tienen superficie, sino interior. El mundo no tiene festividad de colorar, sino resortes, esencias. La mujer no ofrece sino una íntima sonrisa del espíritu.

Quien pretenda leer el libro de Jorge Guillén buscando alusiones a las cosas sensibles encontrará un jeroglífico a cada paso. Lo sensible está en él para apoyar y obviar lo suprasensible. El mar no es el mar, sino una sensación de Jorge Guillén, el poeta, frente al mar. El río no es el río, sino un «estado poético» de Jorge Guillén, el poeta, ante el río. Aquí se han perdido por completo todas las exterioridades del mundo. El mundo naufraga a cada momento en estos versos, para alzarse al cabo de la estrofa por sobre la estrofa en representaciones, en figuras espirituales estilizadas, en arabescos sensuales de imágenes.

Por ello domina en el libro de Guillén un tono, un modo, una sola manera, un diapasón personal ininterrumpible, inevitable. La naturaleza homogénea del poeta se halla en todas partes, de un extremo a otro de la obra, dominando. El ánimo no se refresca por ello con los accidentes. Tiene que contemplar una y otra vez a lo largo del libro el cabrilleo continuo del espíritu poético, cuya fuerza se nos impone al momento, entre otras cosas, por su exactitud en la expresión.

Esta exactitud es en Guillén un producto de su técnica. *Cántico* es un libro trabajadísimo. Trabajo previo de cultura literaria —o poética. Trabajo inmediato de ajuste y composición. La palabra fue revisada detenidamente, mirada al microscopio (lírico), cotejada con sus sinónimas antes de obtener el honor de figurar en el verso.

Este es un libro escrito así, sintiendo la voluptuosidad del idioma, gustando el placer de dominarlo. Libro de gran sentido estético, perfectamente ajustado y estructurado —por dentro y por fuera. —Obra escrita, valga la ingenuidad, palabra por palabra.

[*El Sol,* 24 de febrero de 1929, pág. 2]

AMADO ALONSO

JORGE GUILLEN, POETA ESENCIAL

Gran placer —¡soldado de Maratón!— éste de preceder a la Fama. Jorge Guillén se llama el nuevo gran poeta. Lo entreveíamos en la lectura, a fechas espaciadas, de sus poemas aparecidos en *La Pluma,* en *Indice,* en *España,* en *Verso y Prosa,* en *Sí,* en *Litoral,* en *Carmen.* Lo comprobamos en esta su madura primicia: *Cántico.* Nuevo gran poeta, o mejor, poeta grande y nuevo, con una novedad que escapa a las interpretaciones de la poesía actual más divulgadas en nuestros medios. Poesía acendrada, sí, es la de Jorge Guillén. Pero no de duermevela, sino de extrema vigilia; no de inhibido espectador, sino de ansioso amante y, por tanto, sin descreída comicidad, y sin ocioso enojo para los estilos tradicionales. Metáforas, sí, pero no en tiranía, sino en ceñida servidumbre; no como blanco, sino como arco.

Si tuviéramos que formular la ecuación de lo que es la poesía de Jorge Guillén, no vacilaríamos en reducirla a estos tres sustanciales factores: 1.º Un dispararse apasionado hacia el enigma —misterio congruente— que las cosas le plantean. (Ninguna indiferencia para los extramuros del arte: las cosas le apasionan ya en la víspera del arte; en su mediodía le embelesarán); 2.º Un tesonero y concentrado mirar que va transiendo y esfumando la costra perecedera del objeto para llegar a la contemplación de su eterna esencia; 3.º La alegría del triunfo.

En última instancia, el segundo factor es el propiamente nuclear. Pero era preciso incluir el primero, porque nos descubre a la vez el contenido vital de esta poesía y dónde encuentra Jorge Guillén el punto normal de arranque de su tensión poética: en su apetito de interpretación esencial. La inspiración de Jorge Guillén es aspiración. A veces —no siempre— nos invita a presenciar ese punto de partida:

Esas nubes: el gris
Tan joven por su rumbo
Sin prisa de futuro...

O en otra ocasión:

Altitud veladora:
Descienden ya vigías
Por tanta luz de luna.

¡Astral candor del mar!
Los plumajes del frío
Tensamente se ciernen.

Y tenemos entonces la poetización de documentaciones o descripción artística, meta de tantos poetas excelentes. Pero esto sólo es en Jorge Guillén el trampolín para el gran salto de la creación. Su poesía aspira a algo más que a vestir con plumas de colibrí o de pavo real todos los pajarracos de la realidad. No quiere encubrir; descubrir, desvestir el objeto de sus propiedades transitorias —existenciales, diría un fenomenólogo— para sorprender su secreto sentido, su alma escondida: su estructura, su esencia. La belleza sorprendida por el poeta en esa escena de «Playa» en que unos niños buscan conchitas entre las arenas soleadas, va más allá del placer que a los ojos da el nácar tornasolado, más lejos que la voluntad de sentirse inundado por la mañana de sol y que la ternura derramada en nosotros por la contemplación de los movimientos —divinamente torpes— de los niños; está en la intuición de la estructura que preside a la trinidad sol, niños, conchas. « ¡Acorde, cierre, círculo! »

La estructura, como no está condicionada por su cumplimiento, es un modo de eternidad. «A la conquista de lo eterno en lo perecedero» se podría titular este libro:

La oscura eternidad ¡oh, no es un monstruo
Celeste! : nuestras almas invisibles
Conquistan su presencia entre las cosas.

¿No necesita nuestro pensamiento casi un rigor filosófico para seguir al poeta en estos giros?

Eres ya la fragancia de tu sino.
Tu vida no vivida, pura, late
Dentro de mí, tictac de ningún tiempo.

La estructura, las últimas relaciones, «la unidad invasora y absoluta» de cada objeto en sí y en el conjunto del mundo, por encima y por dentro de su «nulo perfil-croquis del azar», esa es el alma pura de las cosas evidenciada a los ojos del poeta en los momentos excepcionales de máxima tensión creadora:

Y se centra el vasto
Deseo en un punto
¡Oh, cenit: lo uno,
Lo claro, lo intacto!

Salvar lo perdurable y esencial del seguro naufragio que es el azaroso existir temporal ha sido una exigencia sentida con vario rigor y diferente claridad por otros poetas, desde Mallarmé, y prosistas, desde Proust, y por las artes plásticas; y definida e impuesta por la fenomenología a las disciplinas filosóficas, y a la historia, a la lingüística, a la sociología: a todo lo que sea ciencia del espíritu. El artista, el filósofo, el sociólogo se sentirán atraídos por distintos sectores y aspectos de lo real. Claro que la esencia y unidad intuídas por el artista serán de otra especie que las alcanzadas por la filosofía y por la ciencia; y claro también que el análisis filosófico podría aproximar esta perseguida estructura más bien a la «idea» platónica que a la «esencia» de la fenomenología. Pero siempre quedará en esa necesidad de diferenciar lo que «existe» de lo que «es» un trazo nuevo y común, un rasgo fisionómico que da cierto aire de familia a todas las manifestaciones de la más alta cultura actual y que las diferencia a la vez de las precedentes. Y lo más personal de la poesía de Jorge Guillén no es sólo la obligatoriedad con que ese blanco se impone, sino su instalación en otro mucho más amplio: su sed de descubrimientos sólo se ve saciada al quedar lograda la venturosa fusión de la unidad de lo particular en la unidad universal:

¡Oh concentración prodigiosa!
Todas las rosas son la rosa;
Plenaria esencia universal.

En el adorable volumen
Todos los deseos se sumen.
¡Ahinco del gozo total!

A este modo central de ser la poesía de Jorge Guillén se pliega la explicación de sus recursos estilísticos. Indiquemos tan sólo —no es ocasión de más— cómo se amoldan a él: la estructura de cada poema abarcable de una sola mirada; la perfección formal de sus estrofas; la sintaxis elemental y transparente («sintaxis» —trabazón— mínima y justa, construcción con bloques yuxtapuestos, sin argamasa, como la del dos veces milenario acueducto de Segovia); la convergencia de todos los sentidos en el de la vista: apenas el sonido o el silencio reclaman nuestra atención, apenas el tacto está presente en algunos de esos momentos descriptivos que hemos llamado de «punto de arranque»; el color mismo fundido en claridades (lo blanco, conjunción o presagio de todos los colores, como la rosa lo es de las flores, y el ruiseñor de los pájaros; pero cuando el color mismo sea tema directo del poema, entonces los más furtivos matices cromáticos se aquietarán, precisos, ante nuestros ojos). Léase «Tornasol». Otras veces, raras, un color puede atrapar huidizas unidades:

> ¡Poder tan ágil que a solas
> Con el color restituye
> La unidad del mar que huye
> Sin cesar bajo las olas!

Y ese mismo afán de perseguir en lo real efímero y azaroso su significación extratemporal y exacta, viene a saturar hasta las últimas células de este organismo poético: su vocabulario. Por lo que falta o escasea, por ejemplo, el verbo (*Zeitwort* en alemán), y por lo que hay; *colmo, cima, sima, extremo, plenitud, plenario, exactitud, intacto, rigor, preciso, sazón, perfecto, justo*...; *presencia, evidencia, unidad, claridad, desnudez*...; *círculo, cerco, sumandos, multiplica, volumen, centro, perfiles, relieves, rectilíneo, geometría, ángulos, curvas, rectas, vértice, aplomo, equilibrio, líneas, rayas, esfera*... (La geometría tenía que dar a este poeta sediento de exactitudes sus más seguras referencias, con lo cual Jorge Guillén cumple la aspiración, recientemente expresada, de otro poeta: Miguel de Unamuno). Pero todavía mejor que en la enumeración de los actores, podremos ver la misma sumisión del estilo al fin más alto de esta poesía en el papel desempeñado por cada actor en el breve drama que es la frase:

Se cierne lo inmediato
Resuelto en lejanía.
¡Hueste de esbeltas fuerzas!
¡Qué alacridad de mozo
En el espacio airoso!

Las más claras distancias
Sueñan lo verdadero.

No actúan los seres inmediatos, los seres fuertes, los seres alegres o distantes, sino la inmediatidad, las «fuerzas», la «alacridad», las «distancias». En una escena campestre, «Sazón», no serán las «ovejas» protagonistas del breve drama «las ovejas pacen tercamente la hierba», sino el

¡Ahinco cabizbajo
Emulo de la hazaña!

Como si se quisiera escamotear las efímeras existencias de los objetos, para que nos queden sus perdurables atributos; y precisamente aquellos atributos en donde reside la eficacia estética de cada cosa.

Un tercer factor de esta poesía, hemos dicho al comienzo, es la alegría del triunfo. Esa «cima de la delicia» y esos frecuentes «vivas» nada tienen de pegadizo. Esos gritos de triunfo nos dan los poemas, no como hechos enmarcados, acabados, cristalizados —nada de Parnaso—, sino como actos en dinamismo, en su fresco nacer.

Y por encima de todo, esa alegría triunfal da expresión a una poesía otra vez ritmada por el flujo de la vida. El alma misma del poeta ya no permanece arcana, sino que nos hace confidencias sobre *sus propias* experiencias, no meramente, como suelen los poetas, de las nuestras, de los conflictos que tenemos los que centramos nuestras vidas sobre otros ejes. Con sus exclamaciones victoriosas, esta poesía de Jorge Guillén nos descubre que la facultad poética no es un compartimiento estanco del alma, adjunto en algunos hombres a la común topografía espiritual —la poblada por los problemas «vitales» cuyas voces tumultuarias pueden llegar (poetas «humanos») o no llegar (*l'art pour l'art*) a él—, sino que es un singularísimo modo de ser el alma entera, toda ella pesante sobre el problema fundamental de la creación poética. El tercer factor, alegría del triunfo, viene a revelarnos, como el primero, una poesía estrictamente vital, con lo cual, digámoslo al modo de nuestro poeta, los tres factores de la ecuación propuesta se enlazan en círculo perfecto.

Poesía de interpretar y de conocer un mundo sólo visible desde las ventanas del poeta. Poesía inteligible, transparente, compartible por nosotros, también; pero, no hay remedio, con una atención de nuestra parte algo menos presurosa y algo más tensa que cuando se nos hablaba de nuestros propios problemas. No más que agua limpia es para este poeta el tupido caparazón de las cosas. Y nos presta sus ojos prismáticos para que alcancemos a nuestra vez sus visiones:

Mirad bien. ¡Ahora!

Mas para llegar a esa contemplación adentrada, desnudadora de lo perecedero de las cosas, no hay que mirar de prisa y como al volver la cabeza —porque nuestra vista se detendría complacida en las claroscuras escaramuzas del agua y el aire—, sino que nos son necesarios intencionales tanteos de acomodación visual. Sólo entonces podremos entrever, y luego ver y contemplar la visión deleitosa:

El agua, desnuda,
Se desnuda más.
¡Más, y más! carnal
se ahonda, se apura.

[*La Nación* (Buenos Aires), 21-IV-1929; reimpreso en *Insula,* núm. 45, octubre 1949; recogido en *Materia y forma en poesía,* Madrid, Gredos, 1955]

EDWARD MERYON WILSON

DOS POETAS ESPAÑOLES MODERNOS

Se ha escrito mucha poesía en España durante los últimos diez años. Algunos de los poemas son flojos, otros apenas sosos; pero hay mucha poesía que es interesante y divertida, y la hay verdaderamente excelente. Los más importantes poetas son tal vez Antonio Machado y Juan Ramón Jiménez; han ejercido una influencia de más alcance y probablemente han escrito más versos buenos que cualquier otro poeta hoy en España. Pero éstos son poetas de fama establecida ya, y se ha escrito acerca de ellos antes en Inglaterra. Yo quisiera hablar de dos poetas más jóvenes que sin duda alguna ostentan logros, pero que aún no son muy conocidos fuera de España: Federico García Lorca y Jorge Guillén.

Estos dos poetas pertenecen al mismo grupo literario, pero representan dos caras diferentes de éste. Los dos son poetas modernos —es difícil imaginar poemas como los suyos surgiendo antes de la guerra— y los dos son difíciles. Sus poemas se han de leer más de una vez antes de ser entendidos por un extranjero. Los de Guillén tienen un dejo europeo, casi clásico; el sabor de los de García Lorca es popular y español.

… … … … … … … … … … … … … … … … … … … …

Con Guillén nos encontramos en un mundo distinto. Aquí no hay bandoleros ni toreros; los versos son forjados con esmero y con mucha lima. Lo típicamente español está ausente. En su voz, hallamos en ellos una sensibilidad sumamente cultivada, considerablemente influida por el gran poeta francés Paul Valéry. En efecto, Guillén ha traducido al español con gran acierto una de las obras principales de éste, *Le Cimetière marin*. En sus poemas tropezamos constantemente con efectos que hacen pensar en versos de Valéry, como los siguientes:

Onde déserte, et digne
Sur son lustre, du lisse effacement d'un cygne.

Los dos poetas se emocionan frecuentemente frente a los mismos objetos, a menudo con una reacción semejante; hay semejanzas asimismo en su poética. Pero la de Valéry es una poesía más elaborada; él construye poemas más largos y complejos; a la vez, es menos personal y oscuro. Guillén no ha escrito ningún poema largo aún, y no ha dado pruebas de ser capaz de un esfuerzo sostenido.

No se debe suponer, sin embargo, que toda su inspiración viene de Francia. No podemos menos de reconocer en sus versos un trasfondo de los grandes poetas españoles de los siglos pasados. El tricentenario de Góngora, en 1927, ha motivado uno de los más bellos poemas de Guillén. Góngora le ha marcado, probablemente más en su sensibilidad que en su técnica. Creo, además, que algo habrá aprendido también del anacreóntico dieciochesco Meléndez Valdés, aunque hay más seriedad en el poeta moderno. No menos importantes en cuanto a la inspiración nacional habrán sido el austero paisaje de Castilla (Guillén nació en Valladolid) y el mar Mediterráneo.

Sus poemas son relaciones de una experiencia momentánea transmitida por una sensibilidad fina e inteligente. La emoción de alegría o de asombro que siente el autor se expresa junto con los fenómenos que va describiendo. Por consiguiente, nos enfrentamos a menudo en sus poemas con exclamaciones u oraciones casi telegráficas, sin verbo. Estos poemas son testimonio de lo extraordinario, sin relación directa con nuestras experiencias corrientes de todos los días; no pretenden ser parte de una imagen de la vida en su totalidad. En esto, nuestro poeta difiere de poetas de lengua inglesa como Ezra Pound o T. S. Eliot. En Guillén encontramos constantemente elogios del momento presente —el momento del poema— aislado. Uno de los poemas ofrece el verso siguiente, imposible de traducir:

¡No ser, estar; estar profundamente!

Es la experiencia en sí lo que importa, no su relación con otras experiencias.

Sus mejores poemas son probablemente aquellos que hablan de su contacto con la naturaleza: ríos, mar, paisaje. Hay algunos muy bellos sobre el horizonte, el anochecer, el caer de las hojas en el otoño, el efecto de luz sobre una loma, y sobre la rosa. Estos me parecen limitados, pero perfectos. Hasta ahora sólo ha publicado un libro, *Cántico,* en 1928, pero poemas escritos después de esta fecha, que ha sido mi privilegio ver en manuscrito, confirman que el poeta no ha renunciado al nivel muy alto establecido en este libro.

[*The Bookman* (London), vol. 80. September 1931, p. 288-289]

IV

EVOLUCION Y PERMANENCIA

RAMON XIRAU

LECTURA A *CANTICO*

A Jorge Guillén

Ninguna obra escrita por los poetas españoles de la generación de los veinte fue tan rápidamente clasificada y definida por los críticos como *Cántico,* de Jorge Guillén [1].

Algunos, negativamente, vieron a Guillén como poeta profesor, poeta frío, imitador de Valéry. Nadie acaso como Juan Ramón Jiménez resumió este punto de vista, a mi ver injusto, cuando afirmaba en *Españoles de tres mundos*: «A Jorge Guillén, como a su paralelo distinto, discípulo y maestro Pedro Salinas, yo no los llamaría hoy "poetas puros", que tampoco es mi mayor nombre sino literarios puristas, retóricos blancos, en diversos terrenos de la retórica.» Otros, entusiastas del nuevo poeta, trazaron la imagen de una poesía «intelectual», «esencial», «pura», términos no del todo inexactos pero excesivamente generales.

Una nueva lectura de *Cántico,* esta prolongada «fe de vida», muestra que si Guillén es un poeta muy preciso, laborioso buscador de aristas exactas, es también y fundamentalmente, un poeta para quien el mundo es relación y revelación. Toda su poesía surge de una vivencia creadora, de una certera capacidad de entusiasmo. Algunos críticos han visto en buena parte esta dimensión viva de Jorge Guillén. En las páginas que siguen quiero limitarme a ahondar en esta visión de Guillén poeta vivo.

---

[1] Me limitaré al Guillén que, entre 1919 y 1950, se dedicó a perfeccionar y ampliar un solo libro, una sola «fe de vida».

I

Jorge Guillén y Valéry

El abate Brémond hizo célebre una nueva conjunción de palabras: poesía pura. Por superficiales que parezcan a veces las ideas del abate Brémond, la verdad es que sus conceptos definen la tendencia de una época. Mallarmé, el primer Rilke, Valéry, son poetas puros, así como críticos puros son Walter Pater o el mismo Valéry. Lo cual no quiere decir que todos ellos respondan al hecho poético de la misma manera, sino, más simplemente, que para todos ellos el papel del poeta y de la poesía parten de una serie de situaciones tanto sociales como espirituales que, transformadas en ideas, pronto se convierten en axiomas. Por lo menos dos de estos axiomas parecen ser comunes a todos los «puristas». Por una parte, la poesía es el resultado de una protesta a veces tácita contra la sociedad burguesa y contra las formas religiosas que esta sociedad había adoptado. Por otra parte es la afirmación de que el hecho poético debe discernirse y separarse completamente de todos los demás hechos. Los dos axiomas podrían enunciarse en dos fórmulas bastante sencillas: 1.—La poesía es un acto de creación pura, resultado de la soledad del poeta. 2.—La poesía es la afirmación de aquello que es solamente poético. No es difícil ver que el segundo axioma es un resultado del primero. El poeta aislado solamente puede hacer poesía aislada y solitaria. Tampoco es difícil ver que estos dos axiomas dejan una huella en la mayoría de los escritores y filósofos del siglo pasado. Tanto Nietzsche como Mallarmé, Flaubert como Max Stirner, son escritores y pensadores en busca de una nueva pureza, necesariamente utópica. Nietzsche canta la muerte de los dioses y de la sociedad en que vive; Mallarmé quiere «abolir» la realidad para recrearla una vez que, poeta-dios, se encuentra ante la nada de una página «virgen». Su poética no difiere esencialmente de la «praxis» de Max Stirner y tan sólo una leve transformación de las palabras permitiría aplicar a Mallarmé la frase del filósofo alemán: «Tengo el derecho de hacer todo aquello que tenga la fuerza de hacer.» Renunciando a los hechos, el poema se mantiene estrictamente a base de los derechos estéticos que erige en reglas de su condición de único y solitario.

Esta actitud purista lleva en su centro una básica ambigüedad. Renunciar al mundo, al modo de Mallarmé o Stirner, es ya aceptar su presencia; querer ser dios es también saber que el hombre no puede llegar a ser su propio dios. Si, por otra parte, siguiendo el segundo axioma los poetas y los filósofos asientan que lo «otro» no existe, afirman al negarla la presencia de la «otredad». Lo «impuro», todo aquello que no es poesía, se filtra en el poema que quiere negar toda impureza. La literatura absolutista, donde reina el poeta en su nuevo paraíso, conduce a una antiliteratura, de la cual el dadaísmo, por ejemplo, es la clara y radical consecuencia histórica. No es sorprendente que el poeta puro se sienta, al mismo tiempo, poeta maldito. Sus renuncias —explicables— y su nuevo modo de querer ser absoluto le conducen a una actitud de soberbia. El ideal de una belleza que subsiste por sí misma queda anegado en el jardín mitológico —y, por cierto, hermoso— de las flores del mal. Tal parece ser, a grandes rasgos, la actitud del poeta a fines del siglo pasado. De esta actitud participa, intelectual, escéptico, a veces sonriente el antinovelista autor de *Monsieur Teste*: Paul Valéry.

No es éste el lugar para analizar a fondo la obra de Valéry. La tarea ha sido emprendida con éxito y acaso el mejor resumen de su condición y de su vocación puedan encontrarse en estas líneas de Emilie Noulet: «Su único tema, el tema de todas sus obras bajo la forma del poema, el diálogo, el ensayo o las notas, no es el de las cosas de la inteligencia, no es el de las ideas, sino la idea del drama de la inteligencia» (*Paul Valéry,* L'Oiseau Bleu, Bruselas, 1927).

Efectivamente, para Valéry ya no cuenta principalmente el poeta. Lo que cuenta de veras es el lenguaje de la poesía y la inteligencia que este lenguaje expresa. El lenguaje poético que debe «conservarse a sí mismo, por sí mismo y permanecer idéntico» es una entidad invariable que vienen a iluminar, gota a gota, los brillos de la inteligencia. Pero esta inteligencia, semejante al Dios de Aristóteles, acaba por reducirse a una suerte de motor inmóvil, un pensamiento que se piensa a sí mismo sin objeto pensable, una función que funciona en sí misma sin que nada funcione. Valéry afirmó alguna vez que el escritor es al lingüista lo que el ingeniero es al físico. Valga la comparación si añadimos que este escritor-ingeniero es un constructor de poemas-puente que se saben inexistentes: hermosos poemas sobre la imposibilidad radical de toda poesía. Pero a pesar de su renuncia a un mundo, a pesar de su aparente ensimismamiento matemático-lingüístico, Valéry tiene una concepción del mundo en que vive. En él, como en sus antecesores, lo «otro», lo «impuro» viene a mellar la conciencia de pureza. El mito de Narciso es aplicable a Valéry pero sólo lo es en parte. Más allá de las aguas que lo reflejan, el poeta ve la vida, y su sentimiento de ella es mucho más trágico que el de Unamuno: «Se trata de pasar de cero a cero. —Tal es la vida. Del inconsciente insensible al inconsciente insensible.» Contagiado por lo «otro» —vida y muerte— el poeta presencia «el desfile fúnebre del pensamiento».

Jorge Guillén tradujo a Valéry y es indudable que admiró su poesía. De ahí a ver en Guillén a un discípulo de Valéry hay un paso insalvable, a pesar de lo que hayan podido decir los detractores de Jorge Guillén. Si Valéry es un poeta del lenguaje, Guillén es un poeta que, desde un principio, utiliza el lenguaje para expresar, conscientemente, un mundo propio; si el mundo que contempla Valéry es un mundo que el poeta quisiera inexistente, la poesía de Guillén es, toda ella, un grito de alegría ante la existencia, desde dentro de la existencia; si Valéry es un poeta nihilista, Guillén es un poeta optimista, gozoso y afirmativo. Deseoso de soledad, Valéry no quiere sino contemplarse a sí mismo, y aún más, contemplar la contemplación de sí mismo. Sin serlo del todo, Valéry quiere afirmarse Narciso. Entusiasmado, ligado a un mundo, arraigado a su tierra —Castilla presente y ausente ya en exilio— Guillén reniega de la imagen de Narciso y ante las aguas dice:

No me retengas, reflejo tan frío.
No soy Narciso.

II

«Dádiva de un mundo irremplazable»

Jorge Guillén es un poeta visual. De ahí su manera propia, exacta y precisa, de revelar el mundo. La imagen más frecuente de esta revelación es la del despertar ante una realidad de relumbrante presencia. *Al aire de tu vuelo* empieza con estos versos:

> (El alma vuelve al cuerpo,
> Se dirige a los ojos
> Y choca.) ¡Luz! Me invade
> Todo mi ser. ¡Asombro!

Son pocas las estrofas de Guillén que condensen, con tanta claridad, su modo de revelación. En su imagen del despertar pueden deslindarse dos momentos: el del paréntesis inicial y las dos exclamaciones tan sólo separadas por un breve comentario. En los versos escritos entre paréntesis Guillén describe el proceso interior del despertar. En ellos Guillén nos dice que el alma regresa a la vida corporal y se hace manifiesta («evidente», repetirá muchas veces Guillén), en el mirar de los ojos. De la noche al día, el alma se dirige al mundo. De pronto, el «choque» iniciado mediante una exclamación descriptiva —la «luz»— y terminado mediante una exclamación explicativa: «asombro». Entre las dos exclamaciones un comentario muy significativo: «Me invade todo mi ser.» El poeta ciertamente, descubre el mundo y se asombra y goza en el instante primero de la contemplación, pero a su vez el mundo descubierto sitúa al poeta, le «invade» y le otorga presencia y vida. Dos polos —dos «epifanías»— necesarios y complementarios: el «ojo» y la «luz», el sujeto y el objeto, el yo y el no yo. Y si el yo revela el mundo, el mundo fija al yo que lo contempla. Por un acto de gracia verdadera, en el doble sentido de hermosura entregada y de gratitud generosa, el mundo penetra al poeta y le permite regresar a sí mismo:

> ¡Dádiva
> De un mundo irremplazable:
> Voy por él a mi alma!

No quiero pecar de insistente pero en esta exclamación existen, nuevamente, varios elementos esenciales que merecen un breve comentario. «Dádiva», y en efecto, el mundo se «da», se «otorga», se entrega a quien lo mire con alegría y con amor, como por acto de gracia. «Mundo irremplazable», y, en efecto, el mundo es, para Guillén, irremplazable en dos sentidos: lo es, por una parte, en cuanto da su sentido al yo; lo es también en el sentido de que el mundo aquí real, a diferencia del mundo de los puristas, es irremplazable en su realidad. «Voy por él a mi alma»: el círculo se cierra y si el poeta concibe los ojos como el camino del yo hacia el mundo, concibe igualmente al mundo como la epifanía del yo.

Claramente delineados los límites —sujeto y objeto— que constituyen la realidad, claramente precisado el movimiento del alma que descubre el mundo para volver del mundo al alma, podemos decir con el poeta que «todo es justo».

Pero hasta este punto solamente estamos en presencia de las condiciones necesarias del ser en el mundo. Tratemos de ver más estrictamente el sentido de este ser.

III

«No hay ventura mayor que esta concordancia del ser con el ser»

El poeta queda ya «situado». No quiero que se piense que la palabra «situación» es puramente azarosa. No olvidemos que una de las partes del *Cántico* se titula «Las horas situadas». Y la relación entre el poeta y el mundo es precisamente una relación de «situación». La imagen más característica de esta condición de ser en el mundo suele ser la del «centro». En algunas ocasiones, Guillén procura sugerir metafóricamente la idea y la imagen de un centro ideal. Son, por ejemplo, «las doce en el reloj», claro símbolo del mediodía. La realidad se ofrece como «fatalidad de armonía», justeza de todas las cosas bajo «el sacro azul irresistible». Pero si bien Guillén emplea la imagen en forma metafórica es, muchas veces —las más de las veces— bien explícito. El centro, en efecto, es más terrestre que celeste, centro de una tierra iluminada. Poeta de los horizontes circulares de una meseta plana —Castilla—, su situación es geométrica, la del centro de un círculo:

> Me ciñe siempre el círculo de un mundo siempre enorme.

Pero este círculo es, a pesar de la imagen geométrica, un círculo tangible, real, concreto, hecho de «todas las consistencias / Que al disponerse en cosas / Me limitan, me centran». El aire mismo, «transparencia en bloque», «ciñe» al hombre con su «Divino cerco». Tal es la situación del poeta. Y sin embargo esta situación no es puramente estática ni es puramente objetiva. Es, en realidad, una relación de «creación continua». Intimamente ligados lo interior y lo exterior, vivido el mundo por el yo, situado el yo por el mundo, círculo y centro se unen en aquel para quien el mundo es una doble revelación. El espacio físico de Castilla pudo empezar por colocar al poeta en su mundo, pero esta tierra, que Guillén recordará repetidamente en el exilio, tiene su centro en la interioridad de la persona, de tal manera que, a lo largo de *Cántico* es ya imposible perderse, sea cual sea el tiempo en que se viva, sea cual sea el espacio que sitúa:

> ¿Dónde extraviarse, dónde?
> Mi centro es este punto:
> Cualquiera.

Hasta este punto me he limitado a considerar lo que llamaría situación de centración bajo su aspecto más obvio: el del espacio. Pero si la relación es, como afirmé más arriba, siempre de tipo dinámico, la situación del poeta ante la realidad y de ésta ante el poeta es más de orden temporal que espacial. ¿Cuál es el tiempo de Jorge Guillén?

El tiempo que predomina a lo largo de *Cántico* es sin duda un tiempo meridiano, estas doce en punto equilibradoras del mundo. Pero esta situación temporal indicada por una imagen espacial —el sol, en su centro— no es aún el verdadero tiempo de *Cántico*. Poetas hay en que predomina el pasado y la nostalgia, poetas hay inclinados siempre hacia el futuro. Jorge Guillén no deja de ser un poeta de los tres «tiempos» del tiempo. Pero es, principalmente, un poeta del presente o, tal vez más precisamente, de la presencia. En efecto, el presente de que habla Guillén es un presente continuo, el presente que vamos siendo, constantemente, en cada momento de la vida, un presente hecho de presencia:

> Y sobre los instantes
> Que pasan de continuo
> Voy salvando el presente,
> Eternidad en vilo.

Vale la pena detenerse en esta estrofa. El presente puede pasar de la misma manera que pasan los instantes («los instantes que pasan de continuo»). Lo que permanece, en el alma del poeta es una forma del permanecer dentro del mismo hecho del pasar: el «Voy salvando presentes». «Presentes», es decir, instantes momentáneos que suceden y que, considerados en sí mismos, transcurren y desaparecen. Pero en la misma frase el poeta afirma «Voy salvando». Y es que la conciencia permanece a pesar del desfile de los instantes. Las sensaciones de «un minuto eterno», de una «eternidad en vilo» corresponden muy exactamente a esta intuición fundamental que de no muy lejos recuerda a Bergson: el tiempo puede pasar pero, pasa el yo que vive, lo que no pasa es la presencia constante de un yo que es siempre ahora.

Claramente ve Guillén que su presente —lo que es llamado presencia— está constantemente amenazado. La amenaza puede tomar la forma de la nada («¿Siempre la vida en un tris? / Lucha el ser contra la nada»), la forma del mal («El agresor general / Va rodeándolo todo»), la forma del futuro que promete muerte («Alguna vez me angustia una certeza; / Y ante mí se estremece mi futuro»). Pero cuando se presenta la nada, el Guillén de *Cántico* la rechaza y la aleja de su vida («¿Nunca ha sido la nada? Hoy no es») y si el mal es el que amenaza responde Guillén: «Yo no cedo. / Nada cederé al demonio», y si es la muerte la que hace signos desde el «arrabal final», puede decir el poeta, estoicamente: «... embiste, / Justa fatalidad. / El muro cano / Va a imponerme su ley, no su accidente».

Y así la situación permanente del poeta en la presencia le conduce a afirmar el gozo de existir. En varias ocasiones, Guillén resume su vivencia de lo presente en una sola palabra, ser:

> Ser, nada más. Y basta.
> Es la absoluta dicha.
> ¡Con la esencia en silencio
> Tanto se identifica!

No comento, por ahora, la intromisión de la palabra «esencia». Importa señalar que cuando Guillén quiere precisar su situación en espacio y tiempo prefiere el «estar» al «ser».

En este mundo, hecho de «luz», «pájaros», «verde», «álamos», «evidencias», «libélulas», «blancos», «grises», «amarillos», la forma humana del ser es el *estar*. Y es que, en rigor, la palabra «ser» no corresponde a nuestra condición limitada de hombres. ¿No fue en su «querer ser» que Mallarmé o Nietzsche, Valéry o el mismo Rimbaud encontraron la radical ambigüedad de su intento? En cambio, más modesta, más arraigadamente, el hombre *está*, situado en la vida, centro de su círculo vital, presencia de su tiempo sostenido en vilo por encima de los instantes que pasan. Así lo expresa Guillén, muy brevemente, en uno de sus versos más importantes:

Soy, más, estoy. Respiro.

IV

Las esencias: «contemplación concreta»

Ya indiqué que una de las principales confusiones, cuando se trata de la poesía de Jorge Guillén, proviene de una interpretación superficial de la palabra esencia. Me parece útil precisar el sentido en que Guillén emplea la palabra, especialmente ahora que lo vemos como poeta situado en un mundo.

De emplearse en su estricto sentido filosófico, la esencia designaría la diferencia específica, la definición de una especie. No creo que nadie haya pensado que Guillén es un poeta esencial en este preciso sentido lógico de la palabra. Al hablar de Guillén como poeta esencial se ha querido indicar o bien que es un poeta intelectual que, por el intelecto, llega al corazón de la realidad, o bien, peyorativamente, que es un poeta frío y académico. Aunque ambos puntos de vista me parecen erróneos creo que el primero es, sin duda, más justo que el segundo. Merece, sin embargo, aclararse.

Es verdad que Guillén puede parecer a veces el poeta frío de las identidades, de las ecuaciones lógicas. Pero ¿no vendrá esta impresión de frialdad más de las imágenes que el poeta inventa que del sentido real de estas mismas imágenes? Referirse al frío no es ser poeta frío, hablar de la verdad no es referirse a una verdad idéntica, siempre igual a sí misma como la que definen los lógicos. Consideremos una estrofa típica:

> ¡Diáfana alianza!
> Frío con cristal.
> Los dos, trasparentes,
> Hacia la verdad.

Tomada por sí misma, esta estrofa parece sugerir que el poeta quiere identificar dos objetos distintos («frío», «cristal»), en una verdad única cuya unicidad podría aparecer en el artículo determinado femenino que la define. Pero esta identidad, evidentemente metafórica, es, tanto por la presencia de la metáfora « ¡Diáfana alianza! », como por el contexto estrófico, una identificación de orden vital. Se trata nada menos de un poema («Con nieve o sin nieve»), en que el poeta canta al amor. Esta nieve, aliada al frío del cristal, aísla, allí, dentro del cuarto, al amante y a la amada. Así, la nieve, pegada a los cristales, es «adorable», porque permite, precisamente, un acto de vida: «nos junta a los dos» («Tu amor en el centro / Y el mundo nevado»). Podemos decir con Guillén: «Con la esencia en silencio / Tanto se identifica». Pero esta identificación ni es fría ni es lógica. Es una nueva epifanía, una nueva revelación creadora.

En algunas ocasiones Guillén parece referirse, indirectamente, a un mundo muy similar al de las Ideas Platónicas. En «La Florida», semeja reducir lo particular a lo universal, lo vivo al concepto, lo cambiable y mudable al ser que no cambia ni muda:

> Una ola fue todo el mar.
> El mar es un solo oleaje.
> ... ...
> ¡Oh concentración prodigiosa!
> Todas las rosas son la rosa,
> Plenaria esencia universal.

Llegamos a lo más «filosófico» de Guillén, a lo que me gustaría llamar su platonismo esencial. Es muy probable que, más allá de nuestro mundo, Guillén imagine o piense la presencia de otra realidad incambiable donde las «rosas son la rosa». Pero este mundo —modelo y perfección del nuestro— no es el que ocupa más generalmente a Jorge Guillén. Cuando de nuestro mundo se trata, Guillén puede preguntarse: «¿Llego a un absoluto?» Lo que interesa en esta frase es la individualización del absoluto en el artículo indeterminado que le precede y lo define. Lo absoluto en sí no existe en esta tierra «cotidiana», la de la presencia de nuestro estar. En ella hay momentos excepcionales de «asombro», de «gozo», de «felicidad» (¿imágenes de otros mundos, más allá, más felices?), en que nos hacemos presentes a nosotros mismos. Sabemos, entonces, que todo es «justo». Pero este saber se presenta en un mundo dinámico, un mundo de esencias en movimiento, de esencias activas. Si el poeta se dirige a la mujer, le dice: «Te busco, te imploro toda: / Esencial, feliz, desnuda». Pero aquí, esencia no significa estaticidad o precisión lógica. Modificada por las palabras «feliz», «desnuda», la palabra esencia indica más bien una de estas perfecciones asequibles en la tierra, la perfección de un amor buscado e implorado. Si el poeta habla de la «tan absoluta... / Tierra bien sumida en universo», no es que busque, a nivel de esta tierra, una forma de la perfección estática e invariable, sino a la «fruta de una sazón», «la luz nada más», el amor que «está ahí».

Guillén nos entrega rasgos vivos, trazos henchidos de luz, y su imagen del mundo es siempre, aun cuando parezcan más abstractos sus términos, la imagen de un mundo vivo. En este sentido uno de los poemas más característicos de Guillén es «Naturaleza viva». En él vemos cómo la madera acaba por convertirse, ante los ojos azorados del poeta, en «leña, tronco, bosque», recreando así sus propios orígenes, «siempre, silvestre». Por un lado, el mundo material es «Gozosa materia en relación». Por otro, el mundo espiritual es un mundo amoroso, hecho de relaciones creadoras: «Tú nos creas, Amor, / tú, tú, nos quieres». La palabra esencia tiene un sinónimo único en este mundo inventado e inventor del poeta: vida, la vida de un «vivir que sólo en más vivir se sacia».

Dos niveles en la poesía de Guillén. El del estar en la «perfección» de la vida cotidiana; el del ser en un mundo perfecto (¿platónico?), eterno. Y entre dos niveles de la realidad un contagio constante:

> Es la luz del primer
> Jardín, y aún fulge aquí,
> Ante mi faz, sobre su
> Flor, en ese jardín.

Para el Guillén de *Cántico,* lo general es particular y lo particular es general. El Paraíso perdido vuelve a recobrarse, paso a paso, en *uno* de estos absolutos plurales que nos ofrece el mundo y —ascenso a los orígenes— cada uno de estos absolutos puede regresarnos a la luz del «Primer Jardín».

Poeta del estar, Guillén es solamente poeta del ser en cuanto este ser se revela, multiplicado en cada árbol, cada río, cada pájaro, en las estancias vitales que van, no del cero al cero, como en Valéry, sino del Jardín al Jardín por la presencia constante del jardín del mundo.

[*Cuadernos Americanos,* año XXI, vol. CXXI, marzo-abril 1962; recogido en *Poetas de México y España.* Madrid, Ediciones José Porrúa Turanzas, 1962. También incluido en *Mito y poesía. Ensayos sobre literatura hispanoamericana.* México, UNAM, 1973]

JULIAN PALLEY

JORGE GUILLEN Y LA POESIA DE COMPROMISO SOCIAL

«La posteridad», en las palabras de Archibald MacLeish, «si da con el gran *Sí* resonante de *Cántico* entre los fragmentos esparcidos de nuestro tiempo, no podrá creer que a todo respondimos con el *No*» [1]. El espléndido tributo a Guillén del poeta norteamericano refuerza el significado de *Cántico,* un himno al Ser, un cántico al gozo de estar vivos:

> ... quiero ser.
> Ser, nada más. Y basta.
> Es la absoluta dicha.

Son pocos los poetas contemporáneos que comparten con Guillén la celebración de la vida incondicionalmente. Si MacLeish menciona a St. John Perse y a Kazantzakis, nosotros podríamos nombrar a William Carlos William, con el canto a la carretilla roja y a la chimenea amarilla, sin olvidarnos de las odas al apio y a la patata de Pablo Neruda. Sin embargo, la mayoría de los poetas —sobre todo los que escriben en inglés— lamentan la época en que les ha tocado vivir y su situación existencial. La lírica de *Cántico* es positiva, optimista, afirmativa, es una poesía que canta a la vida y se regocija en ella. No debemos olvidar que ya hay asomos de angustia y de *poésie engagée.* La edición de 1950 fue la definitiva; después, Guillén reunió tres libros bajo el nombre de *Clamor*: *Maremágnum* (1957), *...Que van a dar en la mar* (1960), y *A la altura de las circunstancias* (1963). La nota predomi-

---

[1] *The Atlantic Monthly,* enero, 1961, p. 128.

nante de la trilogía es la crítica social. *Maremágnum* es el libro que mejor ejemplifica esta tendencia. Examinaremos ahora algunos poemas de la primera parte de la trilogía.

Teniendo en cuenta que un poeta no es una idea platónica sino un hombre de carne y hueso que se desarrolla y cambia, el poeta de *Clamor* no es el mismo que escribió *Cántico* si bien están presentes su espíritu humanitario y su optimismo vital. *Cántico* encarna la búsqueda de la belleza, del momento eterno, del orden y de la simetría en el universo. Guillén no ha abandonado el propósito de *Cántico* cuando escribió *Maremágnum,* pero el lector siente la inquietud del poeta por sus semejantes, por el mundo desgarrado por conflictos y guerras. Se trata de una poesía comprometida a favor de la lucha por la dignidad del hombre, por su sobrevivencia y sus valores esenciales. En el poema final de *Cántico* ya se anuncia la poesía de crítica social:

> ¡Oh doliente muchedumbre
> De errores con sus agobios
> Innúmeros! Ved. Se asoman
> Míos también, a mi rostro.
> ... ...
> No cedo, no me abandono.
> ... ...
> Desde el centro del escándalo
> Yo sufriré con los rotos.
> ... ...
> Héme ante la realidad
> Cara a cara... [2]

Jorge Guillén aparecía como el mejor artífice español de aquella especie de lírica conocida como poesía pura que según el poeta era *poesia pura, ma non troppo.* La poesía no es tan pura que deje de ser humana y por lo tanto poesía. La consideración de Guillén como exponente de la poesía pura tiene un valor relativo.

Ortega y Gasset se equivocó al insistir en la deshumanización del arte (aunque su libro encierra grandes aciertos). Para que el arte sea digno de ese nombre, por más abstracto que sea, tiene que expresar la emoción, la visión o el pensamiento del hombre. Los platos de Braque, las figuras flotantes de Miró no tendrían mayor significado si no fueran expresiones de sentimientos huma-

[2] *Cántico* (México, 1945), pp. 386-389.

nos. ¿Cómo definir la poesía pura? Guillén, inspirado por Valéry, nos dio su conocida definición: poesía pura es «...todo lo que permanece en el poema después de haber eliminado todo lo que no es poesía» [3]. Hay que eliminar la historia, la política, las ideas, las leyendas, la anécdota, la filosofía, etc., en el proceso de purificación. Desde este punto de vista, la poesía de *Cántico* tiene un grado alto de pureza: allí están el momento apresado en su fugacidad, un día de primavera con álamos, el recuerdo de la belleza de una rosa, la celebración del Ser. En cambio, en *Maremágnum,* encontramos la política, la historia, la leyenda, las ideas. Las exigencias de la sobrevivencia de la humanidad exigían el sacrificio de la pureza, y el poeta se ríe de ella cuando nos dice:

¡Si yo no soy puro en nada,
Y menos en poesía,
Si ser hombre es todavía
La flor de nuestra jornada!

(*A la altura de las circunstancias,* p. 88)

Medio siglo de asesinatos, de maldad, de estupidez; medio siglo de destrucción de los valores que eran el orgullo del hombre occidental: el respeto por la vida, los derechos del individuo, y mientras tanto en el silencio de los laboratorios se creaban los medios que invitaban a la aniquilación total. Estos sucesos tuvieron que penetrar, forzosamente, en toda torre de marfil por hermética que fuera.

El poeta se ve obligado a tomar una decisión frente a las realidades de nuestro tiempo. La decisión no es fácil. La creación de la belleza es un fin en sí valioso y necesario; sin embargo, la conservación de nuestra cordura y equilibrio mental requiere que se mantenga un cierto balance entre lo racional y lo intuitivo, entre la razón y el arte. Quizá la psicosis de Alemania y del resto de Europa pueda atribuirse al excesivo énfasis sobre lo puramente racional, sobre los elementos discursivos de la vida. El artista, el poeta «puro», hablando con la voz de la intuición y del inconsciente, nos ayuda a mantener ese difícil equilibrio. Surge entonces la poesía de compromi-

---

[3] *Revista de Occidente,* noviembre, 1926, p. 234.

so social que tiene que ser poesía para ser útil. El poema tiene que brotar de las fuentes más profundas del poeta y hablar con voz auténtica. Si, por otra parte, el poeta se dijera a sí mismo: «ahora voy a escribir un poema de crítica social» sería mejor que se callara y que escribiera cartas de protesta al *Times* de Londres o de Nueva York.

Los poetas contemporáneos no han podido evitar este dilema. Pedro Salinas evolucionó de la poesía amorosa «pura» de *La voz a ti debida* a las inquietudes y compromiso social de *Todo más claro*. Cernuda y Aleixandre siguieron rutas parecidas. En los Estados Unidos la poesía social floreció sobre todo en los años treinta —Carl Sandburg, los hermanos Benét, Malcolm Cowley, Sarah Cleghorn, MacLeish— y los poetas jóvenes de hoy están dedicados a la lucha por los valores del hombre, una lucha que cada día es más hermética y difícil. En la España de posguerra, después de los movimientos del «garcilasismo» y de la poesía religiosa, han surgido —como bien sabemos— las voces poderosas de protesta social, poetas como Blas de Otero, Gabriel Celaya, José Agustín Goytisolo, José Hierro, Victoriano Crémer, entre otros, que prestaron su arte al clamor por la justicia. José María Castellet, en la introducción a su antología de la poesía contemporánea española [4] nos quiere hacer creer que la evolución poética en España ha sido relativamente sencilla. Castellet clasifica a los poetas de la Generación del 27 bajo la rúbrica del «simbolismo» y a los que pertenecen a los años cuarenta y cincuenta bajo el rótulo del «realismo»; sugiere además que estos últimos son un mejoramiento sobre aquéllos. Aunque la introducción es excelente no nos convence su clasificación. Sin duda, todos los poetas de la Generación del 27 sintieron la influencia del simbolismo francés y de otros movimientos como el surrealismo, pero cada poeta produjo una poesía única y reacia a las etiquetas fáciles y a los «ismos» de la época. El término «simbolismo» no puede abarcar a poetas tan distintos como Jorge Guillén, Alberti, Salinas, Aleixandre y Lorca. Los poetas españoles de la Generación del 27 representan un florecimiento lírico de dimensiones sólo comparables al renacimiento español o inglés y no es

---

[4] José María Castellet, *Veinte años de poesía española, 1939-1959*, Barcelona, 1960.

probable que pronto veamos un grupo de poetas «tan ricos de aventura». Seamos justos con los poetas españoles de hoy, pero no perdamos nuestro sentido de proporción.

Maremágnum, título de la obra que examinaremos, significa una masa confusa de personas o cosas, precisamente lo opuesto a la armonía buscada en *Cántico.* La palabra maremágnum aparece en un poema donde el poeta amontona las impresiones de un viaje en tren por los Estados Unidos:

> Se embrollan los conflictos bajo la paz más fría:
> Maremágnum veloz como un estruendo
> De tren [5].

En *Maremágnum* la forma de los poemas tiende a ser mucho más libre que las décimas y sonetos de *Cántico.* Aunque las formas clásicas no han desaparecido por completo, predomina el verso libre en poemas como «Tren con sol naciente» y poemas en prosa como «La hermosa y los excéntricos» y «Pared».

El suicidio atómico obsesiona al poeta. En el largo poema «Guerra en la paz» Guillén contempla el hecho extraordinario de la sumisión de una gran masa de humanidad frente al exterminio dirigido por una anónima minoría. Si no hay rebelión hay por lo menos un clamor —título general de la trilogía— entre las masas inarticuladas, un clamor contra la falta de responsabilidad demostrada por expertos y políticos:

> Un clamor se articula
> Dentro de los silencios reunidos.
> Cambiante, la Amenaza se oscurece
> Bajo el sol: suplemento
> De nube dirigida.
> ¿Impersonal, anónima?
> ¿O desde una ventana se la impulsa
> Contra el coro viviente,
> Contra ti, contra mí, contra los muchos
> Clamantes
> En clamor silencioso?
>
> (pág. 165)

[5] JORGE GUILLÉN, *Maremágnum* (Buenos Aires, 1957), p. 30. Las citas subsiguientes de *Maremágnum* remiten a esta edición. Los tres libros que forman *Clamor* aparecen en la *obra completa* de GUILLÉN, *Aire Nuestro,* Milán, 1968.

«...Que no» (pág. 33) habla de una gran ciudad donde todo y todos están asegurados, protegidos contra toda posible contingencia, pero queda una amenaza contra la cual los seguros son impotentes:

> ...Atómicos suicidas,
> Más aseguradores, quisieran arrojarse
> Desde el último piso de la Mansión al suelo.

«La "U" maléfica» (pág. 36) repite la letra «u» (¿uranio, la bomba, el mal en general?) en otra protesta contra el invento más reciente del fabricante de armas:

> Esa «u» de Belcebú
> Con el ceño más sañudo
> Se lanza contra Jesús...

El final del poema es afirmativo:

> Pero esa «u» no, no puede,
> No podrá llegar al blanco.
> Tanta Creación proclama
> Divino el eje de luz.

La décima «Nada importaría nada» ofrece una respuesta irónica a la pregunta fundamental de nuestro tiempo:

> —¡Grande el saber! Nuestro exceso
> Va alzando tal espesura
> Que inmensamente insegura
> Gira la Tierra. —¡Confieso
> Que no nací para eso!
> Tan docta es ya la jugada
> Que al indocto no le agrada.
> —Total si en un cataclismo
> Pereciese el astro mismo,
> ¿Importaría? —No, nada.
>
> (pág. 105)

El largo poema «Luzbel desconcertado» trata el problema del mal. Lucifer observa las miserias, los fracasos, la última amenaza de la nada en un mundo que creó el mismo Dios que lo arrojó del cielo. La debilidad del hombre frente al mal poderoso y ubicuo podría clasificar al poema como maniqueo si el diablo no fuera tan impotente. Lucifer no puede hacer nada:

Tan sometido a mi categoría,
Tan incomunicado por el Otro
Que nada puedo hacer entre los hombres.

(pág. 76)

El mal que el hombre lleva dentro proviene de su ser y no del mundo externo. La batalla entre el bien y el mal se entabla desde su nacimiento hasta su muerte. Sólo el hombre puede forjar su propia salvación o destrucción:

Es vuestro el infierno,
Hombres admirables.
Entre vuestros sables
Sois el mal eterno.

(pág. 74)

El hombre tiene que escoger; es responsable por el futuro de la humanidad. El hombre es libre y está solo, la terrible libertad de elección lo oprime. Lucifer simplemente observa:

No soy ni el tentador. Se me calumnia.
Libre el hombre. Que escoja,
Que decida, que arriesgue.
Don tan divino excluye mis celadas.

(pág. 92)

«Aire con época» es un poema de duda y perplejidad, de esperanza y angustia. El aire, tan importante en *Cántico,* simbolizaba una realidad compartida por todos los hombres y necesaria para su existencia:

Soy, más, estoy. Respiro.
Lo profundo es el aire [6].
... ...
¡Qué alacridad de mozo
En el espacio airoso,
Henchido de presencia! [7]

El aire del poema más reciente es el de una gran metrópoli; el poeta ya no se identifica con el aire sino que lo observa perplejo. Es un aire impregnado de las maravi-

---

[6] *Cántico,* p. 18.
[7] *Cántico,* p. 75.

llas de la ciencia y del progreso comercial que conlleva un peligro:

> El aire en la avenida
> Se ensancha hacia un espacio
> Donde se nos inscriben —fugazmente—
> Humos, y serpeando forman letras
> Que a todos nos anuncian
> Algo con ambición de maravilla.
>
> Comercio, magia, fábula:
> En los escaparates nos seducen
> Nobles metamorfosis.
>
> (pág. 175)

Todo es posible en nuestro tiempo gracias a los adelantos de la ciencia: la conquista del espacio, los hallazgos de la penicilina y otros antibióticos, la victoria sobre infecciones y dolencias humanas. A pesar de las nuevas esperanzas el individuo se pierde en un caos de dogmas políticos antitéticos. Se ahoga en la vulgaridad persistente de la propaganda comercial:

> Productos y políticas
> Me invaden, me obsesionan,
> Me aturden
> Y se me enredan entre pies y oídos.
> ¡Socorro!
>
> (pág. 177)

Por último, la contingencia de la guerra nuclear vaga ubicua y anónimamente por las calles de la metrópoli El poema termina con una pregunta:

> Y mientras, esos átomos...
> Entre los brillos de la calle vaga
> Sin figura un tormento.
> ¿Qué señas nos esbozan esas nubes?
> ¿Se trata de vivir—o de morir?
>
> (pág. 178)

Jorge Guillén pertenece a la generación de exiliados que ha enriquecido al continente americano. La España peregrina ha sido generosa. Nos ha mandado poetas, profesores, un premio Nóbel de biología y otro en literatura. En «Dafne a medias» (pág. 60) describe con ironía a un emigrado que se despide de su pasado europeo y se dispone a abrazar nuestra cultura americana de manera irrevocable:

> Adiós, adiós, Europa, te me vas de mi alma,
> De mi cuerpo cansado, de mi chaqueta vieja.
> El vapor se fue a pique bajo un mar implacable.
> A la vez que las ratas huí de la derrota.

El hablante poético da las gracias al Nuevo Mundo que lo ha socorrido. Si va a echar raíces, se transformará en árbol como Dafne; el cambio en el europeo será a *medias*:

> ... Gracias, orilla salvadora
> Que me acoges, me secas, me vistes y me nutres.
> En hombros me levantas, nuevo mundo inocente,
> Para dejarme arriba...
> ... ...
> Mis cabellos se mueven con susurros de hojas.
> Mi brazo vegetal concluye en mano humana.

En «Dafne a medias» el hablante no es Jorge Guillén. En «Despertar español», que aparece en *A la altura de las circunstancias,* el poeta atestigua su confianza en el futuro de España y de Europa.

Un tema parecido, tratado ya sin ironía, se halla en «Un emigrado» (pág. 179). El otoño de Nueva Inglaterra con sus arces rojizos le recuerda al poeta los álamos dorados de Castilla, el dolor de la patria perdida. Guillén echa de menos las conversaciones, la vida en común con sus compatriotas. Más fuerte que su pesar es la inquietud que siente por la pérdida de la dignidad personal de los que se quedaron.

El poeta no deja de protestar contra injusticias y falsos valores de su patria adoptiva: la discriminación racial. El niño negro crecerá y se dará cuenta de la aguda tragedia de ser «diferente» y por lo tanto de ser objeto de odios y barreras. «El niño negro» (pág. 123) pinta a un niño, jugando con los otros, todavía inocente de su diferencia:

> ... Que aun no ve ni sombras ni muros,
> El niño todo error tan negro,
> Todavía criatura firme,
> No imagen cruel del espejo!

El poeta también hablará de la matanza nazi de los judíos en la que todos los hombres fueron cómplices. El poema

«La afirmación humana», sobre la tragedia de Anna Frank, es breve, profundo y conmovedor:

> ... Vulgo,
> El vulgo más feroz,
> En un delirio de vulgaridad
> Que llega a ser demente,
> Se embriaga con sangre,
> La sangre de Jesús.
> Y cubre a los osarios
> Una vergüenza universal: a todos,
> A todos nos sonroja.
> ¿Quién, tan extenso el crimen,
> No sería culpable?[8]

En el poema en prosa «Pared» (pág. 186), Guillén abre una herida al enfrentarse no tanto con la homosexualidad en sí sino con uno de los problemas más serios de la sociedad norteamericana: el obligar al ser humano a mantenerse al margen de la ley debido a una cultura cuyos antecedentes puritanos todavía ejercen una opresión y no toleran a los disidentes a las normas sexuales establecidas. El poema señala la enajenación general de que sufre nuestra sociedad. El poeta se pregunta qué valores pervertidos podrán producir las imágenes y los «graffiti» extraordinarios que decoran las paredes de los lavatorios públicos, y cómo será el perseguido que sufre y se expresa a manera de artista rupestre que ha tenido que descender a tal «vileza»:

> ¿A qué hora de soledad acaso nocturna, en qué paréntesis de fugitivo pudo ceder un lápiz a la obsesión del obseso y solicitar, precisar?
>
> ¿Cómo pasa invisible, sin nombre ni semblante, por qué jamás es sorprendido ese tan solo, tras la puerta reservada a los «Caballeros»?...

En «Los atracadores» el autor comenta el materialismo excesivo de nuestra sociedad. En Boston, un sábado por la mañana, una cuadrilla invade un hotel lujoso y lleva a cabo un robo bien planeado. Los criminales huyen con el dinero. Su objetivo, la riqueza, la comodidad, representan los más altos valores, los fines más deseados de la misma sociedad que atacan, sólo difieren en los medios:

---

[8] *A la altura de las circunstancias* (Buenos Aires, 1963), p. 43.

Huyen, huyen, huyen con sus Monedas y se precipitan
hacia el Optimo Fin los más desesperadamente
burgueses, los tan apresurados.

No se atienen a reglas, las violan. ¡Con tal vigor
asumen las ambiciones de todos:
Dinero hacia Vida Confortable!

(pág. 167)

«Dolor tras dolor» es un sumario de las angustias y los males que afligen a la llamada civilización contemporánea. El ruido desgarrador de una sirena irrumpe en las calles urbanas, símbolo del hombre que grita en su selva racional pavimentada. Gritan los prisioneros en sus celdas, aparece el horror y la vergüenza de los campos de concentración, se planea el exterminio de razas enteras:

El lento asesinato va extendiéndose
Por cámaras
De gas y de razón,
Y los ayes son humos
Frente a nuestra vergüenza.
Contemplad esos humos nunca extintos.
Siempre están elevándose.

(pág. 192)

El poema —y el libro en general— clama contra la injusticia; no puede existir la verdadera paz del alma mientras haya pobreza, desigualdad y opresión:

No hay surtidor más alto
Que la gran injusticia: funde estrellas,
Apaga los destellos más felices.
Del oprimido más sumiso parte
Sin temblar una voz que todos oyen
—Si no todos escuchan.

(pág. 194)

Como introducción a *Maremágnum*, el autor ha puesto el poema «El acorde», donde afirma su fe en la armonía esencial de la creación que es el tema de *Cántico*. Y el poema final, «Sueño común», ofrece el reposo como descanso a las luchas del día, como simulacro de la muerte:

Cuerpo tendido: todo en paz te mueres
Negando con tu noche tantos males,
Rumbo provisional hacia la nada.

(pág. 197)

La armonía nunca falta en la obra de Guillén, aún en un libro como *Maremágnum* donde el caos parece dominar. *Cántico* había terminado con el poema «Cara a cara» que presagia la poesía comprometida de *Maremágnum*. «El acorde» es el primer poema de este último libro y constituye una reafirmación de la armonía triunfante de *Cántico*. *Maremágnum* a su vez se cierra con «Sueño común», una contemplación de la muerte, la cual va a ser el tema del libro siguiente, *...Que van a dar en la mar*.

[Original inglés en *Hispania*, 4, diciembre 1962 (trad. aut.)]

JOAQUIN CASALDUERO

"LUGAR DE LAZARO"

Ha habido muchos viajes a ultratumba. Pero el de Lázaro no fue un viaje. Lázaro murió y fue resucitado. Jorge Guillén, el poeta del aquí y del ahora, se ha sentido atraído por esta figura del más allá que vuelve de su sueño eterno a lo fugaz y a la tierra. Los relatos abundan de los descendimientos de los seres míticos y divinos y de su regreso. Lázaro es un hombre como nosotros. El único en haber abandonado el mundo por cuatro días.

«Lugar de Lázaro» es el poema que encabeza *Clamor* en la parte que se titula «...Que van a dar en la mar.» El primer poema de este grupo es el de un resucitado. En lugar de ir a dar en el morir, como decía el poeta gótico, la colección de este *Clamor. Tiempo de Historia* empieza con el poema del que vuelve a la vida, del resucitado. ¡Así siente Guillén el tiempo y la historia! Cuando creíamos haber terminado para siempre, nos encontramos donde estábamos. No es una vuelta a empezar, no es un renacer. Es un levantarse para volver a andar por segunda vez. Vivir es ir a morir, para Lázaro es morir dos veces. No entre dos vidas, sino entre dos muertes, el lugar de Lázaro es la Tierra.

El poema tiene 489 versos, en cuatro actos, en cuatro partes. La última es un monólogo del que en la primera está muerto, en la segunda es resucitado y en la tercera convive de nuevo entre los suyos, entre lo suyo: cosas, luz, paisaje.

La Primera parte (105 endecasílabos sueltos) reúne los versos en siete grupos y nos entrega el cadáver; esto es, la división primera, la primera separación, que suele ser la única, del alma y del cuerpo. El poema empieza con una gran precisión, no exenta de ternura, que se recoge en la delicadeza del primer hemistiquio del segundo verso:

> Terminó la agonía. Ya descansa.
> Le dijo adiós el aire. Ya no hay soplo
> Que pudiese empañar algún espejo.

Del cuerpo abandonado pasamos al alma, comenzando un juego de relaciones tempo-espaciales. Luego, en el cuarto núcleo, seguimos al alma sola, sin el cuerpo. Nos encontramos con el Lázaro espíritu (el espíritu de Lázaro), ex-Lázaro errante. Cuerpo y alma que por haberse divorciado son siempre ya ajenos a la Tierra, a la Vida. Esta Primera parte termina con una interrogación, ¿esperará Lázaro a quien le despierte? Jorge Guillén se mantiene muy apegado a la realidad y describe lo concreto, aunque someramente, con un afán de asirlo, de fijarlo para siempre. Como es natural, lo que se refiere al alma tiene que imaginarlo. No hay nada de postrimería, nada de Naturalismo-positivista, pero el autor de *Cántico* expresa toda su repugnancia ante el no-ser.

La Segunda parte es un romance en *ó-o* con final en *-ó*. El Señor habla cuatro veces en *í-o*. La última sólo un verso:

> Levántate. Ven tú mismo.

El juego de mundo y trasmundo de la Primera parte se convierte en el entrelazamiento de asonancias, series largas de densidad, de confusión cortadas por el tono sereno, por la espiritualidad evangélicamente amorosa del Señor, que van a dar a la nota aguda del milagro y del asombro.

Al hablar del muerto, el dibujo de línea tan precisa nos refiere constantemente a algo general: el cuerpo sin vida, sin alma. Sólo he podido señalar dos rasgos costumbristas: el espejo, el cerrar los ojos. En el romance, el vaivén, el dolor, los sollozos, el polvo del camino, la tarde calurosa ni por un momento tratan de transformarse en color local histórico. Nada de estampa bíblica. Hay un rumor de pena, expresión del amor. Cuando el Señor accede al ruego de Marta, el fervor mutuo nos dirige al milagro, que el poeta trata de la manera más contenida posible. Ha sido un acto de amor hacia los hombres tan necesitados de misericordia. Oigamos *Clamor*:

> Amor tan ineludible
> Como el resplandor del sol
> En mediodía más fuerte
> Que la desesperación
> Del hombre a caza del hombre,
> Sin vislumbrarte, Señor:
> Para todos esperanza
> De plena consumación.

La Tercera parte está formada por catorce series de endecasílabos, heptasílabos y trisílabos. Son 150 versos sin rima. Lázaro vuelto a la Tierra, inmerso en la corriente del río de la vida. Guillén coloca a Lázaro en lo cotidiano, gozoso al respirar de nuevo en medio de los quehaceres que impone el paso de los días. Es la maravilla de *Cántico*, del presente, del aquí, de lo concreto, que este hombre excepcional acepta sin gesticulaciones, sin retórica ni grandilocuencia.

En el romance ya habíamos podido observar ciertos toques descriptivos, que se encuentran también al apoderarse del cadáver e incluso al imaginarse el alma sin su cuerpo. Pero en esta parte Tercera abundan. No hallaremos ni los grandes rasgos de la descripción romántica, ni el detalle observado del Realismo-idealista; ni el análisis naturalista, ni la matización atmosférica impresionista. Hay una fijación sumamente escueta de las cosas y su medio, una fijación a lo Cézanne. Lázaro está con sus hermanas en la casa,

> Y en la casa la mesa,
> Y a la mesa los tres ante su pan:
> Volumen de alegría
> Común entre manteles
> O madera de pino.

Casi, casi se diría uno en *Cántico*. El nuevo Lázaro no cuenta nada de lo acontecido, si le preguntan no dice nada. Con Lázaro no hay viaje de ultratumba. San Juan apunta la visita del Señor a la casa de Marta, María y su hermano. Guillén, que sigue muy de cerca su fuente, lo indica también («Días a salvo entre las dos hermanas... sin pompa, con los tan habituales compañeros, el Hijo, su decir, su callar, su Gracia»). ¿No aludirían para nada, Cristo y Lázaro, ni con la mirada, a los cuatro días? Este hueco del Evangelio se va llenando en el poema de noche de desvelado, de inquietud, de angustia, de recuerdos. Tanta agitación se formula en palabras. Es el monólogo de súplica, de clamor, con que termina el poema.

La Cuarta parte está escrita también en romance, dividido en cinco grupos por el cambio de asonancia (*é-o, é-a, é-o, é-a*), la última en *-é*. Este cambio asonántico raro hasta el siglo XVIII, es frecuente en el Romanticismo. Además, Guillén en el cuarto grupo introduce la nueva asonancia en el verso que todavía debería rimar, haciendo así que los cortes separen un grupo de otro y al mismo tiempo los mantengan bien encajados. Lo mismo había hecho con el endecasílabo suelto del comienzo, sólo que ahora la forma tradicional del romance se enriquece con esta variación. Parece evidente el deseo del poeta de dar una nueva musicalidad dentro de una forma tradicional. Lo que se adapta perfectamente al virtuosismo y a la destreza guillenianos.

El desgarramiento de Lázaro está tratado a lo *Cántico,* pero ese desgarramiento es lo que da lugar a *Clamor.* El protagonista del poema —los tiempos impares en endecasílabos, los pares en romance, con la variación del tercero respecto al primero, y del cuarto respecto al segundo— es la angustia del hombre que pertenece a la Tierra, la angustia de la temporalidad. Lázaro ha tenido ya un contacto con lo Eterno, desasido del espacio —del cuerpo, de la tierra, de lo que es. Lázaro pide que el Más Allá sea como el Aquí. ¿El cielo, el suelo? Su tormento cesa en un acto de fe y reconocimiento. Acepta trocar su *sitio* por el *sumo lugar*:

> Quiero en su verdad creer.

Pocas veces o ninguna se habrá aceptado el entrar en el Paraíso más tristemente, más humanamente, con mayor nostalgia por la Tierra que queda debajo o atrás. Es un hombre que se va a ser inmortal.

[Publicado primero, en versión inglesa, en *A Symposium on Jorge Guillén at* 75, *Books Abroad,* vol. 42, núm. 1, 1968; incluido en *Luminous Reality,* University of Oklahoma Press, 1969, en *Estudios de literatura española,* Madrid, Gredos, 1971 y en *«Cántico» de Jorge Guillén y «Aire nuestro»*, Madrid, Gredos, 1974]

JOAQUIN FORRADELLAS FIGUERAS

LAS TRES ESTATUAS DE JORGE GUILLEN

1. En una entrevista que hace ya algún tiempo sostuvo con Claude Couffon, se lamentaba Jorge Guillén de la casi ruptura que los lectores —aunque divididos en dos grupos contrarios— establecían en su obra. Ambas especies, tanto los que aceptaban con gozo su *Clamor* como los que lo tomaban con prevención casi despectiva, coincidían en considerarlo completamente ajeno al complejo intangible de *Cántico*. Un deseo cerraba las palabras de nuestro poeta: «Quisiera que se considerase mi obra como un conjunto homogéneo, como una unidad poética que oscila entre dos niveles» [1]. Este deseo vuelve a ser expresado dos años más tarde [2], quizá con mayor fuerza y urgencia.

Creemos que es hora ya de procurar cumplir con la intención de don Jorge Guillén, aunque sólo sea parcialmente y en grado de notas de asedio. Nuestra obligación de lectores igualmente apasionados por un libro que por el otro es tratar de seguir el camino que el propio poeta nos ha indicado: estudiar en qué pueda consistir la semejanza entre los dos libros y cuáles sean esos dos diferentes niveles entre los que se mueven. No vamos a pretender, sin embargo, el análisis exhaustivo: nuestro único propósito es poner un jalón más en el estudio de la obra de Guillén dentro de un itinerario que hasta ahora creemos que no ha sido seguido y que, forzosamente,

[1] CLAUDE COUFFON, «Una hora con Jorge Guillén». *Cuadernos,* núm. 40. Enero-febrero de 1960.

[2] CLAUDE COUFFON, «Encuentro con Jorge Guillén». *Les Langues Néolatines.* 1962. IV, núm. 163, pp. 52-56.

al cumplirse, ha de superarnos. Nos limitaremos pues a realizar algunos sondeos en el *Cántico*[3] y otros, hasta cierto punto paralelos, en la primera parte de su segundo libro, en ese *Maremágnum*[4], tan discutido aún a estas alturas; de la comparación de estas calas no creemos que pueda salir ninguna conclusión general: nos conformaríamos con señalar, en direcciones válidas, los puntos hacia los que se orientan el vientre y nodo de esa única vibración poética.

2. Desde los mismos títulos —*Cántico, Clamor*— se muestra la intención del poeta tan explícita como en las entrevistas que antes hemos citado. Se nos invita a seguir esa pista de unión y diversificación, a descubrir el bloque macizo de ese Jano poético del que se nos enseñan las dos caras. Ambos nombres responden al concepto de son, de voz; lo único que varía en esa voz es el tono, que si en un cántico es gozoso, afirmativo, alegre, de alabanza y aceptación[5], al convertirse en clamor se hace voz lastimera y esforzada, negativa, plena de quejas y protestas; y si el clamor lo produce una campana, ésta se torna inmediatamente campana de Velilla, que dobla a desgracia. Mientras que *Cántico* es una «fe de vida», *Clamor* será una constancia de muerte y agonía. Los dos libros tienen, pues, desde su título un significado común: la necesidad de hacerse oír. Lo dispar está en dejar escuchar sones distintos, incluso con un metal de voz muy parecido: el instrumento es siempre el mismo.

Es, pues, *Cántico*, como antes hemos señalado y como el subtítulo nos descubre, una *Fe de vida*, es decir, una manifestación oficial de estar vivo, y al mismo tiempo —en sentido no oficinesco— una confianza en la vida que nos rodea y en la nuestra propia, una complacencia y una acción de gracias por encontrarnos existentes. Abrirlo por cualquier página nos confirma en esta conclusión, la misma a que llegaron los numerosos comentarios que se han hecho sobre este primer libro guilleniano.

Clamor, por el contrario,, llevará el lema de *Tiempo de Historia*. El paralelismo sintáctico entre los dos sub-

---

[3] *Cántico*. Edit. Sudamericana. Buenos Aires, 1950. Citaremos por esta edición.

[4] *Maremágnum*, Edit. Sudamericana, Buenos Aires, 1957.

[5] Queremos recordar aquí la preferencia que Guillén ha dedicado durante toda su vida al *Cántico Espiritual* de San Juan de la Cruz.

títulos es evidente; evidente también es la intención de invitar a una comparación entre ellos, de hacernos pasar de la igualdad de construcción a la contradicción significativa, haciendo que destaquen más aún las tintas al presentarlas con tan análogas características. Estudiemos un poco más detenidamente esos contrastes. La *Fe* en las cosas y en la propia existencia se convierte en este lema en *Tiempo,* es decir, algo opuesto a lo eterno[6], algo que dura y se ha de acabar, que tiene presente en su propia noción la idea de fin.

La oposición *Vida / Historia* se ha hecho tópica en el pensamiento contemporáneo y poco vamos a decir de ella: vida es aquello que nos integra desde nosotros mismos; historia, lo que se considera discontinuo con respecto a la vida personal. Marañón las ha definido: «Vida e historia decimos para designar el presente encendido y el pasado muerto»[7].

Otro sentido posible, comparable al burocrático de *Fe de Vida,* cabe para *Tiempo de Historia*: *tiempo* puede ser «fragmento, talante», igual que en música —recuérdese que el primer poema de *Maremágnum* se llama «Acorde»[8]. E *historia,* narración de un hecho[9]. No encontramos tampoco inconveniente en entrecruzar las dos significaciones posibles que hemos señalado para este subtítulo: de ellas queda el sentimiento de lo «negativo» —otra vez con palabra guilleniana—, es decir, esas «fuerzas opuestas al ser, al vivir pleno: el tiempo, la muerte,

---

[6] No es necesario señalar el valor eterno de la fe en una cultura cristiana o meramente religiosa.

[7] En *Vida e Historia.* Espasa-Calpe, Madrid, 1953, p. 9.

[8] I. Combet dice: «Le livre s'introduit par un long poème liminaire: *Acorde* qui, semblable à l'ouverture d'un majestueux opéra, donne le ton et annonce les thèmes principaux de la totalité de l'oeuvre». — «*Maremágnum* ou l'inquiétude. L'engagement historico-social chez Jorge Guillén et la jeune poésie espagnole». *Les Langues Néo-latines,* LV, 1961, núm. 158, p. 30.

[9] «... La palabra *historias* (...) tiene en mi disertación (...) un sentido degradado, de letra minúscula. (...) Historias son acontecimientos miserables, ruindad zoológica en los suburbios de lo humano, fijados por un tratamiento estético. Son preparaciones de infusorios sociales, con su organismo al descubierto, para que podamos contemplarlo con muy vario interés: desde el horror a la compasión, desde la curiosidad a la fruición regocijada. Las historias tienen en España un abolengo medieval». Fernando Lázaro Carreter: *Tres historias de España*: *Lázaro de Tormes, Guzmán de Alfarache y Pablos de Segovia.* Salamanca. Tip. Cervantes, 1960, p. 8. — Para dar validez a esta definición —que podría parecer exagerada al referirla a Guillén— nos remitiremos, como ejemplos, a las «historias» «Potencia de Pérez» o «Pueblo Soberano», en *Maremágnum,* pp. 40 a 53 y 67.

el azar, el mal, el dolor»[10]. Pero sin olvidar que esas fuerzas, precisamente por opuestas al ser, al vivir pleno, van unidas a él y las dos juntas dan su dimensión humana. Igual que la historia o el tiempo se unen a la vida.

La igualdad sintáctica de las expresiones luminares y su parentesco semántico nos obligan, una vez más, a considerar los dos libros como un complejo total; y nos ayudan ya quizá a entrever la verdadera expresión de ese Jano poético que, en metáfora, habíamos punteado antes.

3. Creemos que también puede ser instructivo para conocer la intención de Guillén el estudio de otro punto común para ambos libros. Nos referimos a las dedicatorias. Dos hay en *Cántico*. Y en la «Inicial», propósito del libro al comenzarlo, leemos: *A mi madre / en su cielo. / A ella / que mi ser, mi vivir y mi lenguaje / me regaló, / el lenguaje que dice / ahora / con qué voluntad placentera / consiento en mi vivir, / con qué fidelidad de criatura / humildemente acorde / me siento ser, / A ella, / que afirmándome ya en amor / y admiración / descubrió mi destino, / invocan las palabras de este cántico.* Y en la «Final», de propósito realizado y encomienda que el libro debe cumplir, Jorge Guillén escribe: *Para mi amigo / Pedro Salinas, / amigo perfecto, / que entre tantas vicisitudes, / durante muchos años, / ha querido y sabido iluminar / con su atención / la marcha de esta obra, / siempre con rumbo a ese lector posible / que será amigo nuestro: / hombre como nosotros /ávido / de compartir la vida como fuente, / de consumar la plenitud del ser / en la fiel plenitud de la palabras. Fin de este / cántico.*

Sin detenernos en este momento en un examen exhaustivo de ellas, querríamos señalar someramente algunos puntos que creemos comunes a ambas. La primera convierte, a través del lenguaje, un hecho pasado en vivencia presente: véase la intención de ese *ahora,* destacado en una sola línea; la «Final» hace de un posible hecho futuro una realidad actual: es decir, las dos se proponen incorporar «hechos de historia» ajenos al autor —uno de historia pasada, otro de historia futura y en potencia— a la vida misma del poeta. Y entre las dos dedicatorias, el contenido del libro. Todo el *Cántico* y los asuntos en él tratados son asimilados a una misma personali-

---

[10] COUFFON, «Encuentro...», cit. más arriba.

dad poética, bien la del autor al escribirlo, bien la del lector al adentrarse por sus páginas. Que ahí está, al acabar, ese *fin de este cántico*: fin en el sentido de término, pero también por su situación, de finalidad. Y el deseo de que el lector lo una a su propia persona —también a través del lenguaje: «en la fiel plenitud de las palabras»— aparece bien patente en la frase «ese lector posible que será...», con ese *será* —donde se esperaría un *sería* o un *ha de ser*— que hace que «posible» deje de ser un indicador de duda para convertirse en la evidencia de que hay un lector así. No queremos analizar, por parecernos bastante clara, la descripción de ese lector, retrato vivo del designio de Jorge Guillén, tan real al unirlo a la segunda significación señalada para la palabra *fin*.

Sólo una dedicatoria, y brevísima, en *Maremágnum* [11]. Simplemente: *A mis hijos, / A la posible esperanza.* Si en la «Dedicatoria inicial» Guillén atraía un pasado (*madre*) a la realidad presente, aquí lo pretérito es olvidado por completo y nos detenemos en un presente (*mis hijos*) emparentado semánticamente con aquél. Pero, ¿qué tratamiento se le da a este presente? Si en aquella «Dedicatoria final» una posibilidad futura era vista como realidad, aquí un presente (*mis hijos*) es considerado como un futuro (*esperanza*) desrealizado hasta el límite (*posible*). Y compárense los sentidos, tan diferentes, de estos *Posible,* el de *Cántico* y el de *Maremágnum,* por obra y gracia de *será* y *esperanza*: una misma cosa —una misma palabra (un mismo lenguaje) ya sin su «fiel plenitud»— es alumbrada desde dos puntos distintos, y los visos que da son también diversos: la afirmación en *Cántico,* la duda, ni siquiera la negación, en *Clamor.* Pero la relación es evidente; el puente de unión es clarísimo. Y también lo es la transformación, por causa de esas fuerzas negativas que el autor apuntaba.

---

[11] Ya escrito este trabajo hemos conseguido ver un ejemplar de *A la altura de las circunstancias.* En él se escribe la dedicatoria que, por el momento cierra el ciclo: A /PEDRO SALINAS / EN SU GLORIA. Sirve para corroborar nuestra impresión. Esta dedicatoria une la «Final» de *Cántico* («Pedro Salinas») con la «Inicial» («En su cielo», «En su gloria», con una interesante variación). La sustitución de la MADRE por el AMIGO cumple, a nuestro parecer, un papel muy semejante al de MADRE por HIJOS en la estudiada en el texto. Significativo también es que la GLORIA (o el CIELO) se encuentren ahora al finalizar la obra y no al comenzarla. El terreno de una nota no nos permite extendernos más.

4. Querríamos realizar aún una nueva experiencia, ya la última, que nos sirviese quizá para perfilar con un poco más de precisión estas líneas de parentesco y divergencia que creemos haber hallado entre las dos partes de la obra del poeta. Nuestra atención se va a centrar ahora en los poemas del libro: pintiparadas, dos décimas muy semejantes nos han saltado a la mano para que de ellas intentemos la búsqueda de la clave deseada, clave que estará sujeta —queremos recordarlo una vez más— a todas las limitaciones que nos hemos impuesto y a las que surgen de no ser más que un mínimo fragmento de todo un complejo, construido en dependencia orgánica; este último hecho, sin embargo, nos sirve también de estímulo: estamos seguros de que es posible reconocer la perfección del poeta en cualquier muestra, por pequeña que sea. En la comparación intentaremos cumplir con el deseo de Jorge Guillén: «A mí me gustaría que antes que todo mi libro (*Clamor*) fuera considerado como lo que es: un libro de poesía. Su contenido es a veces social e incluso político, pero se trata siempre de poemas» [12]. Aquellas décimas a que aludimos son éstas:

ESTATUA ECUESTRE

Permanece el trote aquí,
Entre su arranque y mi mano.
Bien ceñida queda así
Su intención de ser lejano.
Porque voy en un corcel
A la maravilla fiel:
Inmóvil con todo brío.
¡Y a fuerza de cuánta calma
Tengo en bronce toda el alma,
Clara en el cielo del frío!

(*Cántico*, p. 223)

LA ESTATUA MAS ECUESTRE

(«El caballito». Ciudad de México)

A caballo triunfa el rey
Solo, — ¿quién más ignorado
Por los buenos transeúntes
De la plaza? — sin contacto
Con el mundo que domina,
Fornidamente gallardo,

[12] COUFFON, «Encuentro...», art. cit.

Desde la crin a la cola
Señor de todo el espacio,
— ¡Tales son las perfecciones
De los tiempos! — el caballo.

(*Maremágnum*, p. 124)

En las *Dedicatorias* hemos visto como una misma palabra —aquel *posible*— era enfocada desde los dos ángulos de *Cántico* y *Clamor*. Aquí —lo diremos con metáfora del mismo Guillén— la luz del poeta ilumina, si no un mismo objeto, dos objetos muy semejantes: dos estatuas ecuestres.

Esa luz produce, al incidir sobre ellos, sombras diferentes, contrastes distintos. Y el primero nos sale al paso en el mismo título de las décimas: la «Estatua ecuestre» se nos tornó ahora en «La estatua más ecuestre». Pertenece este segundo título, gramaticalmente, a la categoría denominada «superlativo relativo o de significación relativa» [13]; pero para que esta estructura estuviese completa le haría a la expresión la presencia de un complemento de carácter limitativo, introducido por *de* [14], que indicase los individuos de la misma especie con los que se establece la comparación. La ausencia de este complemento, al dejarnos manca la expresión, produce en el lector una actitud expectante que nos impone, obligatoriamente, la revisión de todas las estatuas ecuestres de que el autor haya podido tener experiencia[15]: surge ahora, clara, ante nosotros, aquella «Estatua ecuestre» de *Cántico* que, presentada sin artículo ni ninguna otra delimitación, adquiere un valor general. La forma de superlativo nos está señalando, a su vez, cómo la de *Clamor,* por las circunstancias que sean, ha cubierto con su sombra en este tiempo a la del primer libro, cómo —por bien o por mal— la ha superado.

Un nuevo acercamiento a este título: «ecuestre» es un adjetivo que, a nuestro parecer, cumple con una función específicamente delimitatoria: separa un tipo de estatuas de todas las otras: es más una definición que un índice

---

[13] Para una descripción completa de esta categoría véase SALVADOR FERNÁNDEZ, *Gramática española,* I, párr. 77.

[14] Sería un complemento del tipo «del mundo», «de todas».

[15] La estructura del superlativo relativo, procedente de la comparación, obliga a pensar que el grado de la cualidad le ha sido atribuido después de una reflexión en la que se han tenido en cuenta todos los factores posibles: la intención guilleniana de recordar a la otra estatua, pues, nos parece clara.

de cualidad. Y entre los adjetivos que por su significado no admiten comparativo ni superlativo tendríamos que colocar en primer lugar a los de este tipo. ¿Por qué entonces Jorge Guillén escoge esta construcción, impensable para este concepto? Además de la razón antedicha, creemos poder añadir una más que puede justificarla: destacar lo que de «ecuestre» —es decir, de caballuno— pueda haber en la estatua, montura y jinete, produciéndose desde el primer momento un clima cómico que nos acompañe, con su atmósfera ridícula, al leer el poema. Y con ese matiz de lo ridículo queremos apuntar la aparición de un elemento nuevo que no estaba en la estrofa de *Cántico* ni —casi nos atreveríamos a decirlo— en todo el resto de aquel libro: nos referimos, claro está, a la sátira [16].

En esta conclusión nos confirma el subtítulo de la décima: *El caballito,* o sea ecuestre por los cuatro costados, con desprecio del jinete, que es nada menos que Su Majestad Católica el Rey Carlos IV, que mandaba en España y en las Indias; y ahora —cosas de la historia—, toda su majestad y poder ha quedado reducido a su pobre montura, tan modesta que ni nombre tiene: no es un Babieca, ni siquiera un Rocinante, con sus amos presentes y transformandos de historia en vida. E incluso ese nombre de especie —ese no nombre— aparece deformado por un diminutivo afectuoso que rebaja aún más la importancia del real jinete. El conocimiento de la estatua, como Guillén hubo de conocerla, ilumina con más claridad la postura del poeta: el gobierno mejicano la adorna con una placa en que se cuentan las circunstancias de su erección y que acaba con estas palabras: «México la conserva como un monumento de arte» [17]. Es decir, no por

---

[16] Jorge Guillén, al hablar de su *Maremágnum* (COUFFON, «Una hora...», art. cit.) dice: «Todos estos poemas implican una ampliación del registro poético. Sátira, poesía nómica o moral, narración...». Para el sentido de esta sátira es preciso dejar oír otra vez al poeta: «En *Maremágnum* el tiempo es referencia a lo colectivo y social de nuestra época».

[17] La lápida entera dice: «El virey don Miguel de la Grua Talamanca marqués de Banciforte / que gobernó la Nueva España desde 1794 hasta 1798 / mandó hacer esta estatua / de Carlos IV de Borbón rey de España e Yndias / la cual fue colocada en la Plaza Mayor de México / el día 9 de Diciembre de 1803 cumpleaños de la reina María Luisa / siendo Virey don José de Yturriagaray / México la conserva como un monumento de arte». — Lo ridículo del caballero, con esa inscripción bajo sus pies, es tan patente que incluso en una crónica neutra ha de ser resaltado: «Esta declaración debe sumir al buen don Carlos en trágica meditación. Allí no está por derecho propio, sino un poco de prestado. Por su buen tipo y figura,

la persona que representa ni por lo que ésta hiciera sino por razones completamente diversas a aquellas por las que fue fundida. Se considera inútil la intervención del rey que, desde Madrid, gobernaba en aquel lejano país.

Un hecho curioso que creemos que merece cierta atención es la aparición del subtítulo en este segundo poema. Jorge Guillén no nos ha dicho en *Cántico* a qué estatua se refiere. Aquí, en *Maremágnum,* no se conforma con darnos su nombre, «El caballito», famoso y conocido en todo el mundo, sino que nos la ha de situar precisamente: «Ciudad de México». La localización de la estatua de *Maremágnum* nos hace ver a Guillén en un país extraño; la décima está escrita desde fuera de España y desde una actitud determinada, desde el exilio. Debe considerarse la postura especial de un hombre en esta situación para comprender el sentido de este poema. El exilio es siempre, para los que lo padecen, una cosa transitoria: es un «Hecho de historia». Y por ser «historia» es decir, narración [18], Guillén abandona la complejidad estrófica que solía dar a su décima para sustituirla por un sencillo romance de diez versos con rima asonante [19]: no se ha querido presentar aquí un alarde estilístico, un esfuerzo visible del poeta, sino simplemente dar a conocer unos hechos; se adopta, pues, la forma más objetiva posible, la que generalmente se emplea para narrar en nuestra lírica.

El estudio del cuerpo de las décimas nos ofrece resultados muy semejantes a los reseñados. En la de *Cántico* se consigue, a través de una desindividualización primero —de aquí la ausencia de adnominales— y de una identificación con la primera persona después —«mi mano», «voy a la maravilla fiel», «tengo en bronce toda el alma»— convertir un objeto en una experiencia que se incorpora a la vida del poeta y aún a la de ese «lector posible». El poeta, una vez lograda su integración vital con la «cosa» poetizada puede proceder ya, mediante un tra-

---

o mejor dicho, por la esbeltez de su caballo» (JAVIER MARTÍN ARTAJO, Diario *Ya,* Madrid, 5-III-1961). Por estas palabras se puede imaginar el efecto que causaría a la sensibilidad alerta y fina imaginación de don Jorge Guillén.

[18] Véase nuestra nota 4.

[19] Esta estructura de la décima, aunque infrecuente, no es nueva en Guillén: dos veces —«Hacia el nombre» y «Acción de gracias»— la encontramos en *Cántico.* La proporción con respecto a los restantes esquemas es, como se ve, mínima.

bajo consciente —«a fuerza de cuánta calma»— a distanciarse —«su intención de ser lejano»— e incluso aislarse —«bronce», «bien ceñida»— de todos esos elementos negativos de que nos hablaba, gráficamente caracterizados en el «cielo del frío», único dintorno del jinete, protagonista único del poema; el caballo —que tan principal papel tendrá en el otro libro— es aquí solamente un instrumento que le sirva para conseguir la lejanía y conducirlo a la «maravilla fiel». Sin detenernos más en el análisis de la décima, de sobra hecho en los estudios que existen sobre el *Cántico,* queremos señalarla como una verdadera arte poética de la primera época guilleniana. No sabemos si ha sido estudiada en este sentido, pero pensamos que los resultados podrían ser fecundos.

En «La estatua más ecuestre» nos encontramos casi con iguales elementos que en la anterior; varía la forma de organizarlos y, sobre todo, el punto de vista. Parece, al comenzar la lectura, que el clima va a ser idéntico: «A caballo triunfa el rey»; sin embargo anotaremos ya desde este primer verso alguna diferencia; en él se nos dice quién es el jinete y éste ya no es el poeta, sino el rey de España, un personaje histórico y perfectamente inútil en su circunstancia; esto hace que pueda recibir valores de símbolo, suficientemente transparentes: la identificación que señalábamos en el poema de *Cántico* ha sido sustituida por un efecto de distanciación. Teniendo en cuenta estos hechos podríamos señalar quizá para la décima un valor didáctico —si no épico, entendiendo esta última palabra según lo hace el teatro moderno. Y como en él, también aquí aparece un coro: ese dintorno que habíamos echado de menos en el otro poema al tropezar con aquel «cielo frío» se humaniza ahora, se hace vivo: es el pueblo, esos transeúntes que ignoran a nuestro caballero cuando ya ha conseguido «la intención de ser lejano» que ambicionaba. Caro le ha costado el logro; a cambio de él se ha quedado solo, dominando —es un decir— en un mundo de transeúntes buenos que lo desprecian: es anacrónico, un mero «monumento de arte», un «hecho de historia», algo a lo que el que no tiene más remedio que ir de paso no presta la menor atención. El rey absoluto de España, a pesar de sus esfuerzos, ha perdido todo su poder. El «buenos» calificando a «transeúntes» no puede ser una casualidad: nos parece que ahora el poeta en lugar de identificarse con el personaje histórico se identifica con el dintorno vivo, con uno de esos transeúntes —paseantes, pero también forasteros: la situación de habitante por fuerza en un país que no es el propio se parece mucho a la de un transeúnte perpetuo.

Y el poeta, transeúnte con la misión de hacerse oír —*Cántico, Clamor*— se adjudica este desprecio, resolde portavoz de todos ellos y señala este desprecio, resolviéndolo en una burla que destaca lo ridículo del rey dominador esforzándose por mantenerse a pesar de todo: tres versos de elogios que podrían ser referidos al jinete y una frase exclamativa, que quizá sea de aprobación, se desatan en el último verso, casi en la última palabra: « ¡de los tiempos! —el caballo»; todo el edificio, cuidadosamente construido, se derrumba al colocar este digno remate: un verdadero chiste por rotura de la situación mental, procedimiento viejo pero siempre eficaz. Ya hemos aludido, además, al valor de la palabra «tiempo» para nuestro poeta: el plural la hace todavía más vulgar, más baladí; las «perfecciones» se degradan.

Como hemos visto, los elementos de las dos décimas son muy semejantes. Se parte en ambas de un clima muy similar —véase el primer verso de «La estatua más ecuestre». La degradación y la burla, el contacto con la realidad —entendida esta «realidad» como lo hacían nuestras novelas picarescas [20]— aparecen más tarde. Asistimos a un cambio de intención muy parecido al que habíamos creído observar en el análisis de los títulos, de las dedicatorias. El optimismo guilleniano de *Cántico* se ha hecho amargor en *Maremágnum,* incluso ante los mismos impulsos: ha cambiado la situación y se ha hecho obligado un nuevo modo de poetizar [21], tiene que estar «a la altura de las circunstancias», por más que estas circunstancias no sean más que un puro momento de historia. Es evidente, pues, al menos en estas dos décimas, la unidad y la diversidad de los dos momentos de nuestro poeta.

Y después de esta sustitución de la vida por la historia, ¿queda todavía alguna esperanza? Jorge Guillén quiere darnos la respuesta: aún queda en su poesía otra estatua ecuestre:

---

[20] Aquí procede otra vez recordar el significado que «historia» tenía para Fernando Lázaro; véase nuestra nota 4.

[21] No es Guillén el único en sentir esta necesidad. La misma, y en el mismo momento, se encuentra en Pedro Salinas, a quien se dedican los dos libros; compárense *Razón de amor* y *Todo más claro.*

BARBA CON NIDO

(Hospital de Santiago, Ubeda)

A los pies del caballo queda
Con su coraje aún, maltrecho,
Final fortuna de su rueda,
El moro español. Es un hecho
De historia. Contemplad. Santiago
Combate y remata el estrago
De aquel ejército vencido.
Pero en la barba, que no es poca,
De Santiago un ave coloca
— Paz y vida sin fin — su nido.

(*Maremágnum*, p. 118)

Guillén se ha vuelto a asomar a España. Estamos en Ubeda. La esperanza vuelve a querer encenderse. La derrota es ya, para Guillén al menos, un «hecho de historia». Ya hay un pájaro —quizá la poesía— que no tiene miedo de que sea tremebunda la que cuenta la estatua y, faltándole al respeto todo lo que puede —que no hay que olvidar que el Santo Matamoros es un héroe medieval cuya barba nadie puede tocar— coloca en lo más abundoso de su persona un nido. Y así podrán renacer la paz y la vida entre los restos de una historia de desastres.

[*Quaderni Ibero-Americani*, núm. 33, giugno 1966]

GIORGIO CHIARINI

LA CRITICA LITERARIA DE JORGE GUILLEN

¿Qué actitud mental convendrá al lector frente a las intervenciones críticas más o menos esporádicas —por lo menos en lo tocante a la producción original— de exuberantes personalidades de poeta (en prosa o en verso)? La pregunta resultará tal vez menos frívola o superflua de lo que parezca a primera vista cuando se considere —si no por otra razón— que ésta ha sido definida acertadamente como «la hora del lector», a quien ya no se le puede imaginar como a un destinatario meramente pasivo y receptivo —blanco inerte— de la *comunicación* literaria. Está ascendiendo cada vez con más eficacia al papel de sujeto activo en una relación bilateral de quien contribuye a definir concretamente la índole de la obra por medio de una iniciativa no irrelevante ni ignorada del autor. Este, en efecto, no podría no darse cuenta hoy de que el público consciente —con quien tendrá que arreglar las cuentas siendo éste el árbitro del éxito— se va volviendo de día en día menos accesible a influencias demagógicas que apuntan a su emotividad ingenua; se va transformando con rapidez creciente en un interlocutor con pericia de maestro, aunque a veces un tanto cínico y bizarro. Hay que tenerle debidamente en cuenta —si no se opta desde el principio por el fracaso— cuando se trata de cualquier esfuerzo de comprender la literatura contemporánea.

Volvamos a la pregunta inicial, ya que no se trata aquí del *exemplum fictum* de una meditación abstracta aspirante a cimentarse en agudezas ingeniosas, sino del epifenómeno de un suceso: la doble actividad, crítica y creadora, de individualidades igualmente versátiles y articuladas, con curva decididamente ascendente. Nos parece que esto merece alguna consideración, partiendo de un objeto preciso hacia una meta significativa y relevante; es decir, procediendo por vía empírica a fin de que la respuesta obtenida resulte fácilmente verificable en los datos y sirva eventualmente para constituir un precedente útil para casos análogos, aun sin presumir que alcance una validez general, impensable en el caso presente. La elección del «conejillo de Indias»: el volumen *Lenguaje y poesía* de Jorge Guillén (Madrid, 1962), es sin duda arbitraria, pero sólo a cierto punto. La obvia excelencia del escritor aparte, el ejemplo ofrecido por Guillén parece singularmente instructivo, porque entre aquellos que —según lo dijo acertadamente hace poco Paolo Milano a propósito de Vigolo [1]— han comprado «dos billetes en la lotería de la fama», su presencia de *autor* es de aquellas que lucen más cuando la misma firma junta al investigador y al crítico. Desde este punto de vista, no sería más útil a nuestro discurso el insigne —y bajo otros aspectos tal vez aún más interesante— caso del ilustre compatriota y amigo de don Jorge, el catedrático de suma autoridad en el ateneo madrileño, Dámaso Alonso: en él, valorándolo someramente, la relación entre las dos facetas parece inversa. La indudable preponderancia del poeta en Guillén justifica con creces el que, tratándose de él, nos preguntemos si conviene considerar la obra del intérprete a través de la experiencia viva y presente de su poesía o si, en cambio, deberíamos hacer todo esfuerzo posible para eliminar idealmente a ésta mientras pretendemos conseguir una valoración realista de aquélla. Dos peligros opuestos pueden impedir el acierto en adoptar una actitud correcta en tal operación crítica: el tomar en cuenta exagerada o insuficientemente la posible tendencia del autor a una involuntaria autoexégesis. Se podría decir que en el caso de Guillén, la sospecha —legítima mientras no se convierta en prevención— es particularmente justificada por el hecho de que su crítica problemática muestra claramente, ya en el título que coordina bajo un epígrafe común los productos más conspicuos, un nexo orgánico muy saldado con su investigación poética en el sector estructu-

---

[1] Paolo Milano, rec. a Giorgio Vigolo, «Il genio del Belli» (Milán, 1963; *L'Espresso*, 22 dic. 1963).

ralmente fundamental relacionado con el instrumento expresivo.

Todo el que ha ejercitado —más que episódicamente— su propio «oído mental» en la auscultación de las difíciles armonías de *Cántico*, consiguiendo, a fuerza de ardua paciencia, introducción a ellas, sabe muy bien qué exigente y riguroso, qué susceptible e intransigente es la musa de Jorge Guillén en materia de elaboración lingüística. Hay que precaverse, sin embargo, contra todo posible malentendido: un empeño tan terco en la selección de los materiales, su dosificación tan ponderada, su sabia soldadura rítmico-sintáctica no son debidos a manías hedonísticas de una aparente perfección formal, sino a la ineludible necesidad de establecer un sistema de signos funcionalmente adecuados a la esencialidad rarefacta de los contenidos. En esta espasmódica tensión del significado hacia el significante [2], subyacente bajo la serenidad mágica de los contextos, se ha desarrollado —y se debería evocar por el crítico— la labor intensa y dramática de la gestación poética guilleniana. «Metafísica de los sentidos»: definición eficaz por Oreste Macrí [3] de la sustancia intelectual de la lírica de Guillén; «interjección», pero con «contenido intelectual»: su concreta actuación poética según Dámaso Alonso [4]. Evidentemente, éstas son proposiciones críticas complementarias que conjuntamente apuntan a los polos de tensión entre los cuales se mueve la inspiración del poeta: por una parte, el mundo de los sentidos, las «sensaciones muy primarias» (D. A. 236) de las que habla Alonso: la relación inmediata del sujeto con las cosas; por otra, el mundo de las esencias, de las ideas: del absoluto. Estos dos mundos no son extraños ni hostiles el uno al otro, sino que se integran alternando a una simbiosis activa de la armonía universal. El poeta, inmerso en esta armonía, sintiéndose participante actual de ella, la percibe nítidamente y contempla los «prodigios tangibles» (D. Alonso, 223) de la realidad al nivel de lo ínfimo y de lo cotidiano; exulta, y su canto es la «traducción idiomática» (D. Alonso, 221) de este júbilo esencialmente mental frente al cosmos. El canto, sin embar-

---

[2] Uso los términos saussurianos en la especificación integrativa alonsiana, para la cual véase DÁMASO ALONSO, *Poesía española. Ensayo de métodos y límites estilísticos,* Madrid, 1957, pp. 19 y ss.

[3] *Poesia spagnola del Novecento,* Guarda, 1952, p. XLVI.

[4] *Poetas españoles contemporáneos,* Madrid, 1952, p. 222.

go, no es el mero reflejo lírico de éste (aunque de un lirismo intelectual por definición), sino un elemento estructural y a su modo estructurante: la palabra poética funciona en esta armonía preestablecida como un lazo entre las cosas y las ideas; confiere —según observa Hugo Friedrich[5]— «a todo lo que es, el Ser intelectual permanente». Las cosas son en su plenitud, porque el poeta las engancha idealmente a las esencias, provocando la catálisis misteriosa gracias a la cual el caos se ordena en cosmos. Si es ésta la función que le incumbe al lenguaje del poeta en la economía de lo creado, ningún esfuerzo en la búsqueda de la expresión podrá parecer excesivo. La significación del juvenil noviciado valérysta en la historia de la poesía guilleniana se destaca, sobre el fondo del tejido ideológico de la poética madura de *Cántico*, en su capacidad integral de indispensable adiestramiento técnico al servicio de una vocación personalísima realizada en una «concepción total del mundo». Es en el orden lingüístico, pues, donde se consume preponderantemente la ascesis creadora de Guillén. Parece bien sintomático el hecho de que sus indagaciones de crítica literaria tomen lugar precisamente en este campo; en el libro citado, las introduce un breve prólogo que les confiere una perspectiva unitaria.

La atención del crítico —lo notamos desde el principio— se vuelve no hacia «la poesía, término indefinible», sino hacia el poema (composición poética aun si es brevísimo) concreto, bajo el presupuesto teórico que «poesía es lenguaje». «¿Qué hará el artista», se pregunta el autor, «para convertir las palabras de nuestras conversaciones en un material tan propio y genuino como lo es el hierro o el mármol a su escultor?» (*LP*, 7). Para aquellos que juzgan inefable su vida interior —trátese de la experiencia mística de San Juan de la Cruz o de sueños de un visionario como Bécquer—, la palabra resultará fatalmente insuficiente. Para los otros, al revés —y son la mayoría—, la lengua es un instrumento admirable que ofrece una extensa gama de utilizaciones posibles entre los extremos de máxima aproximación —en el Gonzalo de Berceo medieval— y de máximo alejamiento —en Góngora— en cuanto al nivel prosaico. «¿No sería tal vez más justo aspirar a un "lenguaje de poema", sólo efectivo en

---

[5] *Die Struktur der modernen Lyrik;* trad. ital. Milán, 1959, p. 215.

el ámbito de un contexto, suma de virtudes irreductibles a un especial vocabulario? Como las palabras son mucho más que palabras, y en la breve duración de su sonido cabe el mundo, lenguaje implicará forma y sentido, la amplitud del universo que es y representa la poesía» (p. 8). Es, sin embargo, la actitud del escritor frente a la lengua lo que le preocupa particularmente: no como lingüista o filólogo (aunque sabe asumir y ejercer bien este papel ocasionalmente), ni como el crítico empeñado en descomponer y recomponer, en valorar parcialmente y en conjunto la forma y el contenido, sino esencialmente (aunque no lo declare explícitamente) con el enfoque muy especial del poeta que estudia a los maestros del pasado remoto o reciente con amor, para volver a vivir en sus obras las fases salientes y las etapas alternantes de la lucha entusiasta y extenuante con el demonio que contraría la objetivación de la inspiración. Las opiniones nuevas y certeras acerca de argumentos profusamente tratados que aún siguen ocupando a la crítica profesional, que contienen las páginas guillenianas, representan ante todo un mérito de indiscutible precisión; otro mérito reside en el planteamiento original de sus análisis y en los estímulos excepcionales que las han inspirado.

Uno de los más convincentes y certeros estudios reunidos en *Lenguaje y poesía* —seguramente el más sugeridor por la complicidad entre Guillén crítico y Guillén poeta— es indudablemente el primero: elegantísima caracterización de la personalidad y la obra de Gonzalo de Berceo, sabiamente fundada en las huellas evanescentes del dato lingüístico. Si es verdad que «quien bien comienza, ha llegado a la mitad de la obra», nuestro autor lo comprueba en su crítica literaria, confrontando el objeto de su investigación con resolución al nivel del verso. Su primera aproximación perspicaz le conduce directamente al meollo de un arte aparentemente fácil, universalmente —pero sin precisión de juicio— elogiado con la indulgente altivez que los modernos frecuentemente asumen frente a los primitivos aun geniales; pocas veces indagado tan profundamente como aquí. En realidad, si existe algún modo privilegiado de acercarse a los valores auténticos de los escritos del piadoso clérigo riojano, sólo puede ser el que emprende Guillén desde el principio: el de así llamado «prosaísmo», con frecuencia deplorado por los ingenuos.

La forma intencionadamente humilde, tan apropiada al propósito edificante de una honesta divagación hagiográfica, concede afablemente al lector inteligente y perseverante (según la fenomenología magistralmente teorizada y puesta en práctica por Spitzer) la llave que revela el secreto del poeta antiguo. En términos críticos, don Jorge la sitúa inequívocamente en la categoría psicológica de la «humildad» y en la teológico-estilística, de la «armonía». El nexo entre las dos es tan estrecho que dentro de ciertos límites pueden sustituirse, alternando. El término «humildad», aplicado a escritura medieval, se carga instantáneamente de implicaciones semánticas relativas al estilo, precisadas en el famosísimo estudio auerbachiano sobre el «sermo humilis» [6]. El *corpus* de Berceo constituye precisamente un espécimen vulgar de rara pureza. La «armonía», por otra parte, refleja obviamente, en el doble registro de forma y contenido, el equilibrio interior de quien ha sido reconocido como el ejemplar típico entre cuantos, en la España del siglo XIII, «viviendo a través de la creencia se sentían estar en la religión» [7]. Berceo, humilde frente a los temas «sublimes» de que trata (las vidas de Santo Domingo de Silos, de San Millán de la Cogolla, de Santa Oria; los milagros de la Virgen; la liturgia cristiana, etc.), usa un lenguaje cotidiano y coloquial debido a exigencias de inteligibilidad general; pero éste no se degrada nunca hasta el solecismo plebeyo, permaneciendo siempre al nivel de la dignidad correspondiente a su oficio de humanizar lo sobrenatural, de calar lo trascendente en lo inmanente: lo que obtiene por medio de una sabia simplificación de procedimientos estilísticos, sobriedad intencional en su selección del léxico y de la inmediatez encantadora de las comparaciones. En los versos de Berceo este mundo y el de más allá se mezclan continuamente, intercambiando con frecuencia las respectivas connotaciones lingüísticas en un proceso de fusión que realiza la armonía divina de lo Creado. El poeta somete incluso la métrica a la celebración edificante de éste. Demos gracias a Guillén por haber enunciado escue-

[6] De Auerbach, Guillén cita sólo *Mimesis,* pero seguramente tiene presente también el ensayo fundamental, intitulado «Sermo humilis» (En la ed. ital. en el volumen editado por Feltrinelli, *Lingua letteraria e pubblica nella tarda antichità latina en el Medioevo,* Milán, 1960, pp. 33 y ss.).

[7] Guillén cita aquí a AMÉRICO CASTRO, *La realidad histórica de España,* México, 1954, p. 261.

tamente —en el modo antirretórico de quien no se complace en hacer alarde de sus propios éxitos— la conjetura más inteligente sobre los orígenes de aquel fenómeno único que representa la persistente isometría de los alejandrinos de Berceo en el tumultuoso anisosilabismo de la poesía castellana en sus orígenes. Las violencias infligidas reiteradamente por la escansión a la estructura fonológica de la lengua no son delitos resultantes de los caprichos de un pedante, sino el gravoso rescate que el poeta se ha resignado a pagar (perdiendo la musicalidad) para subordinar objetivamente cada detalle de su obra a aquel principio supremo del orden que, según su concepto, rige todas las cosas.

Veamos ahora, después de resumir el esfuerzo fructífero de Guillén acerca del primer autor conocido de la literatura española, cómo el crítico manifiesta su destreza en el frente opuesto al del *prosaísmo*: el de la ofuscante fantasmagoría gongorina. Empleando los términos más rigurosos, podemos decir que Guillén prefiere contraponer las dos maneras de usar la lengua, distinguiendo entre una «expresión directa» (Berceo) y una «expresión indirecta» (Góngora): he aquí la mejor definición epigramática que se pueda dar del aspecto formal de toda la poesía culterana. El ámbito de operaciones ha sido delimitado esta vez estratégicamente desde el inicio. Las precisiones ulteriores en este campo, difícilmente concebibles sin previa exégesis agudísima de Dámaso Alonso, se presentan con autoridad. Más que cualquier otra, ésta: «Para Góngora, *la poesía, en todo su rigor, es un lenguaje construido como un objeto enigmático.*» Nótese el adjetivo final que califica perfectamente la tendencia extremista de la alusividad gongorina, ofreciendo además la oportunidad de la primera caracterización *ex contrario* del protagonista del ensayo siguiente: San Juan de la Cruz, que se dedica a explicitar el misterio, a comunicar la experiencia mística venciendo la inopia de la palabra. Pero en la frase citada Guillén basa su razonamiento en el participio *construido* para demostrar cómo la sumamente elaborada orquestación sintáctica del discurso gongorino edifica una estructura arquitectónica («nunca poeta alguno ha sido más arquitecto») que tiende a la fijación plástica del movimiento. Las imágenes audaces y las metáforas ingeniosas son los materiales de las estructuras verbales a las que preside la norma de la sugerencia enigmática, donde el poeta se contempla complacido con una especie de narcisismo lingüístico. La invención poética gongorina, tendiendo a la recreación estilizada de la realidad —si no directamente a la creación misma de otra realidad («una realidad mucho más hermosa: Realidad segunda, que se muestra y no se muestra»)— se racionaliza en el cuadro histórico del siglo XVII español como producto exquisito de una evasión solipsista: una de las manifestaciones más significativas del *desengaño*.

Al contacto con dos «ejemplos» tan destacados —de modo opuesto— lingüísticamente, la sensibilidad del crítico ha manifestado una notable vivacidad de reacciones. No es sorprendente que ésta se atenúe cuando procede al análisis de textos menos característicos en cuanto al orden formal. Se advierte cierta baja de tono, menos bríos en la exégesis guilleniana de la obra de San Juan de la Cruz y de Gustavo Adolfo Bécquer, estudiados como «lenguaje insuficiente»: el primero por razones de «lo inefable místico». Es sabido que la expresión mística, fundamental en la biografía del santo, fue su único verdadero impulso hacia la poesía. Luego quiso él mismo proveer una interpretación minuciosa de ella, ofreciendo la auténtica llave alegórica. El valor de las páginas de Guillén consiste esta vez casi enteramente en observaciones finísimas, exactas, comentando textos aislados de los tres poemas famosos: «Noche oscura», «Cántico espiritual», «Llama de amor viva». Desde el punto de vista teórico, en relación con el enfoque general del libro, tiene cierto interés la conciencia crítica que demuestra San Juan de la Cruz en una página del prólogo a «Cántico espiritual»: conciencia de lo excepcional de los problemas que debe confrontar mientras se propone tratar del acontecimiento menos referible entre todos: la unión mística con Dios. Las ideas expresadas por el santo en este respecto no son, naturalmente, muy originales: son más bien un eco pasivo de la concepción medieval de los múltiples sentidos de las Escrituras. El recurso de la interpretación alegórica se debe dar por descontado desde el principio, dado el argumento. Importa señalar, sin embargo, la investigación reflexiva del poeta en lucha con la «resistencia del medio». También vale la pena notar el hecho de que aun en los momentos de más intensa emoción o llenos de imaginación fervorosa se conserva, sin alterar, la presencia simultánea —en autonomía recíproca— de significación expresada y significación aludida; es decir, aun cuando el pathos de la fabulación simbólica llega a tocar el máximo límite (p. e., en las últimas estrofas de «Noche oscura»), los símbolos no traicionan los términos de su función para ser gozados por sí mismos: quedan claramente vinculados a la intención didáctica de la composición. El haber puesto de relieve la presencia constante de esta especie de autodominio raciocinante en un temperamento inclinado a abandonos irracionales como el de San Juan atestigua una vez más la sagacidad de la crítica guilleniana.

Con transición hábil, pasa luego de lo inefable místico a la exploración de lo inefable soñado con que se enfrenta el «soñador visionario» del siglo XIX: en España, Gustavo Adolfo Bécquer ante todo. Las escasas declaraciones de éste sobre la poética se ensamblan en una teoría sintética de la poesía (poesía es para Bécquer antes que composición poética, difusa poeticidad de lo real): «La poesía tiene una existencia objetiva independiente del poeta que la capta» en un estado interior que se revela como sentimiento, o sea, amor. El amor empuja al poeta hacia dos metas supremas: por vía sobrenatural, a Dios; por vía humana, a la mujer. Luego se describe la fenomenología de la inspiración: primero, un estado pre-poético de rapto, una «emoción sin ideas», un estado de sensación muy intensa que fecunda la imaginación o la «conciencia poética», donde tiene lugar la elaboración de contenidos emocionales en formas inteligibles. El problema de la expresión en Bécquer se presenta como investigación de un vector lingüístico capaz de materializar a los fantasmas que el recuerdo desune y la imaginación transforma: la palabra le parece insuficiente; desearía palabras que fueran «suspiros, risas, colores y notas» a la vez. Así, debe ingeniarse para forzar el lenguaje más allá de los límites de su dimensión lógica, pidiéndole valores evocativos. No trata de describir, sino de suscitar resonancias en el alma del lector. Estas son, en esencia, las premisas conceptuales de la escritura poética becqueriana, sumaria y esencial, breve e intensa, leve y esfumada, halo impalpable y cambiante que circunscribe una melancolía atormentadora.

Henos llegados al fin del itinerario crítico guilleniano. Se concluye *Lenguaje y poesía* con el estudio de las huellas de Gabriel Miró y de la generación a la que el autor mismo pertenece. Considera a Miró poeta en prosa, porque «muy bien puede representar en nuestra breve galería el polo opuesto al de los líricos de lo inefable». En efecto, para el estilista alicantino sin igual, toda experiencia interior no es consciente (no puede llamarse experiencia verdadera, por consiguiente) hasta que no haya llegado al nivel de la expresión. Las emociones se concretan y se definen al pronunciarlas. El hombre consigue plena posesión de la realidad, dentro de los límites de lo posible, a través del lenguaje. De un modo instructivo, Guillén nos hace asistir más de una vez al «descubrimiento del mundo a través de forma verbal». En el esfuerzo de restitución sugerida o «insinuada» de la realidad, la experiencia se vuelve creación: una sensibilidad extremamente impresionable recoge fragmentos, colecciona hallazgos que se depuran en el yo sensitivo y se diluyen a través del filtro sutil de la memoria, en el fuego frío de la ironía, para saldarse luego en una «síntesis puramente espiritual» que se cumple definitivamente en la realización expresiva.

Las páginas finales, que evocan con emoción controlada a protagonistas, situaciones y problemas de aquel segundo Siglo de Oro del que Guillén mismo es sumo vértice (no sólo en cuanto a pericia técnica), incluyen una firme reivindicación de la destacada originalidad y plena autonomía de formación y de orientación en cada voz importante de la generación del 27: originalidad y autonomía que desmienten y vuelven vanas todas las agrupaciones superficiales en movimientos supuestos que en realidad no existieron ni al nivel de las poéticas, ni al de las obras concretas. No hubo, pues, un «estilo de grupo». «A la hora de la verdad, frente a la página blanca, cada uno va a revelarse con pluma distinta». En cuanto a la expresión lingüística, la generación ha logrado la conciencia lúcida de absoluta «contextualidad» del lenguaje de la poesía, reconociendo que «sólo es poético el uso, o sea la acción efectiva de la palabra dentro del poema»: ha elaborado de modo cumplido y ha puesto en práctica la noción teórica de «lenguaje de poema».

Al terminar la lectura, la exposición entera parece, *a posteriori,* encaminada hacia este testimonio, centrada e inspirada por un interés primario en la problemática del artista que conviene tener presente al evaluar los resultados. Concluido el examen, la crítica de Jorge Guillén se revela profundamente condicionada y felizmente fecundada de la presencia estimuladora del poeta. Su fruto jugoso es un discurso de vitalidad y agudeza poco comunes, jamás afectado por el gesto de erudición exhibicionista, frecuentemente tan indigesta, de tantos *stakhanovistas* de la historia de la crítica. Un discurso que en el contacto inmediato y asiduo con los textos transcurre límpidamente desde una pericia atentísima, sintomática, presuntiva, hacia una diagnosis siempre bien motivada, racionalmente impecable y que participa humanamente en el hecho poético.

[Original italiano en *Paragone,* 172, aprile 1964]

V

ASPECTOS GENERALES DE LA OBRA

JOSE MANUEL BLECUA

EL TIEMPO EN LA POESIA DE JORGE GUILLEN

Cuenta M. Fernández Almagro que Jorge Guillén pensó alguna vez en titular su libro *Mecánica celeste* (como uno de sus poemas), «desistiendo por un lógico temor a la confusión que el rótulo ocasionase en el ánimo del presunto comprador». Sin embargo, la adopción del título *Cántico,* que mantiene a lo largo de toda su obra poética, es mucho más acertado. Nótese también lo extraordinario que resulta en nuestra literatura ese título dado sucesivamente a tres ediciones de un mismo libro. Pero, ¿podemos considerar como un mismo libro esas tres ediciones distintas, aparecidas sucesivamente en 1928, 1936 y 1945? La segunda edición aumenta en cincuenta poemas la de 1928, ordenando el contenido en cinco grupos distintos. La de 1945 aparece con 145 poemas de diferencia sobre las anteriores, resultando, por lo tanto, un volumen doble, ya que la segunda contenía sólo 125. Ningún poeta español ha permanecido tan fiel a un título, por otra parte, tan significativo. El hecho es notable, y su raíz hay que buscarla en la misma entraña que motiva toda la poesía de Jorge Guillén. *Cántico,* escribía Pedro Salinas, no es «ni canto, ni cantar, ni canción, ni cante, sino precisamente eso, cántico. La palabra lleva infuso un sentido de gracias y alabanzas a la divinidad. La raíz de la poesía de Guillén está precisamente en el entusiasmo ante el mundo y ante la vida... Lo peculiar de la poesía guilleniana es el haber logrado lo que llamaríamos una ordenación poética del entusiasmo».

Para Jorge Guillén el mundo «está bien hecho». De ahí el gozo de andar y ver, de la contemplación de unos grises o de los álamos del río. Guillén establece siempre una dependencia de su poesía con las cosas, y de ahí su entusiasmo:

> ¡Oh perfección: dependo
> Del total más allá.
> Dependo de las cosas!

Los objetos más triviales, sobre los que la mirada se posa ya sin amor, el balcón, los cristales, la mesa, se convierten en

> Maravillas concretas.
> Material jubiloso.

De aquí procede también ese grito angustioso:

> Realidad, realidad, no me abandones
> Para soñar mejor el hondo sueño!

Por eso, a su pregunta *¿Qué es ventura?* responderá él mismo: *Lo que es.* La ventura jubilosa es simplemente *ser, existir,* con sus aledaños *ver, andar, hablar,* etc. Ahora bien; para que algo *sea* debe estar en un lugar y en un tiempo. Nada *es* sin temporalidad, especialmente el poeta. El *Tiempo,* esa exclusiva del hombre, como escribe un filósofo, está muy presente en la poesía de Jorge Guillén. Pero no se trata del tiempo a la manera barroca, nostálgica y ascética. Frente a los poemas de la rosa, ejemplo perfecto de la brevedad de la vida, Guillén opone la suya «tranquilamente futura». No se trata tampoco de una incitación a gozar, como los poetas del *carpe diem,* ni de la nostalgia por el tiempo ido, a lo Villon o Manrique. Se trata de algo más original, que nada debe a la expresión de la temporalidad en la poesía anterior —medieval, barroca o romántica—. Para Guillén el mundo está bien hecho; por lo tanto, debemos gozar de esa perfección, aprendiendo a disfrutar amorosamente la gracia de un mediodía, el júbilo de una mañana de primavera o el beato sillón. Debemos aprender a «ver deslizarse lentamente un río», como dijo con tanta serenidad y elegancia Francisco de Medrano. El goce es muy distinto a los anteriores. En este gozar el poder esencial «lo ejerce la mirada»:

> No pasa
> Nada. Los ojos no ven,
> Saben. El mundo está bien

Hecho. El instante lo exalta
A marea, de tan alta,
De tan alta, sin vaivén.

El Instante (como escribe Guillén más de una vez), que corre a imponer después, nos invita a un goce, a una amorosa pasión por todo lo creado.

¡A largo amor nos alce
Esa pujanza agraz
Del Instante, tan ágil
Que en llegando a su meta
Corre a imponer Después!

Toda la creación se «ahinca en el sagrado Presente perdurable». Ese presente, diariamente eterno y nuevo, presta a la poesía de *Cántico* su raíz jubilosa. Sobre los minutos que van limando las horas, pasando de continuo, el poeta va

Salvando el presente,
Eternidad en vilo.

No resisto la tentación de parangonar un soneto temporal de Góngora con algunas muestras de la poesía guilleniana. Se notará así la profunda diferencia motivadora. Dijo don Luis en un bellísimo soneto:

Menos solicitó veloz saeta
destinada señal, que mordió aguda;
agonal carro por la arena muda
no coronó con más silencio meta,
que presurosa corre, que secreta,
a su fin nuestra edad. A quien lo duda,
fiera que sea de razón desnuda,
cada sol repetido es un cometa.
¿Confiésalo Cartago, y tú lo ignoras?
Peligro corres, Licio, si porfías
en seguir sombras y abrazar engaños.
Mal te perdonarán a ti las horas;
las horas que limando están los días,
los días que royendo están los años.

Góngora se hace portavoz de la angustia barroca ante la brevedad de la vida (¿sueño, sombra de luna?). Presurosa se desliza a su fin nuestra edad, y Licio corre un grave peligro porfiando por seguir sombras y abrazar engaños.

En Guillén, todo lo contrario. Aunque el tiempo «intacto aún, enorme» nos rodea, lo ha conseguido detener «entre dientes y labios». La belleza de lo creado hace demorar el paso de las agujas:

> Hay tanta plenitud en esta hora,
> tranquila entre las palmas de algún hado,
> que el curso del instante se demora
> lentísimo, cortés, enamorado.
> Tanto presente, de verdad, no pasa.
> Feliz el río que pasando queda.
> Circula el tiempo entre agujas
> de relojes.
> Todo se salva en su círculo,
> todo es orbe.

Es decir, aunque el tiempo vuela (según expresión clásica), va salvando las maravillas concretas; incluso las creará de nuevo. Traerá otra vez la luz, el mediodía, el balcón, la fuente o la conversación con los amigos. Cada minuto «siente que seduce una voz a su trabajo»:

> Cada minuto viene tan repleto,
> que su fuerza no pasa,
> y aunque al reloj sujeto,
> no se humilla a su tasa
> justa, no se disuelve en un discreto
> suspiro. Por debajo
> de un más sensible sin cesar Presente,
> cada minuto siente
> que seduce una voz a su trabajo.
> —Dame tu amor, tu lento amor, detente.

La perfección del momento, como gusta de decir Guillén, invita a eternizarlo, gozándolo de nuevo. Por eso lo nostálgico de un recuerdo casi no aparece en *Cántico*. Cántico exalta jubilosamente el momentáneo *Ahora* porque «la memoria es pena». Cuando el recuerdo aparece, contrasta con violencia en la primaveral alegría de *Cántico*:

> ¿Qué fue de aquellos días que cruzaron veloces,
> ay, por el corazón? Infatigable a ciegas,
> es él por fin quien gana. ¡Cuántos últimos goces!
> Oh, tiempo: con tu fuga mi corazón anegas.

Pero Jorge Guillén no se abandona lánguido con sus recuerdos y la nostalgia. El tiempo, aunque pasado, revive de nuevo en la gozosa contemplación de lo presente:

No, no dudo.
No necesito nostalgia
que a favor de algún crepúsculo
desparrame como niebla
la hermosura que yo busco.
Aquellos días de entonces
vagan ahora disueltos
en este esplendor que impulsa
lo más leve hacia lo eterno.

Los muros, cerca del campo, siguen fieles guardando los mismos ocres con reflejos «de tardes enternecidas / En los altos del recuerdo».

Estas breves notas, agudamente nostálgicas, son rarísimas; casi únicas en todo el libro. Cuando los sentidos se recrean en el tranquilo atardecer y la vigilante razón se abandona, surge la gozosa exclamación de haber conquistado un mundo:

Esta luz antigua
de tarde feliz
no puede morir.
¡Ya es mía, ya es mía!

Por esta acumulación de belleza, lo perdido volverá:

Todo lo que perdí
volverá con las aves.

Dentro del exaltado Instante, de ese presente absoluto en su belleza, el mediodía, por lo que tiene de serena luminosidad, hinche gozosamente la poesía de Jorge Guillén. La luz afina su ardor «con un afán fino y cruel». «Todo es cúpula», y los ojos no resisten tanta belleza. De ahí esa claridad interior que percibimos tan nítidamente en *Cántico*. «Más esplendor», se titula un poema de la cuarta parte. Todo el pensamiento de Guillén aparece en el gozoso poema «Las doce en el reloj»:

Dije: ¡Todo ya pleno!
Un álamo vibró.
Las hojas plateadas
sonaron con amor.
Los verdes eran grises,
el amor era sol.
Entonces, mediodía,
un pájaro sumió
su cantar en el viento
con tal adoración,
que se sintió cantada

bajo el viento la flor
crecida entre las mieses
más altas. Era yo,
centro en aquel instante
de tanto alrededor,
quien lo veía todo
completo para un dios.
Dije: Todo completo.
¡Las doce en el reloj!

Relacionado, como es lógico, con esta expresión de la temporalidad aparece el recurso estilístico de la ausencia de tiempos en pasado. He hecho un rápido recuento de los tiempos verbales utilizados en las primeras treinta páginas, y frente a ocho o diez tiempos en pasado y seis futuros, surgen más de noventa en presente de indicativo. Podríamos también relacionar la expresión temporal con la gozosa exclamación, la enumeración de sustantivos sin ningún nexo unitivo, el estilo impresionista, momentáneo, etcétera etc.; pero este estudio debe quedarse para otra ocasión. Hoy solamente hemos querido rendir un pequeño tributo de admiración a esa poesía jubilosa, tan apasionada y encendida, del *Cántico* tercero.

[*Insula,* núm. 26, febrero de 1948]

EUGENIO FRUTOS

EL EXISTENCIALISMO JUBILOSO DE JORGE GUILLEN

PREÁMBULO FILOSÓFICO

Desearía excusarme, ante el posible lector de este ensayo, por interponer entre su goce estético y la clara poesía de Jorge Guillén —palabra justa, imagen luminosa, estrofa dibujadora— una barricada de jerga filosófica que no puede añadir claridad a sus poemas. Pero confío en que se me perdone si explico que mi intento es, inversamente, aclarar la revuelta filosófica de hoy al aire resplandeciente de aquella poesía.

El existencialismo actual, de muy diversas direcciones, es juzgado corrientemente como una doctrina de la desesperación y el miserabilismo, a lo que principalmente ha contribuido Sartre, a pesar de sus protestas en contra. Pretendo demostrar en la poesía guilleniana un caso de existencialismo jubiloso. Pero es necesario revisar, siquiera brevemente, qué se ha entendido por existencia, y de aquí la necesidad de este preámbulo.

Platón y Aristóteles sentaron las bases de la metafísica occidental distinguiendo *esencia* y *existencia.* En ambos la esencia *precede* a la existencia. Pero mientras en Platón esta precedencia es intemporal (las «esencias» son las Ideas), en Aristóteles se liga a la fluencia temporal de la generación y la corrupción. La esencia «hombre» es un universal, un εἶδος, una *species* que, realizada singularmente, da lugar a «los hombres» realmente existentes. La esencia *puede* existir: es un «ser posible». La esencia está determinada a existir: es un «ser en potencia». La «mesa posible» es «mesa en potencia» cuando el artífice se determina a fabricarla eligiendo el material. La forma ordenadora de esa materia encaja en su individualidad un εἶδος por cuya virtud es lo que es: una mesa. Pero no la esencia mesa, sino «esta mesa», es decir, la esencia concretada singularmente, *existiendo*. La *existencia* perfecciona aquí a la esencia, al ser en potencia, como un *acto*. La esencia queda «actualizada», pero no en su universalidad.

¿Pero hemos aclarado con esto qué sea *existir*? En este punto las palabras se ponen a jugar un juego de significaciones cruzadas en el que estamos perdidos todavía. Surgen términos: ser, existir, ente. Nos encontramos con que «ser» se usa frecuentemente como sinónimo de «ente», pero no menos frecuentemente con la significación de «existir». Y, sin embargo, no es lo mismo predicar del «hombre» la entidad que la existencia. El ser posible o el ser en potencia no existen como entes concretos: son seres en cuanto «esencias». ¿Pero existen las esencias? Sí, en Platón; relegándolas a un mundo ideal; pero en Aristóteles, sólo en cuanto se realizan en los singulares. Estamos en el camino de la valoración del existente concreto. La Escolástica mantiene esta valoración. Por ello Maritain ha podido hablar, en este sentido, del «existencialismo» de Santo Tomás[1]. Se puede llegar, con el nominalismo, a desvalorizar las esencias. Se puede considerar, con Berkeley, que en el mundo terreno sólo existe lo que es percibido o puede serlo; o, con Kant, a entender que la existencia no es un predicado real, sino una relación, pues existe sólo aquello que encuadra en nuestra experiencia.

Se puede más. Se puede, con Sartre, llegar a dar la vuelta a la frase, y decir *la existencia precede a la esencia*. Pero con esto realmente la esencia queda negada. Pues la frase significa, referida al hombre, que un hombre existe, y «lo que es» depende de lo que va haciendo conforme va existiendo: «el hombre es lo que se hace.» La esencia de cada hombre queda determinada al final de su vivir. Pero, así, desaparece su universalidad. Mas, como Sartre quiere desenvolver una moral y una filosofía de la revolución, ese solipsismo debe ser superado. Para

---

[1] «El humanismo de Sto. Tomás de Aquino». (En *De Bergson a Sto. Tomás de Aquino*. Ensayos de Metafísica y de Moral. Trad. de Gilberte Moteau de Buedo. Club de Lectores. Buenos Aires, 1946, pp. 227-248.)

lograrlo Sartre recurre a la «condición humana» en su situación preobjetiva y presubjetiva y a la universalidad del proyecto que —según él— puede ser entendido por todos los hombres, de cualquier país y época. Estos supuestos no se desprenden lógicamente de su doctrina, pero son base indispensable de su filosofía práctica.

Ahora bien: la revolución sartriana es simplemente una inversión. Supone, como la afirmación tradicional, una previa interpretación del ente. Se supone que el ente es y existe, y se explica, metafísicamente, de un modo o de otro lo que es. Este problema es el problema del ente, pero no el del ser. El problema del ser se plantea más originariamente, tal y como apunta, antes de la construcción metafísica de Platón y Aristóteles, en los presocráticos. Esta es la posición inicial de Heidegger, mucho más revolucionaria, filosóficamente, que la de Sartre [2].

Para Heidegger existencia no se opone a esencia, ni puede ser concebida como un acto que perfecciona a la potencia. La existencia no puede decirse del ente, en sentido propio, pues *ec-sistir* es «estar puesto fuera de la nada» [3] y «en el despejo del ser» o «a la luz del ser» [4]. Mas de esta manera sólo existe el *Dasein* y la conocida frase de «El ser y el tiempo». *La «esencia» del Dasein yace en la existencia* quiere decir que la realidad concreta del hombre es estar puesto en la iluminación del ser, en la verdad del ser. El ser «se da» al *Dasein* «concediendo su verdad» [5]. Y el *Dasein* da ser al ente, que no está puesto en la iluminación del ser, encuadrándolo en su sistema de útiles o reflexionando teóricamente sobre él. Existencia es, pues, *esencia del Dasein,* pero no de los entes. Ahora bien: el ente sólo se nos descubre en nuestra noción de ser, salvo en la poesía y el arte que llegan al ente mismo en su misterio, por encima o por debajo de su inteligibi-

---

[2] Véase: «Carta sobre el humanismo». Trad. de A. Wagner de Reyna. (En *Realidad,* 7, pp. 1-25; 9, pp. 343-367. Enero-febrero, mayo-junio, 1948. Buenos Aires.) Ver 7, pp. 4-5 y 10-11, especialmente: *Los griegos pensaron en sus tiempos de grandeza sin esos títulos. Ni siquiera llamaron «Filosofía al pensar»* (5), y más adelante: *Es cierto que la Metafísica presenta al ente en su ser, y piensa así el ser del ente. Pero ella no piensa en la diferencia entre ambos* (10).

[3] *¿Qué es Metafísica?* Trad. de X. Zubiri. «El Clavo Ardiendo», Ed. Séneca, México, 1946, p. 4.

[4] *Realidad,* 7, 14-15 y 11: *El estar en el despejo del ser lo llamo yo la existencia del hombre.* La palabra es *Lichtung.*

[5] *Ibidem,* p. 21.

lidad. Para Gabriel Marcel, *mi* SITUACIÓN FUNDAMENTAL, *que es la de* EXISTIR, *es un misterio*[6].

De esta manera, la designación de una filosofía como «existencialista» no es unívoca. ¿En qué sentido puede aplicarse este calificativo al mundo poético de Jorge Guillén?

EL «EXISTENCIALISMO» GUILLENIANO

Ciertamente no podemos hablar de una concepción filosófica o de una exposición teorética existencialista en la poesía. Pero, sin duda, el mundo que el poeta crea nos sitúa en una relación con el mundo en que nos movemos y que los filósofos tratan de explicar, incluyendo nuestra situación en él y nuestra interdependencia. Aquélla, «posición» del poeta, y ésta, «explicación» del filósofo. Pero esta explicación supone una posición, y de la posición poética puede desgajarse una explicación. Son creaciones, pues, interferibles. Y lo que afirmo es que la creación poética de Jorge Guillén revela en su autor, y sitúa al lector, en una posición «existencial», esto es, en el concreto existir de cada uno en relación con un mundo patentizado en la sensación. Una *posición existencial* no significa ningún tipo de «existencialismo» filosófico, y es claro que la elemental especulación de Sartre, la compleja de Heidegger o la intuitiva de Marcel no afectan especialmente, ni en sus detalles ni en su esencia ni en sus conclusiones, a la situación poética que consideramos. Más bien diríamos que la tendencia existencial, que en todas esas filosofías impele al pensar, es la misma que mueve a nuestro poeta. La tendencia quedó bien expresada en una obra de Juan Wahl que se titula *Hacia lo concreto*. Jorge Guillén tiende hacia su concreto existir, hacia el prójimo concreto y hacia los concretos entes, según se le patentizan, actualmente, en la sensación. Véase cómo pueden adecuarse a su poesía unas palabras de caracterización general de los existencialistas que se encuentran al comienzo del citado estudio sobre Marcel de G. Olivieri:

---

[6] G. OLIVIERI, «La filosofía di Gabriel Marcel» (En *Saggi Filosofici*. Inst. di studi filosofici. Sezione di Torino. Milano. Fratelli Bocca, Editori, 1940. (Pp. 137-214.) Para la cita, p. 205.

Los nuevos pensadores, bajo formas diversas, tienden ante todo a «repristinar» el valor de la sensación, dándole una interpretación enteramente nueva y considerando en el hecho del sentir aquel acto por el que nos encontramos inmersos en el universo sentido, y no sólo percibimos en nosotros el objeto del sentir, sino que nos colocamos en su plano y nos ponemos en contacto con él [7].

Este contacto es permanente en toda la poesía de Guillén. Su ser mismo surge del contacto sensible con lo real:

La realidad me inventa,
Soy su leyenda. ¡Salve!

Los objetos que le cercan —con cercanía o lejanía— son su mundo. En la teoría heideggeriana del *mundo-ambiente* (*Umwelt*) lo que rodea al hombre concreto no es sólo lo que especialmente le avecina, sino también —y a veces únicamente— lo lejano que constituye el término de su interés. En este espacio, que el hombre mismo se da, no hay propiamente medidas, sino direcciones y metas. Al despertar, Guillén encuentra *un más allá de veras / misterioso, realísimo*. Pero este más allá está constituido también por los objetos más familiares y cercanos —*el balcón, los cristales, unos libros, la mesa*— esas *maravillas concretas* que *al disponerse en cosas / me limitan, me centran*. La lejanía se inmediatiza; lo inmediato se resuelve en lejanía.

Pero estos objetos concretos y cercanos son un enigma. *Corteses enigmas*, que ahí están:

Irreductibles, pero
Largos, anchos, profundos
Enigmas — en sus masas.

Las cosas, como para Heidegger o para Sartre, son opacidades. Nosotros las salvamos cuando las nombramos; el nominar es un modo de dar ser, de fundar o regalar ser, que el hombre tiene. Ya he intentado mostrarlo sobre la poesía de Salinas [8]. Por el hombre, la cosa se hace inteligible:

¡Qué de objetos! Nombrados
Se allanan a la mente.

---

[7] Estudio citado, 137.
[8] *Insula*, núm. 39. Madrid, 15 marzo 1949.

Son los nombres que quedan cuando las cosas se nos borran en las sombras, en la nada[9].

Nombrar no es, sin embargo, crear. Las cosas existen fuera y sin nosotros:

¡Oh perfección: dependo
Del total más allá,
Dependo de las cosas!
¡Sin mí son y ya están

Proponiendo un volumen
Que ni soñó la mano,
Feliz de resolver
Una sorpresa en acto!

Las cosas tienen actualidad, pero con actualidad ajena:

Y mientras, lo más alto
De un árbol — hoja a hoja
Soleándose, dándose,
Todo actual — me enamora.

Errante en el verdor
Un aroma presiento,
Que me regalará
Su calidad: lo ajeno.

Sólo la creación poética o artística saltará dentro de ese cercado ajeno y podrá arrancar destellos a la oscuridad de las cosas, en la teoría heideggeriana. La verdad ha de ser, así, mostración, desvelamiento[10]:

Y ágil, humildemente,
La materia apercibe
Gracia de Aparición:
Esto es cal, esto es mimbre.

La nominación pura, adánica, es captación directa de lo revelado. Así, lo oscuro se hace luz, maravilla:

Material jubiloso
Convierte en superficie
Manifiesta a sus átomos
Tristes, siempre invisibles.

---

[9] Véase el poema «Los nombres». (*Cántico,* 26.)

[10] La idea de la verdad como rectitud o adecuación es, para Heidegger, una desviación del primitivo sentir griego, que se inicia con Platón. Ver «Da essencia da veritate» (*Rumo,* 2, 255-72, Lisboa, julio de 1946) y *Platons Lehre von der Wahrheit, mit einem Brief über den «Humanismus».* (A. Francke, Berna, 1947.)

El poeta puede contemplar y vivir en medio de la *gozosa / materia en relación,* hasta el punto de ir a su alma a través de las cosas. El extraordinario mundo cotidiano brinda la seguridad de su habitual maravilla.

El poeta es, existe. Los términos se equivalen. Y si aquí hablamos de la poesía de Jorge Guillén como existencial, pudo hablar Amado Alonso de él como «poeta esencial», a raíz de la publicación del primer *Cántico*[11]. La equivalencia es expresa en el poeta:

> Ser, nada más. Y basta.
> Es la absoluta dicha.
> ¡Con la esencia en silencio
> Tanto se identifica!

Desvelamiento de existentes opacos es, así, tanto como penetración en lo esencial. Y las palabras de A. Alonso pueden ser válidas aquí: *No quiere encubrir, descubrir, desvestir el objeto de sus propiedades transitorias —existenciales, diría un fenomenólogo— para sorprender su secreto sentido, su alma escondida —su estructura, su esencia.* Para el fenomenólogo husserliano, que pone la existencia entre paréntesis, lo existencial puede ser considerado como «propiedades transitorias», pero justamente es la existencia lo que, para un heideggeriano, no puede ser propiedad ni ponerse entre paréntesis, porque la esencia del hombre concreto descansa en su existencia. Precisamente, por ir a la esencia es la poesía de Jorge Guillén, como toda poesía auténtica, existencial[12].

Si puede decir: «entre tantos accidentes / las esencias reconozco / profundos hasta la fábula», es porque reconoce en las esencias la realidad existente: «Nada más real que el oro»; porque su afán por las esencias no se sentiría vencido, no se apagaría:

---

[11] El ensayo admirable de A. Alonso ha sido reproducido recientemente por *Insula.* (Núm. 45, 15 de septiembre de 1949.)

[12] Podría anotarse la diferencia entre *ser* y *estar.* Desde el punto de vista de la existencia concreta, *estar* es *más que ser,* en cuanto *se está siendo* de un modo actual. GARCÍA BACCA ha utilizado una expresión de Guillén —«Soy; más: estoy» (*Cántico,* 18)— en un trabajo sobre «Heidegger o el modelo de filosofar existencial». (*Asomante,* IV, 3, pp. 11-32. Para el tema que interesa, pp. 13-18. Julio-septiembre, 1948. San Juan; Puerto Rico). Según GARCÍA BACCA, Heidegger diferencia el *estar* del *ser* gracias al papel concedido a los temples de ánimo o «estados» sentimentales, que tienen la función descubridora de dar «sentido» a los seres. Así, por la *preocupación* o la *angustia* se descubriría que el *ser* del *Dasein* no «está» en su existencia inauténtica lo mismo que en la auténtica.

Si, cuando me duele el mundo,
En el corazón de un pozo
Se me hundiera hasta el abismo
De esa Nada que yo ignoro,

Si los años me tornasen
Crepúsculo de rastrojo,
Si al huir las alegrías
Devolvieran su decoro,

Si los grises de los cerros
Me enfriasen los insomnios
Con sus cenizas de luna
En horizontes de polvo...

En estos casos extremos, siempre: *Heme ante la realidad / cara a cara*. Dura, pues, su pacto con la esencia *a través de los más broncos accidentes*.

Esencia, realidad y existencia se identifican: *Realidad que me satura / si de veras soy*. Hay un descubrimiento. Ser es la suprema ventura y así la plenitud de ser se exalta, descontando su disminución por la enfermedad o por cualquier otro accidente. La enfermedad es el escándalo del ser:

Quiero mi ser, mi ser
Integro. Toda el alma
Se ilumina invocando
Las horas más contadas
... ...
Yo no soy mi dolor.
... ...
Padecer, sumo escándalo.
¿No me envuelve en discordia
Bárbara con su esencia,
Mi destino, mi norma?

Pero la realidad existente es actualidad. El ser aparece, en consecuencia, como ser en acto ahora. Ser es estar realmente presente. El redondo y velocísimo Ahora es la morada natural del ser.

Es sabida la importancia capital que en Kierkegaard y Heidegger tiene el Instante (*Augenblick*), con diferencias, sin embargo, de concepción. Para Heidegger, el Instante no es un ámbito substante donde las cosas aparecen, sino que, ante todo, es la Presencia. La cosa que se muestra y revela, en su enajenación y realidad, pero a la luz del ser en que por esencia se sitúa cada hombre, está presente y, con su presencia, determina un «Ahora». Este

«Ahora» es, por consiguiente, distensible. Podemos hablar de un «Ahora mismo» y, aun, de «nuestra vida entera», o, más, del «mundo presente», abarcando de su principio a su fin, como de un «Ahora». La realidad residenciada en este «Ahora» se existencializa.

Jorge Guillén, en su exaltación del existente real, sabe que «la realidad no espera su futuro / para ser más divina», que la forma más nimia —una hoja— «realzará el instante», que algún hombre «con su minuto sereno» tendrá el paraíso. Así, el instante adensa la totalidad:

Todo está concentrado
Por siglos de raíz
Dentro de este minuto,
Eterno para mí.

La totalidad de la contingencia se hace presente —se ahinca— en el Ahora:

Es la luz del primer
Vergel, y aún fulge aquí,
Ante mi faz, sobre esa
Flor, en ese jardín.

Y con empuje henchido
De afluencias amantes
Se ahinca en el sagrado
Presente perdurable.

De aquí puede surgir un estatismo o un movimiento. En la fijación estática, el Ahora será la perfecta redondez de la esfera parmenidea, será un abstracto «Siempre», una temporalidad destemporalizada en lo Eterno:

Fijo en el recuerdo,
Vi cómo defiendes,
Corazón ausente
Del sol, tiempo eterno.
... ...

De nuevo impacientes,
Los goces de ayer
En labios con sed
Van por Hoy a Siempre.

Todo queda en reposo:

El mundo está bien
Hecho. El instante lo exalta
A marea, de tan alta,
De tan alta, sin vaivén.

O bien:

Yo quieto seré quien vea
Cómo el estío se afila
Dentro de aquella tranquila
Tarde probable de aldea...

Pero ya en este Instante estáticamente vivido, se capta lo dinámico, el movimiento concentrado:

¡Mis pies
Sienten la tierra en una ráfaga
De redondez!

Y tanto se da el presente
Que el pie caminante siente
La integridad del planeta.

Este movimiento, según el Ahora sea vivido, corre o se demora:

En el minuto resuena
—¡Cuánta playa nunca lisa!—
Mucho tiempo: va despacio

Lenta la hora, ya es todo
Breve.

La lentitud va unida a la plenitud del goce. Como águila remontada, lo pleno parece para el vuelo en un ápice de movimiento que consiguiera el reposo:

Hay tanta plenitud en esta hora,
Tranquila entre las palmas de algún hado,
Que el curso del instante se demora
Lentísimo, cortés, enamorado.

Honda acumulación está por dentro
Levantando el nivel de una meseta,
Donde el presente ocupa y fija el centro
De tanta inmensidad así concreta.

En este mediodía, en estas doce del reloj, todo se ve «completo para un dios». Pero, cuando en vez de mirar al ser como perfección realizada, se le siente en su manar, el Ahora se apura en su límite, velocísimo, y en vez de afirmarse como presente, el ser se afirma como futuro:

¡A largo amor nos alce
Esa pujanza agraz
Del Instante, tan ágil
Que en llegando a su meta
Corre a imponer Después!
¡Alerta, alerta, alerta,
Yo seré, yo seré!

Pero, con esto, el Instante salvado en Eternidad, revela su carácter terreno de contingencia. No es la auténtica eternidad: es una ¡eternidad en vilo! :

> Y sobre los instantes
> Que pasan de continuo
> Voy salvando el presente,
> Eternidad en vilo.

Casalduero podrá glosar:

> El presente es una *eternidad en vilo,* es una forma viva, una forma biológica y existencial, que se nutre de la continua corriente del tiempo, por eso aparece la imagen de la sangre y el sentimiento del destino[13].

Mas un sentimiento tan vivo de la contingencia debería engendrar angustia y desesperación. El gozo vivísimo y la felicidad están bloqueados. Esta ha sido la reacción de los llamados existencialistas. No, sin embargo, de igual manera, ya que Marcel, como católico, inserta en su doctrina la esperanza y la fidelidad, y sólo el fallo de aquélla engendra angustia; mientras que en Heidegger y en Sartre la angustia es un ingrediente capital, como lo era en Kierkegaard, si bien diversamente entendida. Para Kierkegaard es la angustia un síncope de la libertad frente a la infinitud de sus posibilidades, vértigo que hace inconcebible la idea de omnipotencia; para Heidegger es el sentimiento ante nuestra insuperable finitud; para Sartre es el sentimiento ante la responsabilidad que nuestra libertad infinita lleva aparejada. La finitud o anonadamiento y la libertad son, pues, las determinantes capitales de la angustia. No podemos decir que Guillén no tenga conciencia de su finitud y libertad. Antes bien, está presente en su experiencia poética hasta el punto de que puede decirse, con la fórmula heideggeriana, que tiene en alto grado el sentimiento de su situación original. Pero este sentimiento es naturalmente admitido, y en tal conformidad queda suelto el ánimo para deleitarse y alegrarse con la belleza de las formas. Guillén vive jubilosamente su

---

[13] JOAQUÍN CASALDUERO: *Jorge Guillén. Cántico.* Cruz del Sur. Colección «Raíz y Estrella». Santiago de Chile, 1946. (Para la cita: p. 104. Interesa, en relación con este estudio, todo lo comprendido bajo la temática «Ser», pp. 103-154.) La temática del ser y del instante ha sido también muy acertadamente tratada por José M. Blecua. Véase: RICARDO GULLÓN y JOSÉ M. BLECUA: *La poesía de Jorge Guillén, Estudios literarios,* II. Zaragoza, 1949. (Para los temas tratados, ver pp. 184-202.)

concreto presente, residiendo en el límite gozoso de «las salas de este jardín», que es la vida. Las cosas están en ella, existenciadas, sin sentimentalidad ni subjetivismo, como en el recinto neto y real de aquel «jardín que fue de Don Pedro»:

> El naranjo y el jazmín
> Con el agua y con el muro
> Funden lo vivo y lo puro:
> Las salas de este jardín.

La finalidad de esta concreta existencia es para que vibre en libertad la majestad del sol *o para entrever la clave / de una eternidad afín.* En su bella glosa de estos versos, Casalduero anota la utilización plena y entera de cada objeto y la vinculación del pacto a una realidad de la que depende, comentando: «La realidad, así, queda aclarada, existencializada» [14]. Y tan concreta y clara existencia —en su isla de ser— es, sin más, una felicidad:

> Hasta margaritas hay
> Distantes, allá en su reino,
> Y algún botón amarillo,
> Feliz de ser tan concreto.

Los mismos títulos de los libros que se integran en la unidad de este *Cántico* dan idea de feliz concreción, espacial o temporal: *Las horas situadas, El pájaro en la mano, Aquí mismo, Pleno ser.*

Una voluntad que se arroja, una actualización de su libertad, no le son tampoco ajenas al poeta:

> Su redondez una gana
> Sin ocasos, y me arrojo
> Con mi avidez hacia el orbe
> ... ...
> Siga
> Mi libertad al arrojo
> Revuelto...

Pero los sentimientos de finitud y libertad no engendran angustia cuando se aceptan como una simple realidad. El hombre se contenta con su finitud, aunque esto parece a primera vista imposible. Los comentaristas cristianos de Heidegger opinan que el hombre no descansará nunca en su contingencia. Y esto es, sin duda, verdad afirmada del

---

[14] CASALDUERO, 135.

hombre en general, pero no impide que excepcionalmente al hombre se acomode.

En Guillén este contentamiento no excluye la experiencia de la angustia, pero la sobrepuja. Es más, la necesita para sobrepasarla:

> Necesito que una angustia
> Posible cerque mis gozos
> Y los mantenga en el día
> Realísimo que yo afronto.

La realidad realísima del día es afrontada queriendo acallar el alma «su potencia de sollozo», pero reconociendo, con ello, esta potencia. La luz del día, al despertar, desvanece la angustia:

> Y se me desvanece con el tardo
> Resto de oscuridad mi angustia; fardo
> Nocturno entre sus sombras bien hundido.

«Libre de ensimismamiento», salvado por el «mundo en resurrección», el poeta exulta. Queda, sin embargo, la amenaza de la muerte, de aquel día en que la luz no le reintegrará en la realidad de las cosas. Guillén sabe de la fugacidad:

> Un resto de crepúsculo resbala,
> Gris de un azul que fue feliz. ¿Ceniza
> Nuestra?

Pero acepta la fugacidad sin quejarse:

> ... A mí que errante junto al agua quiero
> Sentirme así fugaz sin una queja.

Guillén sabe, tan bien como Heidegger, que la muerte es la única posibilidad segura, la que imposibilita todas las demás:

> Ventura, ventura mínima:
> ¿Quién te arrancará del hecho
> Mismo de vivir? ¡Vivir
> Aún — y el morir, tan cierto!

Pero en los muertos ve sólo calma, «calma en bloque»:

> Yacente a solas, no está afligido, no está preso.
> Pacificado al fin entre tierra y más tierra,
> El esqueleto sin angustia, a solas hueso,
> ¡Descanse en paz, sin nosotros, bajo nuestra guerra!

Y la muerte misma es la imposición de una ley natural, con la que es sabio conformarse:

> Alguna vez me angustia una certeza,
> Y ante mí se estremece mi futuro.
> Acechándole está de pronto un muro
> Del arrabal final en que tropieza.
> ... ...
> ... Y un día entre los días el más triste
> Será. Tenderse deberá la mano
> Sin afán. Y acatando el inminente
> Poder, diré sin lágrimas: embiste,
> Justa fatalidad. El muro cano
> Va a imponerme su ley, no su accidente.

Cuantos se han ocupado de la muerte en Guillén han ido a dar en este soneto [15]. Para Casalduero

> desaparecido el sentido religioso, la única actitud posible ante la muerte fue la desesperación romántica o la tristeza resignada del Realismo idealista o el materialismo del Naturalismo positivista, o bien la actitud del Impresionismo, que por cien caminos diferentes —dolor insoportable, indiferencia, arte— sucumbe ante el nervioso pavor que produce el misterio [16].
>
> Frente a esto Guillén vuelve a dar al encuentro con la muerte toda *la dignidad de la obediencia.* Ni mundo antiguo ni cristiano. Como el fruto cae del árbol, así el hombre se separa de la vida; pero no es juego de un capricho loco, sino acción de una norma que todo lo abarca [17].

Para Gullón

> no se trata de ignorar lo amargo del trago y fingir desdeñarlo, sino, y ahí reside lo aristocrático del gesto, de reconociéndole según es, rechazar la posibilidad del grito, las eventuales imprecaciones al destino. Todo cabe en un soneto: esa angustia insinuada y la reacción subsiguiente. Vivir aún y crear. Después, algún día llegará lo inevitable y a su ataque el poeta cederá con estoica grandeza [18].

Las notas más destacadas son: aceptación de la muerte (como en Heidegger), aristocratismo de la posición (existencia auténtica de los menos) y estoicismo.

Estas notas le alejan de la angustiada desesperación

---

[15] CASALDUERO (pp. 106-113) analiza, además, los poemas «Tránsito» y «La cabeza»; GULLÓN (pp. 62-68), los poemas «Como en la noche mortal». «Descanso en el jardín», «Vida urbana» y «Jardín en medio». Pueden agregarse algunos otros, como los versos que aquí cito de «Camposanto».

[16] CASALDUERO, 109.

[17] CASALDUERO, 110.

[18] GULLÓN, 67.

de Kierkegaard o de Unamuno, pero le aproximan a Heidegger y a Sartre. Con Heidegger tiene, además, de común la idea de la muerte propia: «Guillén piensa en la muerte de una manera concreta, en su muerte» [19]. Con ambos coincide en la aceptación gallarda del evento. Heidegger exige para la existencia auténtica vivir *Sub specie mortis*; hacer lo mismo que se haría viviendo inauténticamente, pero a la luz despiadada y desesperada de la muerte. Mas ni un grito de protesta. Sartre quiere que se viva para la libertad, sin más esperanza, en la «desesperación original». La relación de estas posiciones con el estoicismo parece inevitable, aunque el filósofo alemán expresamente la rechaza. No se trata, desde luego, de una concomitancia de doctrina, sino de una analogía de posición, que puede extenderse a las otras morales postalejandrinas, por diferentes que sean sus ideas sobre el bien. En la crisis espiritual y material del helenismo, estoicos y epicúreos representan, por igual, un intento desesperado de salvarse sin asidero. Perdido el dominio de la realidad y sin fe, afrontemos no obstante la vida con gallardía, con ecuanimidad: la *impasibilidad* estoica, la actitud de Epicuro frente a su enfermedad y a su muerte. Esto no es asequible a todos; sólo al *sabio*, al que vive auténticamente. Pero, mientras en los modernos esta posición va acompañada de pesimismo y angustia [20], en los antiguos se colora de severidad, y nuestro poeta se acerca más a esta situación. Cuando el «muro cano» venga a imponer su ley, nada de lágrimas. El «muro» inevitablemente aparecerá [21]. Obediencia estoica [22].

Pero ¿y después? En la alegre limitación a ser ahora

---

[19] CASALDUERO, 110.

[20] Sartre protesta siempre de su optimismo, puesto que es la suya una doctrina de la libertad. Pero, ¿libertad para qué? El miserabilismo de su visión del mundo y del hombre es, por otro lado, patente en sus obras literarias.

[21] La imagen del «muro» anticipa la de Sartre. Casalduero interpreta (pp. 110-111) que este «muro», en Guillén, alude a las tapias del cementerio. Es posible que sea sugerido por ellas, pero su significación creo que se reduce a ser una designación metafísica de la muerte, «arrabal final» de la vida, «muro cano».

[22] Esta obediencia supone la aceptación de una ley necesaria, que para Kierkegaard es invento griego —socrático— y se opone a la libertad absoluta de Dios. (Véase la interpretación de CHESTOV: *Kierkegaard y la fil. existencial*. Trad. de J. Ferrater Mora. Ed. Sudamericana. Buenos Aires, 1947. Ver, por ejemplo, el capítulo «La suspensión de la ética», 59-72.)

no cabe esta pregunta. Nuestro afán de más allá es incuestionable, pero se sacia cuando nos purifica el olvido:

¡Eludir tantos vínculos ajenos
A este ser rodeado del sonido
Que lo clausura en plenitud de gracia,

Y columbrar la perfección al menos
Cuando nos purifica el gran olvido
Y nuestro afán de más allá se sacia!

El elemento aislante y purificador es aquí la música [23]. En otro lugar es el sueño lo que da la imagen de la muerte. En el sueño el poeta asienta su «vivir la nada más clemente» y termina:

Ni esbozo de ultratumba ni descenso
Con fantasmas a cuevas infernales
Donde imperen oráculos de ayer.

Sólo sumirse en el reposo denso
De una noche sin bienes ya ni males,
Y arraigarse en el ser y ser. ¡Ser, ser!

La salvación en el anonadamiento se logra por el renovado enraizamiento en el ser. Guillén ordena las partes de su cántico según el ritmo cósmico del día, de las estaciones y las cosechas, de la vida humana. Cada ocaso es una semilla de aurora, cada semilla corrompida es el origen de una planta nueva. La muerte nos arraiga en el ser cósmico y absoluto ¿Panteísmo? Acaso sea el ser circular y circulante de una concepción panteísta lo que mejor cuadre a la perfección de ser que el poeta concibe. [24] *El río se da y perdura,* escribe en «Verdor es amor». El ser se realiza con plenitud y perfección:

Para el hombre es la hermosura.
Con la luz me perfecciono.

Pero no perfección asequible a todos:

[23] La cita corresponde a un soneto titulado «La amistad y la Música (Chimenea. Discos)». *Cántico,* 219.

[24] BLECUA escribe sobre la ordenación de los poemas en *Cántico*: «La ordenación última de los poemas dentro de cada grupo obedece a un propósito bien definido: cada serie comienza con un poema referente al nacimiento de un nuevo día y termina con otro sobre el anochecer, el amor o el sueño... Esta trayectoria fue señalada ya por Casalduero, aunque no es referida a la pura ordenación material de los poemas, sino a su temática.» (Pág. 153.)

Muros:
Jardín bien gozado
Por los pocos.
¡No hay pecado!

Otra vez el aristocratismo y la ecuación ser igual a bien. El ser pleno y perfecto no puede contener sombra de mal:

Perfección ya natural.
Jardín: el bien sin el mal.

No desconoce, en algún momento, la existencia del mal, que «fatalmente» desordena, pero por este camino difícil, con esta contradicción, también llega «a un emporio de formas», mantiene su pacto con las esencias y lo hace todo «negocio —de afirmación, realidad— inmortal y su alborozo»:

No soy nadie, no soy nada,
Pero soy —con unos hombros
Que resisten y sostienen
Mientras se agrandan los ojos
Admirando cómo el mundo
Se tiende fresco al asombro [25].

El mal es siempre superado en la plenitud y la perfección. «No hay suelo triste», «no, no hay lamento». El universo es una jubilosa realidad «parada en su mediodía», y el poeta, su centro:

Era yo
Centro en aquel momento
De tanto alrededor
Quien todo lo veía
Completo para un dios.
Dije: Todo, completo.
¡Las doce en el reloj!

Es, pues, por esta raigambre última en el ser cósmico por lo que el poeta se siente perdurar en el ser como un permanente ahora, y por lo que su angustia se disuelve en un grito de júbilo:

---

[25] Gloso aquí el poema «Cara a cara», VI, que lleva dos lemas de García Lorca: uno inicial = «Lo demás es lo otro: viento triste, — mientras las hojas huyen en bandadas» = de la «Casida de la mano imposible»; y el otro frente a esta VI parte = «¡Oh, sí! Yo quiero. ¡Amor, amor! Dejadme». ¿No podría ser este poema considerado como la contribución de Guillén a la corona poética de Lorca?

La acumulación triunfal
En la mañana festiva
Hinche de celeste azul
La blancura de la brisa.
... ...
¡Júbilo, júbilo, júbilo!

Quien desee la perduración personal —Unamuno— no se conformará con esto y se angustiará. Pero entonces no se sentirá inventado por la realidad, sino que creerá que él la inventa o la sueña. Ser es, para Guillén, existir actualmente; hombres y cosas se existencializan, pero esta existencia es una vida en presente continuo, que se goza en cada instante. Las sensaciones [26] y su puro actualismo están en la base de esa exaltada y medida alegría.

Una tranquilidad
De afirmación constante
Guía a todos los seres,
Que entre tantos enlaces
Universales, presos
En la jornada eterna,
Bajo el sol quieren ser
Y a su querer se entregan
Fatalmente, dichosos
Con la tierra y el mar
De alzarse al infinito:
Un rayo de sol más.

El entregarse fatalmente —consecuencia natural de un panteísmo— contradice la libertad absoluta del existencialismo subjetivo y angustiado. El de Guillén sería un existencialismo objetivo y jubiloso, y justamente jubiloso por ser objetivo. El poeta canta esa realidad que le fabula y se esfuerza, tercamente, en lograr para su creación poética esa misma perfección que ve en las cosas. El ritmo se le desenlaza del barullo y el creador va a dar a «la claridad de una terraza». Límpido el orden, las palabras se iluminan «en vívido volumen»; se salva en la forma y «hacia una luz sus penas se consumen».

Crear poesía es también un júbilo porque, con la creación, el poeta arraiga en el ser.

---

[26] Para la sensualidad en Guillén, ver Casalduero, 46-51.

[*Cuadernos Hispanoamericanos* (Madrid), número 18, noviembre-diciembre 1950; recogido en *Creación filosófica y creación poética* (Barcelona, Juan Flors, editor, 1958)]

ERNST ROBERT CURTIUS

JORGE GUILLEN

En el período entre las dos guerras mundiales, hubo tres poetas que me incitaron a la traducción: Paul Valéry, T. S. Eliot, Stephen Spender. A muchos años de distancia, el cuarto es ahora Jorge Guillén. No se traduce lo que se quiere, sino lo que se debe. Hay poemas que nos hacen señas de llamada, como una mujer. Pero hay llamadas que se pierden en el vacío. Su eco se extingue, sin haber provocado una respuesta. Anunciaban posibilidades que no cobraron realidad. Jorge Guillén ha hablado de la antítesis entre el existir y el persistir. Hace falta algo más que una mera llamada, para que se tienda un puente. El grito tiene que llegarnos una y otra vez, ir calando en lo hondo, persistir, estimular. Al cabo, súbitamente, saltan los diques. Lo afín corre al encuentro de lo afín, un alma se reconoce en la otra, y se acepta. Sólo así comprendo yo la actividad del traductor. Es la respuesta a las solicitaciones del espíritu creador. Es la forma más válida de la aprobación [1].

Jorge Guillén (nacido en 1893, en Valladolid) ha sido profesor de literatura española en París, Oxford, Sevilla, y finalmente en los Estados Unidos, donde ahora reside. Figuró entre los colaboradores de la *Revista de Occidente,* fundada en 1923 por Ortega. Una meditación en prosa («Aire-Aura», octubre 1923) descubre en los espacios aéreos el principio de la trascendencia: el aire no es humano, el aire es el cielo, e ilustra este deslinde de esferas

---

[1] Este ensayo se publicó como prólogo a una selección de traducciones de los poemas de Guillén, aparecida con el título de *Lobgesang* (Zurich: Arche Verlag, 1952).

con la Ascensión de Cristo. En la *Revista* aparecieron luego poemas, y también la traducción de «Le Cimetière marin» de Valéry (junio 1929). Las poesías fueron reunidas en 1928 bajo el título de *Cántico* (setenta y cinco composiciones); su número fue aumentado en sucesivas ediciones, 1936, 1945, 1950. Esta última edición contiene trescientas treinta y cuatro poesías, y se presenta como «primera edición completa». Guillén es autor de una única obra, que es un único «cántico». En su estado actual, abarca la producción de tres decenios.

Según Aristóteles, toda poesía es en su origen o elogio o censura. También Goethe define la poesía como «el cántico de la humanidad, tan grato a los oídos de Dios». La literatura de los últimos cien años ha cultivado más la censura, en todas sus modalidades, que el elogio. De hecho, bajo el concepto neutro de censura podemos agrupar todas las pruebas de cargo que una veintena o treintena de naturalismos, expresionismos, existencialismos de todos los países y continentes han reunido contra el hombre, la vida, el ser. La suma de estas acusaciones representa el precipitado del nihilismo europeo que Nietzsche diagnosticó: «O elimináis los objetos de vuestros cultos, o a vosotros mismos». La literatura moderna ha cumplido con el mandato histórico de abolir todos los cultos. Veinte años atrás Gottfried Benn estableció el balance: «Después del nihilismo». Era un balance prematuro, pues la «revolución del nihilismo» siguió inmediatamente a este escrito. Desde entonces el problema se ha vuelto a plantear en nuevos términos.

La clasificación de Aristóteles es, naturalmente, algo primitiva. La literatura se resiste, como la vida, a que la sometan a un esquema netamente disyuntivo. Este sólo puede servir para una primera clasificación, y una vez realizada su fin puede darse por cumplido. La literatura del nihilismo (de la «censura») cobra un especial interés cuando entre la negación y la desesperanza florece el «elogio», como las flores del estío entre los escombros de nuestras ciudades. A veces brota la lírica entre campos de ruinas, y hemos visto nacer los lirios del himno en la miseria de los lazaretos, y precisamente en Benn.

Es raro, empero, que una obra poética del siglo XX no sea otra cosa que cántico, como ocurre con la de Jorge Guillén. Todo suena aquí en tono mayor, todo se mece y jubila a la luz del sol. No hay disonancias, ni neurosis, ni «flores del Mal». La creación es espléndida, como en su primer día. Muchos lectores tendrán que empezar por adaptar sus pupilas a esta catarata de luz. Ahí tenemos un mundo sin tragedia, sin amargura, sin acusaciones. ¿Dónde encontrar algo semejante, en la lírica moderna? Stefan George ha adoptado una única vez este tono:

> Hegt den wahn nicht: mehr zu lernen
> Als aus staunen überschwang
> Holden blumen hohen sternen
> Einen sonnigen Lobgesang[2].

George sabía de estas posibilidades, pero su ley íntima le dirigía hacia otros caminos y por éstos debía seguir. Valéry ha entonado un himno a la aurora y ensalzado la matemática belleza de las columnas griegas:

> Nous allons sans les dieux
> À la divinité.

Pero su serpiente apostrofa al sol como a una mácula:

> Soleil, soleil!... Faute éclatante

y extiende esta acusación al reino entero del ser:

> Que l'univers n'est qu'un défaut
> Dans la pureté du Non-Etre.

Es el punto de vista de la serpiente, no lo olvidemos. Pero no es muy distinto el de M. Teste, el héroe intelectual de Valéry.

Con todo ello contrasta flagrantemente la afirmación de la existencia proclamada por Jorge Guillén. En la literatura moderna, es una postura única y singular. «Poesía es ontología», decretó una vez Maurras[3].

Si esta afirmación fuera cierta, la poesía de Guillén podría servir de ejemplo definitivo. Por su suerte, es una poesía independiente de toda filosofía, como lo es de toda moda espiritual. Ni el esencialismo que, agotado ya el existencialismo, se extiende por la orilla izquierda del

---

[2] «No acariciéis la loca ilusión de aprender otra cosa que, en un asombro exaltado, dulces flores, altas estrellas, un Cántico soleado».

[3] Se apoya para decirlo en Boccaccio y mereció la aprobación de Maritain, el cual puede, pues, contar a Boccaccio entre sus antepasados espirituales. Cfr. *Europäische Literatur und lateinisches Mittelalter*, 1954, páginas 233 ss.

Sena, conseguirá alterar esta postura. La poesía de Guillén es expresión substantiva y autónoma. No requiere comentario filosófico, aunque sí podría servir a los filósofos como texto de meditación.

«Más allá» se titula el poema que abre la bien meditada composición del *Cántico.* Su situación es la del despertar matutino. A la irrupción de luz del día que nace, contesta el alma con venturoso asombro. Es la maravilla sentida por el alma y los sentidos de que algo *sea* («que no haya preferido el no ser», como dice Scheler). Esta invasión del ser trae consigo una dichosa seguridad que nada sabe de cuidados y de angustias; es una llamada al alma a que se entone, a que se funda con la sonoridad de mil voces. Su voluntad de ser contesta al ser del mundo. Un jubiloso movimiento asciende, cada vez más alto, atraviesa todos los límites: *más allá.* ¿Puede esta hambre saciarse con una sola vida, un solo tiempo? El alma exige más («La Florida»):

> Yo necesito los tamaños
> Astrales: presencias sin años,
> Montes de eternidad en bruto.

El despertar, por la mañana, al mundo es un tema para el que Guillén encuentra sin cesar nuevas melodías («Vino la mañana», canta Goethe; «gozoso se levanta el joven día...»). Despertar en las muelles tinieblas de la noche... una irrupción, un abismo que se abre, una caída vertiginosa... y en seguida el dichoso vértigo del mundo restaurado. Alma y mundo han restablecido su sintonía:

> Otra vez el ajuste prodigioso.

¡Maravilla de una mecánica anímica de precisión! En la hímnica afirmación del ser no entra nada de caótico, ni embriagueces ni turbulencias. Con matemático rigor parten los rayos

> Que al mediodía ciñen
> De exactitud.

El otoño es

> isla
> De perfil estricto,
> Que pone en olvido
> La onda indecisa.

Guillén proclama su amor a la línea. Esta se sublima en la perfección del círculo, que es a la vez «secreto del cielo», pues en él se hace el círculo bóveda de la esfera. La línea se perfecciona en el espacio; pero no en su infinitud, sino en su palpable redondez, en el volumen, en el espacio lleno. En esta determinación se revela uno de los más originales rasgos del cosmos poético de Guillén:

> ¡Oh concentración prodigiosa!
> Todas las rosas son la rosa,
> Plenaria esencia universal:
> En el adorable volumen
> Todos los deseos se sumen.
> ¡Ahinco del gozo total!

El camino desde el inicial estremecimiento puntual a la imperiosa función de la línea y de ella a la colmadora presencia de la figura espacial es una de las formas en que se manifiesta en Guillén la vivencia del ser. Pero al propio tiempo es símbolo de la consumación del movimiento en virtud del cual la inicial vibración del sentir asciende paso a paso hasta el poema: es el camino «hacia el poema» y «hacia el nombre». Un análisis de esta vía y de este movimiento nos daría la poética de Guillén. Al principio está un latido rítmico, desnudo aún de contenido, privado de expresión; entregándose a él, el poeta se deshace del confuso ensueño. Se le juntan las palabras,

> decididas
> A iluminarse en vívido volumen.

El canto se perfila, la forma se le vuelve «salvavidas»:

> Hacia una luz mis penas se consumen.

El mundo, captado por el ojo, quiere repetirse, corroborarse en la plena palabra poética que lo contiene como posibilidad («forma de este mundo posible en la palabra»), como toda vida urge hacia su extrema realización («Vida extrema»). Vivir el todo, pero también expresar el todo («si del todo vivir, decir del todo»), es la misión del poeta. Vida simplemente vivida no es vida acabada y necesita una metamorfosis que le dé plenitud de forma, de perfiles puros y claros:

> Forma de plenitud precisa y casta.

En este sentido la forma no es otra cosa que el vértice en la curva de una fuerza: «fulgor de su dominio justo». Es un logro final, más allá de lo hermoso y lo feo,

> Por sí se cumple, más allá del gusto.

Reaparece aquí el movimiento ascendente, hacia algo y «más allá». Significa salvamento y cobijo de la luminosa visión. El proceso vital de esta poesía empieza como el latir de un pulso, que es también impulso; se actualiza en una conjunción de palabras («el inicial tesoro de una frase»). La poesía deviene función de deslinde, la extrema flor de la vida:

> ¡Gracia de vida extrema, poesía!

Participa así en un proceso cósmico que se hace accesible al poeta tanto interior como exteriormente. Todo ser tiende a ascender, a subir más alto que sí mismo. La blanca pompa de las nubes sobre el mar parece extinguirse en gris, pero sólo para teñir sus bordes de carmín. Un arbusto se abre a la primavera. Lentamente empieza la flor a colorearse. ¿Sólo se colorea?

> No, no. La flor se impacienta,
> Quiere henchir su nombre: lila.

Como la nube se afirma a sí misma en el carmín, como la flor ajusta su color para ser fiel a su nombre, así también el poeta eleva la realidad de las cosas al darles nombre, como Adán en el Paraíso según la Escritura: «Y dio Adán nombre a todos los ganados, y a todas las aves del cielo, y a todas las bestias del campo». Según antigua creencia, sólo al recibir nombre alcanzan las cosas la plenitud de su esencia. Por el acto de dar nombre a todos los animales, Adán confirma su señorío sobre todas las criaturas. El nombrar lo innominado es oficio y dignidad del poeta, que por ello participa en la creación:

> Ser henchido de ser jamás empieza
> Ni termina. Amor: tú siempre añades.
> Creo en la Creación más evidente.

Una reminiscencia del primer jardín de la Creación alienta en la obra poética de Jorge Guillén:

Es la luz del primer
Vergel, y aun fulge aquí
Ante mi faz, sobre esa
Flor, en este jardín.

Con el renovado vergel de su *Cántico* Jorge Guillén se sitúa en primera fila entre los poetas vivientes.

1951

[*Kritische Essays zur europäischen Literatur*, Bern, A. Francke Verlag, 1954; esta versión española en *Ensayos críticos sobre la literatura europea*, Barcelona, Seix Barral, 1959 y 1972; primera versión española en *Insula*, número 75, enero 1952]

JOSE MARIA VALVERDE

PLENITUD CRITICA DE LA POESIA DE JORGE GUILLEN

> Ἀληθείης εὐκυκλέος ἀτρεμὲς ἦτορ.
> *(El corazón inconmovible de la bien redondeada verdad.)*
> PARMÉNIDES DE ELEA, Περί φύσεως (ed. Diels, v, 29.)

> «Algún día —habla Mairena a sus alumnos— se trocarán los papeles entre los poetas y los filósofos. Los poetas cantarán su asombro por las grandes hazañas metafísicas, por la mayor de todas, muy especialmente, que piensa el ser fuera del tiempo, la esencia separada de la existencia; como si dijéramos, el pez vivo y en seco, y el agua de los ríos como una ilusión de los peces. Y adornarán sus liras con guirnaldas para cantar esos viejos milagros del pensamiento humano. Los filósofos, en cambio, irán poco a poco enlutando sus violas, para pensar, como los poetas, en el *fugit irreparabile tempus.* Y por este declive romántico llegarán a una metafísica existencialista, fundamentada en el tiempo; algo, en verdad, poemático más que filosófico. Porque será el filósofo quien nos hable de angustia, la angustia esencialmente poética del ser junto a la nada, y el poeta quien nos parezca ebrio de los viejos superlativos eleáticos. Y estarán frente a frente poeta y filósofo —nunca hostiles—, trabajando cada uno en lo que el otro deja.»
>
> (ANTONIO MACHADO: *Juan de Mairena. Obras completas.* Méjico, 1940, p. 626.)

En el peligroso pantano de las discusiones sobre el sentido de la cultura española, parece observarse un cierto acuerdo en que no predomina demasiado en ella la especulación abstracta, la pura fruición en las esencias intemporales. Pero debe ser verdad que la excepción confirma la regla, porque este juicio, curiosamente, no deja de hallar casos de escandalosa contradicción, que, pese a todo, ostentan en sí la misteriosa condición de españolidad con tanta evidencia como cualquier otro. Ya es un problema para la razón histórica justificar la españolidad de Suárez, como inventor de la metafísica pura moderna —militante, para más conflicto, en la Compañía de Jesús—; pero aún mayor aporía supone hallar en nuestro siglo, no un filósofo, sino un poeta español cuya obra es precisamente un cántico al «Ser en cuanto tal», a ese Ser mayúsculo, total y último, a cuyo concepto no sabemos si llegó con plena claridad el mismísimo Aristóteles.

Encogiéndonos de hombros ante esta paradoja caracterológica y fisonómica cultural, que no nos incumbe, y ciñéndonos a hablar desde la poesía misma, es claro que la obra de Jorge Guillén, dentro de la historia de la poesía, constituye un caso extraño y extremoso, de singularidad única e irrepetible. A él sí que le cuadraría la calificación de «poeta metafísico», en el sentido más rigurosamente abstracto del adjetivo, bien distinto, por un lado, del sentido peyorativo y mal entendido en que el doctor Johnson lo aplicó a John Donne y demás partícipes en su conceptuosidad, y, por otro lado, del más lírico y vivo en que podría aplicarse a un Wordsworth, a un Unamuno o a un Antonio Machado, así como, en una tercera distinción, del característico de aquel poeta que, con comodona inexactitud, suele bastar como punto de partida y referencia para la poesía guilleniana: Paul Valéry.

Porque no se trata de que haya en Guillén más o menos carga de trascendencia, ni de pensamiento ético, ni de referencia a ultimidades, sino de que su poesía se absorbe en torno a un éxtasis cenital, en la ascensión a la intuición deslumbrante del Ser total, universal. «Asombro de ser: cantar». ¿Cantar? No sé si más bien clamar, insistiendo sobre el asombro gozoso en cuatro, en tres, en dos palabras, hasta el simple nombrar del Ser, hasta el puro «sí, sí, sí —la palabra del mar—», y hasta callar, ardido, extenuado y cegado.

> ¡Asombro!...
> ... ...
> Lo extraordinario: todo.
> ... ...
> ... Ser, nada más. Y basta.
> Es la absoluta dicha.
> ¡Con la esencia en silencio
> Tanto se identifica!
>
> («Más allá», 17.)[1]

[1] Los números indican la página en el cántico *Fe de vida,* Méjico, Litoral, 1945.

(Todo esto, según veremos más adelante, pues tal es la meta del presente trabajo, vale sólo como arranque constitutivo de la poesía de Guillén; andando el tiempo le veremos, en *Fe de vida,* un tanto descabalgado de su primer olimpo absoluto.) Guillén, el poeta más eleático de la historia —casi el único, porque el poeta suele ser heraclitano—, no canta en lucha con el tiempo, en lucha que se hace ella misma objeto temporal, musical, es decir, poema, narrando las vicisitudes del corazón y los irreparables mordiscos de ausencia que mantienen al hombre siendo una desnuda memoria esperanzada. Por el contrario, deteniéndose al margen del fluir temporal, enfoca su mirar especulativamente, hasta que el horizonte se torna

Mental
Para los ojos mentales (68)

Siempre se halla el poeta en medio del gran círculo:

(¿Dónde extraviarse, dónde?
Mi centro es este punto:
Cualquiera...)
(24)

bajo la perfección del pleno ser, la «unanimidad del día».

Es el redondeamiento
Del esplendor: mediodía.
Todo es cúpula. Reposa,
Central sin querer, la rosa,
A un sol en cenit sujeta.
Y tanto se da el presente,
Que el pie caminante siente
La integridad del planeta.
(189)

Es el «redondo Ahora», el «celeste círculo», «la infinitud de un absoluto raso», «lo perennemente absoluto», el momento de «las doce en el reloj»:

Era yo,
Centro en aquel instante
De tanto alrededor,
Quien lo veía todo
Completo para un dios.
Dije: todo, completo.
¡Las doce en el reloj!
(375)

Pero no es que el poeta se encuentre en principio, desde el mismo origen de su cántico, instalado en ese Ser absoluto, para hablarnos de él. Entonces no habría obra poética, porque un poema, de un modo o de otro, supone un transcurso, un desplazamiento desde un punto de partida, hasta descansar en otro estado. Y, como dijo X. Zubiri alguna vez, recordando una frase de Hegel, aunque el ser en general es la primera noción que se adquiere, lo es sólo de manera sobreentendida, pues el ser en cuanto tal, distinto y abstracto, sigue siendo siempre la noción última y más difícil. Así, el proceso de la poesía guilleniana consiste precisamente en el despertar al «bien redondeado corazón de la verdad» (véase la épica del despertar en «Más allá» y «Mundo en claro»), en ascender hasta esa meseta-cima de contemplación y delicia, definitiva y total bajo la cúpula del cielo perfecto. No obstante, Guillén parte, para esta elevación, a pesar de su camino especulativo, de la experiencia vivida, en bloque y en bruto, con su pasión, su calor y su imperfección; o, mejor dicho, ha partido ya cuando empieza a hablar, porque sus poemas suelen arrancar a mitad de camino, dejando atrás, en mera alusión suspensiva, el dato concreto germinal:

> Y el café. ¿La tarde, ahora...?
> (190)

Mas luego su orientación es insólita, al revés de la normal. Porque esa intuición inmediata, viva, inocente, resulta —hablamos desde el punto de vista lingüístico y sin peyorativos ni aún valoraciones— «tratada», casi «disecada», para obtener su esquema, su esqueleto esencial, genérico e intemporal, bajo los rayos X de la inteligencia. Es decir, la poesía de Guillén (al menos, hasta el incipiente y crítico viraje de *Fe de vida*) es el grito de la llegada definitiva al mirador del Ser total, poniendo en limpio el mundo de una vez, clavado en el éxtasis desde ahora, o, mejor, como dicen los argentinos, «desde ya»; porque eso es lo fundamental en esta poesía, el «haber llegado ya a ser», no el mero «ser», difícilmente poetizable, así, a palo seco. Este adverbio «ya» —si no se toma a impertinencia que, empezando por él, apoye mi trabajo en algunos detalles lingüísticos sintomáticos— es palabra clave en Guillén, con un uso peculiarísimo y siempre convergente en sus modalidades.

Véanse unos, muy pocos, ejemplos al azar:

¡Sin mí son, y ya están...! (23). El cielo, de color ya casi abstracto (241). Perfección ya natural (160). Cielo y campo ya idénticos..., son puros ya, su línea (266). Eres ya la fragancia de tu sino (271). El intruso dolor —soy ya quien soy— partió (242). Toro aún y ya noche (283). Sí, tu niñez, ya fábula de fuentes (246). Tan dichoso fui ya que me dormí (212). Celeste, pero ya suave (181). ¡Ya es mía, ya es mía! (29). ¡Ya gloria aquí! (108). Las músicas, ya ruidos —Sin cuerpos ya (33). Exactitud ya tierna (245). Etcétera.

A mi entender, lo decisivo en la función expresiva —en esta poesía— del «ya» es determinar, en sentido definitivo, el valor temporal del verbo. Es evidente que en Guillén domina abrumadoramente el presente de indicativo, con su luz de mediodía. Pero es también obvio que esta forma verbal puede tener un sentido ajeno al tiempo, estrictamente lógico («la suma de los ángulos de un triángulo es igual a...») y otro temporal, de «estar siendo ahora», con muy diversos matices a su vez, que no es caso de enumerar. Naturalmente, tratándose de un poeta, el primer sentido no tiene más que un interés subsidiario; lo que hace falta es determinar cuál de los matices del segundo es el que priva. El «ya» nos lo aclara en este caso; se trata de «haber llegado a ser», de haber accedido, a través de la mirada del poeta, hasta su horizonte y luz definitivos e ideales[2]. Este presente, pues, asume en sí un pretérito perfecto (los pretéritos indefinidos guillenianos no suelen adoptar su posible sentido de pasado sin referencia ni enlace, sino el otro sentido de esta forma, un significado irrevocable, definitivo, también «perfecto», terminado de hacer, con lo que se adhieren asimismo al presente), que, según se vio, se encuentra en la perfección —concepto esencial guilleniano—, no como algo dado en principio, sino como algo logrado de una vez para siempre. Confirma esto la notable escasez y desamparo del pretérito imperfecto (de indicativo, por supuesto; el subjuntivo brilla aquí poco), especialmente en las dos prime-

[2] En otro sentido similar, armonizándose con la función del «ya», encontramos la insistencia en la locución «tan... que...», expresiva de que la plenitud de algo da lugar a otra cosa:

> Tan blanca está esa pared
> Que se redobla mi sed. (160)

> ... Severidad tan plena que se convierte en sueño (195)

ras ediciones de *Cántico,* indicio del cambio de clima que pensamos abordar una vez delimitada la situación primera. Pues el pretérito imperfecto castellano, como es sabido, tiene un papel peculiarísimo, no sólo si se le compara con el pretérito único de las lenguas germánicas y sajonas, sino diferenciándose mucho —a la hora de la poesía, por supuesto, que es lo que ahora interesa—, de los imperfectos de otras lenguas romances, en que la distribución de pretéritos es algo distinta. Por el uso repetido hasta ser tradición, como ocurren tales cosas siempre en el lenguaje, el imperfecto español ha tomado un sentido poético primordial de significar la acción pasada en su transcurso, sin dar su resultado final, a menudo con un vago matiz reiterativo, inserto dentro de la perenne repetición circular de los hechos del vivir humano; en una palabra: el sentido clásico que se halla en el Romancero.

Pues bien; sin garantizar demasiado el escrutinio, no revisado por no creer que una inexactitud de cifra destruya la proporción general, he contado en el primer *Cántico* (*Cruz y Raya,* 1928) un solo pretérito imperfecto (repetido), a saber, en «La Florida», y tampoco usado de manera nada típica: «mi esperanza en acto era el viaje...». En el *Cántico* de 1936 se halla otro más, si bien en función un tanto teórica, como lo indica el mismo título del poema, en «Los tres tiempos»:

> De pronto, la tarde
> Vibró como aquellas
> De entonces—¿te acuerdas?—
> Intimas y grandes.
> Era aquel aroma
> De Mayo y de Junio...
>
> (31)

y otros cinco en el soneto «Profundo espejo», por más que su valor narrativo se aplique a una aventura casi mental y abstracta, y, desde luego, puramente objetiva:

> Entró la vida allí. Se abrió el espejo,
> soñaba la verdad con otra vida...
>
> 209

En cambio, en el cántico «Fe de vida», de 1945, contamos, sin espigar definitivamente, cincuenta y cuatro pretéritos imperfectos, crecimiento inesperado, en razón más que geométrica, frente al incremento aproximadamente aritmético del número de los poemas.

Prescindiendo de las formas concretas, se echa de ver que la poesía guilleniana es, y sobre todo era, extrañamente escasa en verbos [3]. En la primera edición hallamos —caso impresionante— un poema entero de veinte versos sin ningún verbo; el titulado «Niño», puramente definitorio, lógico, ecuacional, en que los «dos puntos», caracterizando esta poesía, tienen el valor de un signo de igualdad matemática:

> Claridad de corriente,
> Círculos de la rosa,
> Enigmas de la nieve:
> Aurora y playa en conchas...
>
> (76)

sin contar otros muchos ejemplos parciales de carencia de verbos, como el principio de «Naturaleza viva», la última estrofa de «Con nieve o sin nieve» o dos estrofas de «Cuna, rosas, balcón».

En general, la frase guilleniana es lacónica como una fórmula científica («De pronto cuatro son uno: / —Victoria, bella unidad») [4]; escasa en artículos y partículas y con cierta rigidez evocadora del estilo telegráfico («Ventura! —Alma tarareada goza de río suyo»). Alguna vez la concisión estrictamente denominativa da al verso aspecto de acotación escénica o de resumen:

> Calles, un jardín,
> césped y sus muertos—.
> Morir, no; vivir.
> ¡Qué urbano lo eterno!
>
> (82)

---

[3] Recién escrito este trabajo, tengo la alegría de encontrar —por la oportuna exhumación hecha por *Insula,* número 48, del artículo, publicado hace veinte años, «Jorge Guillén, poeta esencial»— la confirmación magistral de Amado Alonso, a ese punto de vista de la escasez verbal como síntoma del esencialismo guilleniano. No obstante, y quizá por la sola y exclusiva virtud de los años transcurridos y de la nueva labor de Jorge Guillén, mi idea no se queda ahí, ni, por otra parte, ha arrancado del optimismo fenomenológico que en aquel feliz tiempo podía hallarse a la mano.

[4] Léase «Bosque y bosque»:

> Los sumandos frondosos de la tarde
> —Prolija claridad, uno más uno—
> Son en la suma de la noche ceros. Etc.

Sufriendo, como es inevitable en todo creador, los inconvenientes de sus excelencias, paga el mirar de frente el sol del ser con una insolación ontológica que reseca un poco su lenguaje hacia una angulosidad geométrica o algebraica, sacudida e incendiada por los ramalazos de los signos de exclamación, como espadas flamígeras, los cuales, juntos con los signos de interrogación (casi nunca de valor propiamente de pregunta, sino de contingencia), forman el juego dramático, el monólogo entrecortado que agita esta poesía dentro de su extática inmovilidad:

— feroz, atroz o...! Pasmo.
¿Lo infinito? No. Cesa...
(93)

¿Víspera? ¡Viva, viva!
(83)

Yo no soy mi dolor.
¿Mío? Nunca. No acoge
Mi poder...
... Padecer da saber.
—¿Y qué, si me arrebata...?
(42)

Este sentido abstractivo del lenguaje es visible en el frecuente uso de «lo», que reduce las cosas a sus condiciones generalizables —tomemos algunos ejemplos:

Lo extraordinario: todo (17). De lo tan real, hoy lunes (21). Lo elemental afronta a lo profundo (166). Lo tan soleadamente... (176). Lo anónimo sin capricho. Lo no hablado, de tan dicho (185). Lo inmenso del mar (186). En lo azul, la sal (187). ¡Oh, cenit: lo uno, lo claro, lo intacto! (30). Corroboran lo escueto (105). Lo blanco está sobre lo verde (270). Lo perennemente absoluto (275). Pulsación de lo azul (359). La ordenación de lo inmenso (381). Lo mucho para lo poco (393). Etc., etc.

Y también da lugar a la frecuencia de expresiones la terminología tradicional escolástica: «en acto», «en potencia», «sustancia», «accidente»; así como otras de valor lógico: «todo», «necesario», «natural», «absoluto», y a la aparición de algún verso como éste:

¡Oh, dulce persuasión totalizadora!
(130)

Alguien diría que es una gran poesía escrita en prosa. Pero en último lugar, como consecuencia menos agradable de este sentido general, aparecen en algunos momentos ciertos rechinamientos de la frase, ciertos leves descuidos de la gracia y el garbo natural del fluir del discurso, lo que se advierte en versos tan chocantes como éstos:

> ¡Cunde el día en torno;
> me regala sillas!
>
> (38)

> Hostil al coco, dócil al encanto.
>
> (253)

> ... De pompa rebajada con esmero.
> Una intención cortés flotaba, pero
> preponderaba...
>
> (213)

> Henchidas presidencias necesarias.
>
> (255)

o los títulos «Otoño, pericia»; «Muchas gracias, adiós»; culminando, en violento traumatismo con el hermosísimo verso inmediato, en:

> La forma se me vuelve salvavidas.
> Hacia una luz mis penas se consumen.
>
> (207)

Pero no sigamos por aquí; el gran poeta es consecuente con su unidad aun en su lado de sombra, en la rigidez rectilínea e hiriente de sus sombras bajo una luz blanca sin matizar. En otro momento podría plantearse a fondo un problema histórico más genérico: la disminución de la «gracia» en algunos grandes poetas, y cómo acaso en España —donde la cultura auténtica y genial, la aristocracia del espíritu, ha solido formar una sola pieza con la popular, dejando en medio la cultura aseñoritada y universitaria—, los dos momentos críticos en que la poesía ha tendido más a ser de «clase media» —más culta y técnica, más de escritores para escritores— han sido el barroco avanzado y la generación postjuanramoniana. Y no se invoque, por favor, a Federico García Lorca, porque todavía no está nada claro hasta dónde fue popular su obra; hay mucho superfluo, mucho rodeo, mucho decorado de *folklore,* frente a la lacónica sobriedad y la escueta elegancia del pueblo español, que no es, claro, el chulapo urbanizado. Eso se echa de ver comparando paralelamente romances de García Lorca con romances viejos anónimos todavía vivos en las bocas iletradas. Mas estrangulemos firmemente aquí la digresión, o hará descarrilar todo el trabajo.

> ¿Para quién la plenitud
> en pura aridez, ¡oh!, ardores
> escuetos de lo absoluto,
> que con tal ímpetu enjuto
> quemáis los propios cantores?
>
> («Aridez, 178)

En singular paradoja, el más reciente estadio de la poesía de Guillén representa, tanto su advenimiento a plenitud más viva y jugosa, como, al mismo tiempo, y bajo el mismo respecto, su entrada en crisis por inconsecuencia con sus premisas nativas. El bello mito que, como vimos, encarna su obra: el asentamiento en el mirador del éxtasis ante la redondez plena del ser, es cercado y roído inevitablemente por las agujas implacables del tiempo vivido, que obligan a bajar la mirada desde el plano intelectual de las esencias al más brumoso y huidizo fluir existencial. La primera consecuencia positiva es que se enriquece en registros y cuerdas el instrumento del poeta; gana en colorido —como ocurre en el campo después del mediodía—, en flexibilidad descriptiva e incluso en gracia:

> Nene. Nada sabe,
> Y toda su torpeza se convierte en un guante
>
> (232)

Ahora encontramos desacostumbrados momentos de ternura lírica, casi romántica:

AMOR DORMIDO

> ... Dormías; los brazos me tendiste, y por sorpresa
> Rodeaste mi insomnio. ¿Apartabas así
> La noche desvelada, bajo la luna presa?
> Tu soñar me envolvía; soñado me sentí.
>
> (202)

O de clamor de la memoria:

LOS RECUERDOS

> ¿Qué fue de aquellos días que se cruzaron veloces,
> Ay, por el corazón? Infatigable, a ciegas,
> Es él, por fin, quien gana. ¡Cuántos últimos goces!
> Oh, tiempo: con tu fuga mi corazón anegas.
>
> (198)

alternando la habitual angulosidad de lenguaje (Fe de vida) con una nueva dulzura a veces madrigalesca:

Te quiero como el alba
Quiere al ave;
Como abeja a la malva
Más suave.
Puente seré en la fiesta
De tu río.
Fronda seré en la siesta
De tu estío.

(301)

o con leve regusto un poco finisecular, «anterior» a él mismo, como este bello soneto casi machadiano o aun —¡asombro!— samainiano:

Ya se alargan las tardes; ya se deja,
Despacio, acompañar el sol postrero,
Mientras él, desde el cielo de febrero, etc.

(217)

A veces hallamos una nueva preocupación espiritual: «Tendré que ser mejor; me invade la mañana», o inesperadamente, vemos aparecer temas religiosos, en algún caso acompañados de acierto («Es tu noche, San Juan», etcétera); pero más habitualmente reducidos a términos generales, casi algebraizados, como en «Sábado de Gloria»: «¡Impere el Sí, calle el No! ¡Viva el ser al Ser más fiel!».

También ahora es cuando encontramos, quizá, las más altas cumbres de madurez grave y bien asentada, como el soberbio romance «El aire» o el definitivo «Anillo».

Hay tanta plenitud en esta hora,
Tranquila entre las palmas de algún hado,
Que el curso del instante se demora
Lentísimo, cortés, enamorado.

Honda acumulación está por dentro
Levantando el nivel de una meseta,
Donde el presente ocupa y fija el centro
De tanta inmensidad así concreta.

... ...
¿Dónde están, cuándo ocurren? No hay historia.
Hubo un ardor, que es este ardor. Un día
Solo, profundizando en la memoria,
A su eterno presente se confía.
... ...

¡Es tan central así, tan absoluta
La Tierra, bien sumida en universo,
Sin cesar tan creado! ¡Cuánta fruta
De una sazón en su contorno terso!

El amor está ahí, fiel Infinito.
—No es posible el final— sobre el minuto,
Lanzando de una vez, aerolito
Súbito, la agresión de lo absoluto.
... ...

Irresistible creación redonda
Se esparce universal, como una gana,
Como una simpatía, de onda en onda,
Que se levanta en esperanza humana...

Aunque ya se muestra acechado por un nuevo sentir del tiempo y su dolorosidad:

¡Increíble absoluto en esa mina
Que halla el amor —buscándose a lo largo
De un tiempo en marcha siempre hacia su ruina—
A la cabeza del vivir amargo!

aun conservándose la idea fatal y necesaria de la plenificación de la vida y la mirada

(Y se me impone placenteramente
Mi fatal respirar...)

ya es sentida de otro modo su ascensión a este punto de mira, rebajándose un grado el carácter absoluto de su situarse, como lo vemos en «Atalaya»:

A los años oteo
Por vivir y vividos. ¡Qué bien bogan los goces,
Invencibles! Lo feo
Va con lo hermoso arriba, sobre nubes veloces,
Entre cielo y deseo.

No es que algún dios me escoja,
Me dé tu amor y el aire. Es que una matutina
Frescura me encamina,
Me eleva a una atalaya lejos, en la colina,
Donde amor no es congoja.

Y, por fin, vemos a la poesía de Guillén enfrentarse y tropezar con el dolor y la muerte, que antes quedaban a trasmano, olvidados allá fuera. No ha habido remedio, y el dolor ha salido al paso de esta poesía, que lo ha recibido insumisa, rebelde, incomprensiva:

> Quiero mi ser, mi ser
> Integro.
> Yo no soy mi dolor.
> ¿Mío? Nunca. No acoge
> Mi poder. Anulado,
> Me pierdo en el desorden...
> —Padecer da saber.
> ...¿Y qué, si me arrebata?, etc...
>
> Padecer, sumo escándalo,
> ¿No me envuelve en discordia
> Bárbara con mi esencia,
> Mi destino, mi norma...?
>
> (44)

O como antes citamos: «El intruso dolor —soy ya quien soy— partió». En su concepción parmenídica («lo que es, es; lo que no es, no es»), el dolor, naturalmente, resulta absurdo, contradictorio; no es («yo no soy mi dolor»), no pertenece al ser, sino a la ilusión, al camino de la apariencia.

Ante la muerte, esta poesía se ha situado de modos distintos, según se tratase de la muerte en general, y en los demás («Losa vertical —nombres de los otros») (82), donde hallamos hermosos y graves versos:

> Los muertos están más muertos
> Cada noche.
>
> (57)

> Los muertos más profundos,
> Aire en el aire, van.
>
> (167)

o cuando se trata del presentimiento de la muerte propia, serenamente afrontada:

> Tan oscuro me acepto,
> Que no es triste la idea
> De «un día no seré».
> Esta noche es aquélla.
>
> (81)

y, en fin, cuando realmente ha comido de ausencia medio lado, medio ser del poeta, que queda sin la compañía con que su vida se hizo del todo vida. Entonces se levanta también dolorosamente, sin comprender, sin resignarse. El recuerdo no le consuela, sino le exaspera:

Sufro. La memoria es pena.
A veces —¿por qué, memoria,
Te apiadas?—, en una tregua,
Vuelve al corazón el gozo
De aquellas tardes más lentas.

Por ventura, alguna imagen
Da serenidad. Y mientras
Dulcemente se remonta,
Se me escapa. Ya es leyenda.
... ...
Basta ya.
¿Para qué tanto
Soliloquio? Siempre a ciegas.
Corrompe tanto soñar.
Vivir es gracia concreta.
Su imagen, no. ¡Su persona,
Su persona! Me avergüenza,
A rastras de mi ilusión,
Este escándalo de niebla.
... ...
¡Quién las mereciera!
¡Quién mereciera su amor,
Volumen, forma, presencia!

(344-7)

Finalmente (en «Cara a cara»), el poeta se enfrenta con el mal universal, con el dolor mundial, que le sitia, mugiendo como un océano en torno al faro:

Las farsas, las violencias,
Las políticas, los morros
Húmedos del animal
Cínicamente velloso...

(386)

Y entonces se repliega, se retira tercamente a su sagrado invencible; vuelve a levantar sus tiendas, ahora ya no en la confianza, ebria de luz, del éxtasis del mediodía, sino en la intimidad crepuscular del rincón inexcusable de cada hombre:

... Yo me compongo
Para mi soberanía
La paz de un islote propio.

¿Quién podría arrebatame
Tal libertad? No hay estorbo
Que, al fin, me anule este goce
Del más salvado tesoro.

(388)

¡Que se quiebre en disonancias
El azar! Creo en un coro
Más sutil, en esa música
Tácita bajo el embrollo:
... ...

Entre tantos accidentes,
Las esencias reconozco
Profundas hasta su fábula.
Nada más real que el oro.
... ...

¿Marfil? Cristal. A ningún
Rico refugio me acojo.
Mi defensa es el cristal
De una ventana que adoro.

(391)

La poesía de Guillén ha ganado así en trascendencia y viveza, no siendo sorda a las instancias del triste vivir, a lo que nuestro ser tiene de no ser —adiós eleatismo, adiós paraíso terrenal—, haciéndose, aunque insumisamente, convicta del pecado original. Ya ha empezado a sentir cómo su presunto mirar eidético, esencial, se desdobla en lo visto y lo creído:

Vista y fe son a la vez
Quienes te ven, sencillez
Ultima del universo.

(189)

Pero no sé si con todo ello se ha puesto en peligro ineludible de atentar contra su propia naturaleza, contra el «bien redondeado corazón» de su poesía. La hermosa ilusión y el éxtasis se han enfriado; el dolor y la imperfección cercan al poeta; algo falta («¿para quién la plenitud...?»), y, sin embargo, Dios —en esta esfera autosuficiente— encuentra sólo muy lentamente su mayúscula, su lugar. ¿Qué hará, de hoy más, esta poesía, inducida a la tentación de ser lo que no es, herida en su médula olímpica al resquebrajarse el hermoso mito en que consiste? ¿Puede apearse de la especulación, leer los periódicos, entrar en las casas, si toda ella era un cristal de palabra que hacía del mundo la materia de su asunción, la ocasión de su hondo sueño?

Este cristal, a fuer
De fiel, me trasparenta
La vida cual si fuera
Su ideal a la vez.

(69)

¿Se quedará replegada en sí, como dentro de una mágica pompa de jabón, aislándose con el mismo material que la revela, y cuando hable de la plenitud

(Alrededor de un hombre que camina
Confiado, seguro,
La realidad no espera a su futuro
Para ser más divina.)

será para decir inmediatamente, como del lector protagonista de este poema, «Lectura»?:

¡Paseante por campo que él se labra,
Paseante en su centro,
Con amor avanzando ya por dentro
De un todo que es Palabra!

[Publicado primero en *Clavileño*, núm. 4, 1951, incluido luego en *Estudios sobre la palabra poética*, Madrid, Ediciones Rialp, S. A., 1952]

JEAN CASSOU

LA LIRICA ONTOLOGICA DE JORGE GUILLEN

¡Amor! Ni tú ni yo,
Nosotros, y por él
Todas las maravillas
En que el ser llega a ser.

(«Salvación de la primavera» III)

En las *Coplas* de Jorge Manrique que son, con el *Testamento* de Villón, el canto fúnebre más bello del siglo XV —si no de todos los siglos—, el moribundo acaba por declarar bien perceptiblemente:

consiento en mi morir
con voluntad placentera

Es decir, de buena gana, con ánimo, con toda su buena voluntad —y subraya esta voluntad, modificándola con «clara, pura y placentera». No ha sido sin intención profunda y significativa que Jorge Guillén ha inscrito este antiguo verso entre los epígrafes de su *Cántico*, aplicándolo, sin embargo, no al morir, sino al vivir. Todo el pensamiento español, no sólo desde el siglo XV, sino desde su primera expresión: el estoicismo (Séneca era cordobés) es una exaltación de la voluntad. Y la voluntad logra su rigor más alto y generoso en el consentimiento. Aceptación del dolor, del infortunio, de la muerte, pero también de la alegría y de la vida. Nos encontramos aquí en presencia de un heroísmo, mejor dicho, del heroísmo supremo: una sabiduría.

Las afirmaciones y el desenvolvimiento de esta sabiduría abundan en el transcurso entero del pensamiento español. Cojamos de paso el siguiente cuarteto sublime de un soneto gongorino que acredita la esperanza:

Cuantos forjare más hierros el hado
a mi esperanza, tantos oprimido
arrastraré cantando, y su rüido
instrumento a mi voz será acordado.

Con este ruido de cadenas forjadas por el destino el formidable ingenio de estos poetas compone una *armonía.*

Jorge Guillén ha empezado a escribir *Cántico* en Trégastel, Bretaña, en 1919, y lo terminó en Wellesley, Massachusetts, en 1950. Entre estas dos fechas se han sucedido las ediciones de este solo y único libro de poesía: cada una más voluminosa, más claramente compuesta y estructurada, hasta llegar a la cuarta, que se dice «primera edición completa», publicada en Buenos Aires en 1950. Un libro solo y único de poesía: de toda una poesía, toda una vida, todo un destino. Es sabido que la obra de un poeta —aun tan prolífico como Víctor Hugo— es una poesía y un destino, y que se podría considerarla como un solo libro. Esta verdad reluce más vivamente cuando es contenida de hecho y materialmente en un solo volumen elaborado de año en año con una paciencia y una perseverancia de atención que no se han dejado distraer jamás por ninguna tentación de las circunstancias, ningún capricho, ninguna facilidad de talento. No basta considerar hoy a Jorge Guillén como uno de los tres o cuatro poetas más ilustres de los dos continentes: al realizar una ambición tan severa, ha dado cuerpo a esta gloria con pruebas manifiestas. Ha conferido el sentido más ejemplar y más fehaciente a la palabra «obra maestra». La aparición de la suya ha sido un acontecimiento que permanecerá capital en la historia de las letras humanas.

Para medir bien su alcance hay que situarse en el centro de una voluntad igualmente céntrica que persigue imperturbablemente su propósito a través de todas las peripecias. Esta voluntad es. Siendo, percibe sólo lo que es, exalta sólo lo que es, se deja exaltar sólo por lo que es. Se ha observado que no conoce otro tiempo que el presente de indicativo. Es porque no quiere otra cosa. Pero esto, lo quiere en toda su plenitud. En todo su esplendor y toda su sencillez a la vez.

Se podría preguntar *cómo ocurre esto.* Porque siempre ocurre algo, lo cual, por consiguiente, procede de la articulación, del mecanismo de otros tiempos y de otras modas. Nos reconocimos sumisos al tiempo así como a los tiempos, las modas y los accidentes. Y nos parece que una poesía que se identifica con la voluntad debe ejercer su energía sólo en función de contradicciones. Nos parece que tal poesía debe ir de un punto a otro, de un instante a otro: lograr un movimiento. Se nos invita a situarnos en el centro de lo inmóvil, como un árbol que crece por dilatación imperceptible, como un barco que en su estabilidad acoge las fluctuaciones del mar. Pero nosotros sabemos que estas fluctuaciones existen. Que existen travesaños y travesía.

El milagro estriba en el hecho de que este presente de indicativo sempiterno no implica ninguna monotonía inhumana. Nosotros, criaturas temporales, circunstanciales y móviles, no nos sentimos extraños a esta poesía paradójica. Todas nuestras condiciones cambiantes —es decir, trágicas— se encuentran allá. Pero bajo una forma imaginaria. Si esta poesía no es extraña al hombre, tampoco le es extraño el hombre: se preocupa de todos los esfuerzos propios de su naturaleza, de sus condiciones de tiempo y de espacio. Pero repetimos: bajo una forma imaginaria, o sea, específicamente poética. Bajo las prestigiosas apariencias de un presente perpetrado obstinadamente, en el tenor de una nota tenue, de un punto de órgano enorme, se sitúa en hipótesis de lo que no podemos olvidar: nuestra dialéctica. De aquí el incesante ir y venir, al interior de la lírica de Guillén, de las reacciones a ciertas posibilidades previsibles, conflictos, sobresaltos, incidentes, paréntesis, exclamaciones, interrogaciones y respuestas; una modulación, un ritmo, un drama.

Este drama lleva como desenlace —no como un desarrollo o una aventura, sino en el cuerpo mismo del libro monumental, en este *corpus*, este *opus*, este *cántico*— la inminente victoria del presente. Todo, incluso las variaciones, converge hacia ella. Estas, es verdad, atestiguan una conciencia que percibe lúcidamente obstáculos y oposiciones, la usura, la muerte, lo oscuro, la noche, el desorden, la interrupción, el grito. Todo esto está allá. Pero como sombras para una pintura gigantesca del sol. Todo esto se niega. O, alguna vez, se conquista y se apropia: lo cual es otro modo de negar. Con más frecuencia, sin embargo, se niega perentoriamente. Es conocido el papel de la negación en cierta gramática poética maravillosamente usada por Góngora y Mallarmé. Y aún se debería distinguir entre los modos de usarla en estos dos poetas. Limitándonos a Mallarmé, sabemos que su uso va en el sentido expreso de la negación, que su empleo latino de pronombres y de adjetivos indefinidos negativos por indefinidos positivos tiende a una negación idealista: pequeña maña que permitía a la expresión toda la ambigüedad de equívoco. En Guillén, al revés, la negación es siempre la señal de que se concluye una deliberación por la elección de una afirmación luminosa.

Lo más frecuente es, sin embargo, que las variaciones se sitúen, en Guillén, en el dominio mismo de la afirmación a fin de introducir una gradación en ella; así, se afirma con mayor fuerza y se traspasa. Se ha hablado mucho del punto en el que la cantidad se transforma en calidad. Con Guillén llegamos a un punto no donde la calidad se transformaría en cantidad, sino donde, sin dejar de ser calidad, apela a los recursos de la cantidad para aumentar su calidad, como si las substancias que se han vuelto esencias, o las esencias puras, pudiesen llegar a más. Como si el día, abril, la onda, la verdad, la presencia, el ser pudiesen ser concebidos como susceptibles en sí mismos del juego de los comparativos y los superlativos. El poeta llega a este exceso paradójico a través de un insistente, exasperado efecto de conciencia y de amor.

Allá se reconoce hombre. Los juegos conceptuales de la metafísica parecen deber sobrepasar al hombre, llevándole a esferas donde ya no se entiende a sí mismo. Pero si lleva allí el arma más preciosa: el fervor, se reconoce incluso allá. Su fervor dice: más. ¡Siempre más! Así como: ¡más calorías!, puede decir: ¡más estío!. Así como: ¡más dinero!, o ¡más poder!, su fervor puede decir: ¡más absoluto!, un absoluto inconcebible, capaz de concebirse y de elevarse más allá de sí mismo. Y puede, sobre todo, pedir más presencia, darse cuenta más clara aún de su presencia en el mundo: todo esto por medio del mundo, con la ayuda de paisajes, estaciones, objetos, momentos, de actos en este mundo, y particularmente a través de los momentos y actos más terrestres y humanos de este mundo: los del amor. Así, la metafísica de Guillén se inscribe en la más admirable suntuosidad carnal, toda rubios y curvas, que el afán humano haya pintado desde Rubens y Ticiano.

Toda la poesía española se sitúa bajo el signo de Góngora. No se trata aquí de establecer filiaciones mecánicas que satisfacen los manuales de historia literaria. Queremos sencillamente observar que un estudio del *espíritu* de la poesía gongorina ayudaría a comprender el carácter específico de toda la poesía española, empezando por la de Guillén.

Dos rasgos esenciales se destacan en la poesía de Góngora. Primero, su materialidad. Es una poesía concreta y natural que se complace en las cosas, en la substancia de las cosas, su origen, su uso, su técnica, su industria. Está llena de rusticidad, de sustento y de orfebrería. Como la de Guillén, no aspira a trascendencia: reside enteramente en un presente manifiesto, de bulto.

En segundo lugar, es ingeniosa. En el marco de este presente se mueve y se ordena en combinaciones geométricas. Es lo que se ha llamado conceptismo o preciosidad y que fue tratado, por profesores y por críticos —sobre todo en Francia— con desdén. En realidad, es un ejercicio esencial del espíritu que, al encontrarse en presencia de formas, de cualidades y de apariencias, las distingue, las analiza, las compara, las ajusta; estableciendo entre ellas intercambios, desigualdades, ecuaciones u otras relaciones, saca de ellas el máximo permitido por nuestro conocimiento o exigido implacablemente por nuestra curiosidad. Compone con ellas una comedia encantadora para el intelecto. Guillén es por cierto un poeta exquisito. ¿Pero qué poeta español no lo es?

Esto no quiere decir que no sea sencillo. La meta de su obra es la evidencia y las cosas evidentes. A tal meta corresponde la sencillez, es decir, una renovación extraordinaria del lenguaje por el milagro de lo natural y de lo ingenuo, por la exactitud de la expresión, por la riqueza bien hallada del vocabulario —del vocabulario más puro y más desnudo—, por una especie de fluir y de yuxtaposición que se desnuda constantemente de todo intento de efectismo o de ornamentación, imponiendo su cristalina necesidad. El tema es un inventario de proposiciones. Se trata del despertar al alba, del acceso a la música, a la primavera, al mediodía, de la reintegración al mundo; de luz, alegría, delicia, vida. La más compleja ciencia poética no lograría desviarnos de tal objeto para exhibirse funestamente; al contrario, se absorbe en su objeto y no contribuye a otra cosa que a hacer resaltar más el valor de la simplicidad perfecta, irrefutable, adorable.

Los títulos de las partes que constituyen *Cántico* señalan clara y sabrosamente su significación: «Al aire de tu vuelo» (tomado de San Juan de la Cruz), «Las horas situadas» (Fray Luis de León), «El pájaro en la mano», «Pleno ser». Estas cinco partes —y en cada una de ellas, subdivisiones— así como la agrupación total de los poemas se organizan de manera que el libro resulte lo que es: una suma. Igual conciencia estructural se destaca en las formas adoptadas y en su adaptación al sentido y al ambiente de cada poema. La variedad métrica de Guillén es asombrosa. A veces usa verso libre, pero con más frecuencia, formas tradicionales de la poesía española: romance, seguidilla, villancico, soneto, insinuando en cada una de ellas la rápida fluidez de su inspiración, pero imprimiéndoles a la vez su propio sello con sus ritmos: versos trisílabos o dísticos de un verso breve, otro largo; movimiento cuya suavidad delicada y fluida caracteriza la elegancia particular de su ingenio y se parece al movimiento mismo de su fina escritura floral. Probablemente en todo este arte que sigue el movimiento de la mano —dando por supuesto que esta mano es ágil, sutil y de raza noble—, en este arte lineal, melódico, este modo de decir lo que es, contentándose con ello, sin añadir nada más; en este estilo que llega a ser estilo por su gracia, se podría sorprender cierta nostalgia del clasicismo popular a la Lope —si no del neoclasicismo académico a la Meléndez Valdés. Sin duda se ha observado una nostalgia parecida en Valéry —con quien a veces se ha comparado a Guillén, que mantuvo una relación amistosa con él; quiero decir, cierto recuerdo de Malherbe, de Racine, de La Fontaine— incluso, según añadían las malas lenguas, de Lefranc, de Pompignan. Pero es natural que un poeta francés, ejerciendo una poesía que a pesar de su diversidad y de su incesante poder creador sigue una línea y una tradición, permita descubrir en él estas afinidades históricas emocionantes o divertidas. En un poeta español no puede ser lo mismo a causa del carácter de ruptura y de individualismo acentuado en todo poeta de este pueblo. Se parecen y se atraen en el espíritu más bien que en su manera o sus mañas. Como hemos dicho, cierto espíritu gongorino, del que comulgan y que puede, si llegamos a compenetrarnos con él, ayudarnos a compenetrarnos con todos ellos. Del mismo modo, si encuentro cierta polaridad del arte guilleniano hacia ciertos poetas clásicos españoles, no hay que ver en ello nada de estas reminiscencias formales que se pueden estudiar metódicamente, sino una actitud espiritual común, un *tempo* igual, un mismo timbre de voz, una misma atención del ojo: cosas que se reducen al ambiente de un país y al temperamento de sus habitantes y que esquivan el análisis, dejándose percibir sólo por la intuición.

Por esta razón, la lírica tan original, tan personal, tan irreductible de Jorge Guillén sólo puede ser situada en España y en relación con las corrientes líricas españolas, pero sin que se pueda hablar de influencias. Tal relación no tiene nada que ver con la historia. Sólo, diríamos, con la geografía. Dentro de los límites geográficos —y en el tiempo sin límites— reconocemos en todos estos poetas una cierta serenidad robusta, desenvuelta y directa, y algo como un mismo modo de ser en el mundo, un contacto igual con el mundo que vuelve a aparecer en el contacto con los elementos del arte poético y en el uso de los nombres y de las palabras en que se complacen.

En acuerdo con el espíritu permanente de España, la poesía de Jorge Guillén se opone, al contrario, al movimiento general de nuestra época. Seguramente toda obra que vale va contra la corriente. Pero ésta muy particularmente. Nuestra época se caracteriza expresamente por el gusto de la indeterminación. Indeterminación en todos los sectores, tanto el de los sexos como el de los sentimientos o de las ideas; poesía invertebrada e inexpresiva, formas informes, denigración o atomización de la persona, conciencia de ser que se alimenta sólo de su propio no-ser: disponibilidad, doble juego, rechazo de la convicción. Y si —ya que nuestra época es una época de totalitarismo— se manifiesta la convicción —¡y con qué brutalidad!—, no surge de la conciencia, sino que le es impuesta desde el exterior. En resumidas cuentas, la conciencia es abolida constantemente; por consiguiente, es abolida también toda posibilidad de imaginación, de creación, de acción: de ser. ¿Qué busca en esta decadencia universal una lírica del ser?

Puede ser que la indeterminación tenga sus misterios y sus encantos. La determinación tiene los suyos también, con poder diferente. Una poesía como la de Guillén no suprime de ninguna manera el misterio: lo coloca donde está, es decir, en lo que es. Mezclada a esta música deslumbrante de aire libre a mediodía, a esta presencia de aire, de diamante y de agua, se destaca la magia inefable que una vez se ha definido como el *je ne sais quoi* y que sigue siendo el fin esencial de toda energía vital. Porque existe un júbilo por alcanzar: hacia él se esfuerza todo ritmo, él mismo extático (para usar la bien hallada expresión de un hispanista al hablar de otro gran poeta español contemporáneo, Juan Ramón Jiménez [1]). Pero al *je ne sais quoi* de nuestra civilización, la época actual ha sustituido el *n'importe quoi,* conclusión fatal de la veleidad y del aborrecimiento.

Y sin embargo un arte grande, una obra maestra genial pueden parecer representativos de su tiempo no sólo por oposición. Pueden unirse a él bajo sus apariencias. Porque aquello a lo que parecen oponerse a la primera vista son las apariencias, las modas: lo inmediatamente causado por los acontecimientos, sean éstos importantes o no. Se debe reconocer que los recientes lo han sido a tal punto que parecían casi apocalípticos. No hay apocalipsis, sin embargo, no hay catástrofes totales, aun si son engendradas por un totalitarismo. Las aniquilaciones más vastas y ambiciosas pueden poner de moda la nada pero no sabrán producirla. Bajo el triunfo superficial y pasajero de las fuerzas del mal se elevará siempre una voz para cantar la vida, y un día habrá que reconocer que fue ella la que ha expresado su tiempo. Basta con que su canto haya sido sublime.

Si intentamos, desembarazándonos de una visión demasiado inmediata, actual, obsesionante y como miope de la época en que nos ha tocado vivir, discernir unos caracteres más profundos —y por consiguiente más tranquilizadores— en cuanto a la corriente de la vida que la atraviesa, vinculándola a un pasado fructífero y a un porvenir que debería serlo, distinguiremos convergencias entre el pensamiento poético de Guillén y ciertos rasgos del pensamiento de nuestro tiempo que se encaminan en una dirección positiva. No es sin fundamento que uno de los exégetas más perspicaces de Guillén, Joaquín Casalduero [2], alude constantemente en su admirable libro al cubismo y a las afinidades que se deben observar entre éste y el arte de Guillén. Y es que el cubismo también es un

---

[1] PIERRE DARMANGEAT, «Notes sur le rythme extatique chez Juan Ramón Jiménez», *Les langues néo-latines,* 1947.

[2] *Cántico de Jorge Guillén,* Madrid-New York, 1953.

arte de lo positivo. Un arte que, librado de influencias modificantes, se instala en lo estable y lo permanente. Un arte que distingue, recorta, determina, combina, construye, geometriza y con ello afirma todos los poderes del objeto. El arte de Guillén no hace otra cosa, no se comporta de una manera distinta.

Un estudio en profundidad descubriría otras analogías entre tales revoluciones espirituales que, paralelamente con el pensamiento poético de Guillén, son significativas de la época, es decir, aseguran su salvación. Al revés, confundir una época con sus catástrofes y sus tonterías es ser corto de vista. Comprender la lección de Guillén quiere decir rehusar, para entenderla mejor aún, todo lo que no es esperanza de vida, voluntad de vida. Y dedicarse con rigor a desentrañar de bajo las ruinas todo testimonio de esta esperanza y de esta voluntad.

Formaban una brigada de poetas y de escritores, cada uno a su modo, todos con talento maravilloso. Para ellos, ejercer la poesía equivalía a ejercer la amistad: Federico García Lorca, Pedro Salinas, Rafael Alberti, José Bergamín, Jorge Guillén, muchos más. El primero fue asesinado por la barbarie nazista. Los otros se encuentran en exilio. Pedro Salinas acaba de morir allá. Nunca se dará la medida del valor esforzado y de la pasión que representa una literatura que se produce fuera de su tierra natal. Este esfuerzo añade un precio inestimable al valor de *Cántico*. Se nos aparece doble el esfuerzo que ha producido esta obra, prolongando su significación y su sonoridad.

La atención, la energía espiritual, la inflexible lucidez que han llevado esta idea poética a su florecimiento supremo, todo esto se ha realizado en la soledad, condición indispensable a todo poeta, pero en una soledad más solitaria aún, marcada por el signo *más*, gracias al cual el genio de Guillén ensalza todos los elementos del universo. Una soledad que no es sólo la del poeta, sino también la del hombre en su accidente nacional y temporal. Así, encontramos no sólo en su arte, sino también en las condiciones que lo han producido, el método del poeta y su modo de asociar nuestra realidad contingente, nuestro tiempo, nuestro espacio, nuestra tierra, nuestra mortalidad con una operación metafísica: la posesión de la eternidad. Según lo deseaba Mallarmé, aquí el mundo ha llegado a ser un libro. Este libro está aquí. Y en todo lo que el mundo ha contribuido a este libro aparece luminosa, absoluta feroz su virtud esencial: la unidad.

[*Cahiers du Sud,* XXXVIII, núm. 320, décembre 1953]

GEORGES POULET

JORGE GUILLEN Y EL TEMA DEL CIRCULO

De ninguna manera yo: sólo lo que existe fuera. Todo empieza aquí por la presencia de una realidad puramente objetiva. El ser existe sólo fuera. Pero —y de esto no cabe duda ninguna— allá sí existe el ser. La presencia del ser es evidente. Es como una onda de luz que llena el vacío. La luz: lo que es, y lo que, siendo, se deja ver. Ser es iluminar, iluminarse. Es dar prueba de su propia realidad. Lo que es está allá, exacto, intacto. Nada se disfraza en la sombra. Todo está en la luz, todo es luz. El ser y el parecer son uno, y este *uno* es una totalidad justa. El mundo es completo. No falta nada.

Suponiendo que hay un ojo para percibirla, la plenitud del universo es, en su totalidad, inmediatamente perceptible. El mundo se presenta a la mirada, es mirada. Hay una conciencia universal de un esplendor que también es universal en sí mismo. El mundo no sólo existe en sí: goza de sí. Ya Parménides lo había comparado con una esfera. Guillén lo compara con una cúpula, es decir, una esfera percibida desde dentro. Porque si es verdad que la única realidad se da al exterior, este exterior, reflejándose, se vuelve un exterior inverso, como un guante vuelto: un exterior que está interiorizándose. El mundo es una inmensa superficie cóncava, cuyas paredes, hechas de luz y cielo, ofrecen a la vista todos sus puntos simultáneamente. Es necesario, además —puesto que nada falta— que no haya hiato ninguno; al revés, la seña de todas las líneas ha de ser la continuidad más lisa. A fin de dejarse ver mejor, el mundo siempre se presenta en curva:

Queda curvo el firmamento,
Compacto azul, sobre el día.
Es el redondeamiento
Del esplendor: mediodía.
Todo es cúpula...[1]

El espacio es cúpula. Lo es también el tiempo. Del mismo modo que varias partes de la extensión se alinean unas junto a otras, formando un todo cuya coherencia salta a la vista, los diferentes sucesos del pasado se yuxtaponen en un conjunto cuya continuidad es inmediatamente inteligible. Nada menos bergsoniano que el tiempo guilleniano, pues. Los instantes transcurridos vienen a posarse uno por uno en una especie de edificio, donde van ocupando compartimientos contiguos, comparables a la sucesión de frescos sobre las superficies interiores de ciertas iglesias italianas. El tiempo es un espacio que crece, mejor dicho, cuyo contenido no deja de crecer. Aunque quede, esperando la mano del artista, un número indeterminado de entrepaños vacíos aún, el conjunto temporal es cumplido y presenta la misma redondez que el espacio.

Este es el espectáculo que ofrece la poesía de Guillén. Desde el principio se consigue — y es revelada— la perfección. No hay aquí progreso ni oposición: sólo la constatación del esplendor objetivo. Desde este punto de vista, la poesía de Guillén se distingue claramente del resto de la poesía europea. Su punto de partida no es el interior, sino lo externo. Sitúa lo que es no en el hueco central de una conciencia, sino en la manifestación periférica de una realidad tangible. Todo está allá, y todo comienza desde allá. Hay que admitir que habiendo inmediatamente constatado la perfección exterior del ser, el poeta corre el riesgo de no tener nada más que decir. Todo se ve dicho en seguida, de una vez. Sin embargo, no confundamos la actitud de Guillén con la de los eleáticos. El no se contenta con reconocer el esplendor del ser exterior. Aprehende y expresa su eficacia. El ser es, sin duda, lo que se sitúa fuera. Se desarrolla por todos los lados en curvas que se ciernen sobre sí mismas, pero al cernirse, estas curvas encierran el punto sobre el que converge la acción. La perfección no es estática. Es una organización del cosmos dirigida hacia un centro:

---

[1] *Cántico,* México, 1945, p. 189.

Y a los rayos del sol,
Evidentes, se ciñe
La ciudad esencial.

(p. 124)

Como el círculo, el centro puede ser objetivo él mismo: un objeto situado en medio de un universo de objetos. Este objeto puede ser un árbol, una ciudad, una rosa. Así como existe la rosa de Rilke, existe la rosa guilleniana:

Todo es cúpula. Reposa,
Central sin querer, la rosa,
A un sol en cenit sujeta.

(p. 189)

Flor presentada en condensación extrema de un objeto sobre el que se ciñe suavemente el mundo; pero ¡qué real, y qué diferente de las flores puramente mentales de Rilke! Su bienhechor es un sol físico. Un ambiente concreto le suministra lo que necesita para ser. Representa, pues, un centro que depende enteramente de la acción de la periferia. —No hay nada aquí tampoco que recuerde las combinaciones estáticas de los poemas mallarmeanos. Ni azul inaccesible, ni nostalgia del azul. Al revés: la entereza del cielo conspira para colmar la rosa de sus favores más valiosos. Y la rosa se encuentra deseante y satisfecha a la vez, confiada en la repetición de los dones que recibe y que le traen, junto con la existencia, la saciedad y el reposo.

Una relación curiosa, que parece trastornar la dirección habitual del pensamiento. ¿Qué es eso? ¿no brota ya todo del interior? ¿Puede ser? ¿no es ya el centro el lugar en que nace y de donde se propaga la vida? ¿No salen ya los rayos o los círculos excéntricos de dentro del alma, como en Rilke, o del centro divino, como en Eliot, para extenderse sobre el espacio? En Guillén, al contrario, el espacio se atraviesa concéntricamente, y las fuerzas bienhechoras convergen sobre el objeto para ejercer su influencia: sus rayos se encuentran finalmente allí. Así Guillén, contrariamente a toda la poesía que le precede, recupera no sólo el sentido de la fecundidad circundante, de la generosidad cósmica, sino además, gracias a un movimiento corolario, la sensación de la receptividad, la feliz humildad del ser que se ve colmado por una naturaleza luminosamente dadivosa. Ahora, la sencilla presentación de un centro objetivo es reemplazada por la revelación de una conciencia mediadora. Ya no una flor, un árbol, una ciudad, sino yo. Yo en el centro del mundo, yo recibiéndolo todo del mundo:

Con su creación el aire
Me cerca. ¡Divino cerco!
A una creación continua
—Soy del aire— me someto.

(p. 383)

Con la luz me perfecciono.
Yo soy merced a la hermosa
Revelación: este globo.
Se redondea una gana
Sin ocasos...

(p. 393)

Era yo,
Centro en aquel instante
De tanto alrededor,
Quien lo veía todo
Completo para un dios.

(p. 375)

Nada más importante en Guillén que esta aparición tardía de la conciencia del yo. Aquí, la conciencia no tiene absolutamente la pretensión de manifestar la supremacía del pensamiento frente al espacio, ni de lo interior sobre lo exterior. Se contenta con colocar el sujeto consciente en el punto mismo que es el más apropiado para recoger los beneficios generosos versados con profusión por un universo periférico sobre el espacio interior. Evidentemente, este punto es el centro. El centro es el punto de llegada *par excellence*. No, según lo creían los aristotélicos, el punto más bajo y vil del universo; tampoco, según los platónicos, el más elevado y espiritual: sencillamente aquel alrededor del cual se distribuye por sí misma la riqueza del mundo. Así, todo punto en el espacio es centro del espacio, y todo átomo del tiempo es centro de la *durée*. No se le señala a la conciencia humana una posición preferida como privilegio especial; ningún deber especial la obliga a percibir el mundo desde un lugar determinado. Sea donde sea, su única misión es hacer notar al espíritu la extraordinaria condensación de realidades temporales y espaciales que convergen hacia aquel punto. El *cogito* de Jorge Guillén podría resumirse así: soy, pero soy gracias al aire y a la luz, merced a la revelación de un mundo cuya redondez admirable se concentra en mí así como se redondea fuera de mí mi deseo de abrazar la esfera. Descubro que soy el punto mediador de las cosas que convergen hacia mí mientras yo me ensancho con ellas:

> ¡Oh concentración prodigiosa!
>
> (p. 274)

> ... el presente ocupa y fija el centro
> De tanta inmensidad así concreta.
>
> (p. 133)

Si la historia del círculo comienza con Parménides, podríamos terminarla con Guillén. Para uno así como para otro, el círculo es la figura de la perfección del ser.

[Este ensayo forma parte de «Trois poètes», en *Les métamorphoses du cercle,* París, Plon, 1961]

OCTAVIO PAZ

HORAS SITUADAS DE JORGE GUILLEN*

El lugar que ocupa Jorge Guillén en la poesía moderna de nuestra lengua es central. Lo es de una manera paradójica: su obra es una isla y, al mismo tiempo, el puente que unió a los supervivientes del modernismo y del 98 a la generación de 1925. Sus tres grandes antecesores, que concebían el poema como meditación (Unamuno) o exclamación (Jiménez) o palabra en el tiempo (Machado), seguramente vieron la aparición de sus primeras obras como una herejía. Machado no se mordió la lengua. En un artículo de 1929, después de saludar «a los recientes libros admirables de Jorge Guillén y Pedro Salinas», agrega:

> Estos poetas —acaso Guillén más que Salinas— tienden a saltarse a la torera aquella zona central de nuestra psique donde fue engendrada siempre la lírica... Son más ricos de conceptos que de intuiciones... nos dan, en cada imagen, el último eslabón de una cadena de conceptos... Esta lírica artificialmente hermética es una forma barroca del viejo arte burgués.

Unos años más tarde, en 1931, reitera:

> Me siento en desacuerdo con los poetas del día. Ellos propenden a la destemporalización de la lírica... sobre todo por el empleo de imágenes más en función conceptual que emotiva... El intelecto no ha cantado jamás, no es su misión.

---

* A propósito de la aparición de *Cántico*: *a selection,* edited by Norman Thomas Di Giovanni, Atlantic-Little Brown, 1961.

En otros escritos me he ocupado de las ideas de Machado sobre la poesía; así, pues, aquí sólo repetiré que su crítica a los poetas modernos es parte de su repudio de la estética barroca. Aparte de ser injusta la condenación del barroco, identificarlo con el arte moderno es una confusión. Ambos, el poeta barroco y el moderno, piensan que la metáfora, imagen o agudeza, es el centro del poema; su función es crear la sorpresa, la «maravilla que suspende el ánimo», mediante el descubrimiento de relaciones insospechadas entre los objetos. Ahora bien, la imagen moderna es una aceleración de las relaciones entre las cosas y tiende siempre a ser dinámica y temporal; el «concepto» y la metáfora barrocos son movimiento congelado. La poesía de nuestro siglo XVII aspira a embelesar, su fin es la belleza; la moderna es una explosión o una exploración: destrucción o descubrimiento de la realidad. La primera es una estética; la segunda, una religión, un acto de fe o de desesperación. El poema barroco es un monumento verbal: un clasicismo que se contempla y se *recrea,* en los dos sentidos de la palabra; el moderno es un emblema, un conjunto de signos: un romanticismo que reflexiona y se destruye. En suma, el edificio barroco es el reflejo de una construcción renacentista, contrahecho por las aguas cambiantes del río o del espejo; el poema moderno se asienta en un abismo: su fundamento es la crítica y sus materiales la corriente discontinua de la conciencia.

Ante las tendencias de la vanguardia los poemas de Guillén también me parecen algo así como un silencioso escándalo. Silencioso por su reserva; escándalo por su aparente negación del tiempo. (Otra vez el tiempo.) Como Unamuno, Machado y Jiménez, la vanguardia subrayó la identidad entre palabra y transcurrir, sólo que en forma más radical y lúcida. Someterse al «murmullo inagotable» de la inspiración surrealista; entregarse al acto suicida del disparate dadaísta (hoy repetido hasta el vómito por discípulos sin genio, que lo han convertido en una rutina sin riesgo); creer, como creía Huidobro, que la imagen es sólo vuelo, confundiendo así creación y disparo... eran y son otras tantas maneras de disolver la palabra en el tiempo. ¿Y los ultraístas? El ultraísmo argentino y español no tuvo una estética —tuvo un gran poeta, Jorge Luis Borges, también obsesionado por el tiempo, aunque no como transcurrir sino como repetición o cesación del movimiento: eterno retorno o eternidad. Así pues, lo que separa a Jorge Guillén de sus antecesores es aquello que lo une a sus contemporáneos: la imagen; y se distingue de éstos por su concepción del poema. Para los surrealistas y dadaístas lo que cuenta es la experiencia poética, no el poema; para el creacionismo la poesía se reduce al objeto verbal, el poema. En el prólogo a la antología angloamericana de *Cántico,* Guillén define con una frase el propósito que lo animaba: «Era indispensable identificar, en el grado máximo, poema y poesía.» Creía que el tiempo del poema no es el de la naturaleza (si ésta tiene alguno) ni el humano. Por ser un signo, la palabra es notación del transcurrir; notación que, a su vez, transcurre y cambia. Estas notaciones, palabras que son ritmos que son palabras, en sus distintas asociaciones y oposiciones engendran otro tiempo: un poema en el que, sin cesar de oír el correr de las horas humanas, oímos otras horas. Aquellas que oía Luis de León en el silencio de la noche serena. Se podría decir de los poemas de Guillén lo mismo que se dice de la música: «Máquina para matar el tiempo.» Yo prefiero, no obstante, una fórmula más larga y más justa: máquina que mata al tiempo para resucitarlo en otro tiempo. Máquina de símbolos y ella misma símbolo del mundo que se crea ante nuestros ojos todos los días.

La actitud de Guillén ante el lenguaje era menos teórica y más directa que la de sus predecesores y contemporáneos. No se preguntó qué es el lenguaje sino cómo son las palabras y de qué manera debemos agruparlas para suscitar ese extraño ser que se llama poema. Selección y composición de frases y vocablos, el poema es un conjunto de signos quietos en la página; apenas los leemos, cobran vida, brillan o se apagan: significan. Poema: mecanismo de significados y ritmos que el lector pone en movimiento. Es asombroso que se haya tachado a Guillén, en España y en América, de poeta intelectual. En realidad los únicos poetas intelectuales de esa época fueron dos hispanoamericanos: el mexicano José Gorostiza y el argentino Jorge Luis Borges. Por ello son los poetas del tiempo —no *en* el tiempo como quería Machado. (Todos estamos en el tiempo, todos somos tiempo, pero sólo unos cuantos se preguntan qué es lo que pasa cuando pasa el tiempo: los verdaderos poetas del tiempo. Borges y Gorostiza pertenecen a la gran tradición de la poesía intelectual: Coleridge, Leopardi, Valéry...) Aunque podemos extraer de la obra de Guillén una doctrina —Jaime Gil de Biedma lo ha hecho con talento— el poeta castellano no se propuso reflexionar sino cantar. La reflexión no está en su canto: lo sostiene. Es el poeta menos intelectual de su generación, lo cual no quiere decir que sea el menos inteligente sino tal vez lo contrario: ejerce su inteligencia en sus poemas, no fuera de ellos. Como toda inteligencia, la suya es crítica; como toda crítica creadora, es invisible: no está en lo que dice sino en cómo lo dice y sobre todo en lo que no dice. El silencio forma parte del lenguaje y un poeta auténtico se distingue más por el temple de sus silencios que por la sonoridad de sus palabras. La inteligencia de Guillén no es especulativa; es un saber en acción, una sabiduría sensible: tacto ante el peso y el calor, el color y el sentido de las palabras, sin excluir al monosílabo casi incorpóreo.

Inteligencia de artesano al servicio del hacer: una forma del instinto. Sólo que es un instinto lúcido, capaz de reflexionar sobre sí mismo. Por eso también es una conciencia. No es extraño que se le haya comparado con Valéry. Aunque sus primeros poemas revelan la lectura del poeta francés, el parecido es superficial; quiero decir: es una semejanza de apariencias o superficies, no de coloración, entonación y sentido. En ambos poetas la palabra tiende a ser transparente pero las realidades físicas y espirituales que vemos a través de esa transparencia son muy distintas. La claridad de Valéry es un acto de conciencia que se contempla a sí misma hasta anularse. Las palabras no reflejan al mundo; esos senos y sierpes, esas islas y columnas que aparecen en sus poemas son un paisaje de signos sensibles, ficciones que inventa la conciencia para probarse que existe. El tema de *La joven Parca* es la conciencia de sí mismo; si el de *El cementerio marino* no es el de su inexistencia, lo es de su irrealidad: el yo está condenado a pensarse sin tocar jamás la piel incendiada del mar. *Plus je pense à toi, Vie, moins tu te rends à la pensée*... La conciencia vive de aquello que la mata, «secretamente armada de su nada». El diálogo de Valéry es consigo mismo; *Cántico* es «el diálogo entre el hombre y la creación». La transparencia de Guillén refleja al mundo y su palabra es perpetua voluntad de encarnación. Pocas veces la lengua castellana ha alcanzado tal plenitud corporal y espiritual. Totalidad de la palabra.

Han llamado a Guillén: poeta del ser. Es exacto, a condición de concebir al ser no como una idea o una esencia sino como una presencia. En *Cántico* el ser *aparece* efectivamente. Es el mundo, la realidad de este mundo. Presencia plural y una, mil apariencias adorables o terribles resueltas en una poderosa afirmación de gozo. La alegría es poder, no dominio. Es el gran Sí que el ser se celebra y se canta a sí mismo.

La palabra de Guillén no está suspendida en el abismo. Conoce la embriaguez del entusiasmo, no el vértigo del vacío. La tierra que sostiene a su palabra es esta tierra que pisamos todos los días, «prodigiosa y no mágica»: maravilla que la física explica en una fórmula y que el poeta saluda con una exclamación. Estar plantado en el suelo es una realidad que entusiasma al poeta; diré, además, que el vuelo también lo exalta y por la misma razón: el salto no es menos real que la gravitación. No es un poeta realista: su tema es la realidad. Una realidad que la costumbre, la falta de imaginación o el miedo (nada nos asusta tanto como la realidad) no nos dejan ver; cuando la vemos, su abundancia alternativamente nos embelesa y nos anonada. *Abundancia,* subraya Guillén, no hermosura. Abundancia de ser: las cosas son lo que son y por eso son ejemplares. En cambio, el hombre no es lo que es. Guillén lo sabe y de ahí que *Cántico* no sea un himno al hombre: es el elogio que hace el hombre al mundo, el ser que se sabe nada al ser henchido de ser. La nube, la muchacha, el álamo, el automóvil, el caballo —todo, son presencias que lo entusiasman. Son los regalos del ser, los presentes que nos hace la vida. Poeta de la presencia, Guillén es el cantor del presente: «El pasado y el futuro son ideas. Sólo es real el presente.» El ahora en que todas las presencias se despliegan es un punto de convergencia; la unidad del ser se dispersa en el tiempo; su dispersión se concentra en el instante. El presente es el punto de vista de la unidad, la claridad instantánea que la revela. *Cántico* es una ontología sensible... Pero reduzco a ideas y conceptos muchas intuiciones, momentos de pasmo, exclamaciones y desfiguro así ciertas experiencias cotidianas y singulares. Levantado por la gran ola vital, el poeta exclama: «Cantar, cantar sin designio.» Sin designio, no sin medida. La alegría brota de la abundancia rítmica a su vez, la alegría es rítmica. La onomatopeya y el estribillo se ajustan al número y poseen una significación: «mármara, mar, maramar...» Cantar sin designio, no sin compás ni sentido.

La exaltación del mundo y del instante ha hecho que varios críticos señalen cierta afinidad entre el poeta español y Whitman. El mismo Guillén ha subrayado más de una vez su parentesco con el autor de *Leaves of Grass.* El parecido es ilusorio. Whitman ve al ser más como movimiento que como presencia. La contemplación del movimiento, que en otros espíritus produce un vértigo (nada permanece, creación y destrucción, ayer y mañana, bien y mal son sinónimos) se convierte en el poeta angloamericano en celebración del futuro. Su realidad se llama futuro: no es esto que vemos sino aquello que vendrá. Detrás de Guillén hay la vieja noción hispánica y católica de la substancia; detrás de Whitman la visión del devenir. Y más: la idea del mundo como acción: la realidad es aquello que hago. Por esto Whitman es un poeta instalado con naturalidad en la historia —sobre todo si se piensa, como él pensaba, que historia quiere decir: pueblo en marcha. El verdadero paisaje de Whitman no es la naturaleza sino la historia: aquello que hacen los hombres con el tiempo, no lo que hace el tiempo con nosotros. Después de *Cántico* Guillén ha escrito otro libro: *Clamor*: (*Maremágnum ...Que van a dar en la mar* y *A la altura de las circunstancias*). Su tema son los «elementos negativos: mal, desorden, muerte». Sátira, elegía, moral: el poeta ante la historia contemporánea. Saltan a la vista las diferencias. Para Guillén la historia es el mal; para Whitman, el movimiento irresistible de la vida cósmica que, aquí y ahora, encarna en la hazaña de un pueblo destinado a la universalidad. El poeta castellano está *frente* a lo que pasa y por eso escribe sátiras y elegías, formas que implican una distancia y un juicio; el angloamericano se confunde con el movimiento ascendente de la historia —es la historia misma y su canto es la celebración, no el juicio, de lo que está pasando.

Clamor muestra otro aspecto del hombre Guillén y así nos revela la exactitud de aquella frase de Camus: «solitario: solidario». Pero temo que este libro no nos revele otra cara de su poesía. Guillén no es Whitman. Tampoco es Mayakowski. No es sorprendente: para los españoles e hispanoamericanos la historia no es lo que hemos hecho o hacemos sino lo que hemos dejado que los otros hagan con nosotros. Desde hace más de tres siglos nuestra manera de vivir la historia es sufrirla. Guillén la ha sufrido como la mayoría de los españoles de su generación: guerra, opresiones, destierro. No obstante, la historia no es su pasión aunque sea su justa y honrada preocupación. Si hay un poeta en lengua castellana para el que la historia haya sido a un tiempo elección y destino, pasión compartida y repartida, ese poeta es César Vallejo. El peruano no juzga; como Whitman, participa, aunque en sentido inverso: no es el actor sino la víctima. Así, también él es la historia. El tema de Guillén es más vasto y universal que el de Vallejo, pero más exterior: denuncia al mal, no lo expía. El mal no es sólo aquello que nos hacen sino lo que nosotros hacemos. Reconocerlo es una de las pocas vías de acceso a la historia real y ése fue el gran acierto de *La chute,* libro ejemplar aunque *manqué.* (Conviene decirlo ahora que está de moda menospreciar a Camus.) Deseo que se me entienda: al decir que Guillén no interioriza el mal, que no lo hace suyo y, así, que no lo conjura ni exorciza, no le reprocho su actitud moral ni lo acuso de maniqueísmo. La baja de tensión en muchos pasajes de *Clamor* confirma simplemente que la universalidad de un poeta, y Guillén es un poeta universal, no depende de la extensión de sus preocupaciones morales, filosóficas o estéticas, sino de la concentración de su visión poética. A unos les toca escribir *Cántico* o *Anabasis,* a otros *Los cantos de Pisa* o *Poemas humanos.*

La influencia de Guillén en la poesía de nuestra lengua ha sido profunda y fértil. Profunda, porque ha sido lo contrario de una moda: la elección de unos cuantos poetas aislados; fértil, porque fue un ejemplo crítico y así nos enseñó que todo decir implica un callar, toda creación una crítica. Desde el principio fue un maestro, lo mismo para sus contemporáneos que para los que llegamos después. Federico García Lorca fue el primero en reconocerlo; estoy seguro de que no seré yo el último. También sus mayores se dieron cuenta de la significación de su poesía y la crítica de Machado está teñida de admiración consciente. Cito a Machado porque, a mi juicio, es el antípoda de Guillén —algo, por lo demás, que el mismo Machado sabía mejor que nadie. Dos poetas que admiro lo atacaron con saña. Es frecuente entre nosotros la pequeñez en los grandes: ¿será necesario recordar a Quevedo, Góngora, Lope de Vega, Mira de Amescua? Menciono a los muertos porque prefiero no acordarme de algunos vivos no menos ilustres. Pero Guillén no es un gran poeta por la influencia que ha ejercido sino por la perfección de sus creaciones. Sus poemas son verdaderos poemas: objetos verbales cerrados sobre sí mismos y animados por una fuerza cordial y espiritual. Esa fuerza se llama entusiasmo. Su otro nombre: inspiración. Otro más: fidelidad, fe en el mundo y en la palabra. El mundo de la palabra tanto como la palabra del mundo: *Cántico*. Ante el espectáculo del universo —no ante el de la historia— dijo una vez: *el mundo está bien hecho*... Frente a su obra lo único que habría que decir es repetir esas palabras.

Delhi, 25 de agosto de 1965.

[*Papeles de Son Armadans*, XI, núm. 119, 1966; recogido en *Puertas al campo*, México, Universidad Autónoma de México, 1966]

JOSE LUIS L. ARANGUREN

LA POESIA DE JORGE GUILLEN ANTE LA ACTUAL CRISIS DE LOS VALORES

Que nuestra época es época de crisis es ya un lugar común. En cambio, que yo sepa, no se ha tratado el tema —salvo por el poeta mismo— de la actitud de Jorge Guillén ante tal crisis. Por eso agradezco mucho a Claudio Guillén y a Jaime Salinas que me hayan sugerido este «argumento» para mi contribución al homenaje de la *Revista de Occidente* al gran poeta. Poeta estrechamente ligado en tiempos a ella —en la Editorial de la Revista apareció la primera edición de *Cántico*—, y a Ortega personalmente, «nuestro gran pensador». Lo que no le ha impedido rechazar el concepto de «deshumanización del arte», en cuanto referido a los poetas de su generación e incluso la rigidez antivital, dogmática, en la concepción de lo que ésta, una generación, sea, con respecto a lo cual, todo hay que decirlo, son más responsables algunos de sus pedisecuos discípulos, que Ortega mismo.

La expresión «crisis de los valores» significa, ante todo, pérdida de la «creencia», como diría Ortega, en el sistema axiológico recibido y más o menos oficial, oficiosa o convencionalmente «establecido». Por supuesto que, en este estrecho sentido, Jorge Guillén rompe con lo establecido, participa pues en la crisis y ni siquiera nos propone un código de recambio, con sus artículos a modo de mandamientos o, mejor, credo, artículos de la fe. Jorge Guillén no nos propone «artículos», pero sí nos ofrece, y con qué entusiasmo, una fe. ¿En qué, de qué?, es lo que, para empezar, vamos a ver inmediatamente.

FE DE VIDA

Fe de vida, confianza en la vida. Más aún: afirmación, Cántico de la vida, entusiasta adhesión a la vida, «sabor a vida» [1]. Mas, ¿qué quiere decir para Jorge Guillén vida? Realidad total, la «aireada claridad enorme» y su respiración a pleno pulmón. El poema «Mientras el aire es nuestro», con el que se abre su obra reunida, lo proclama:

Respiro,
Y el aire en mis pulmones
Ya es saber, ya es amor, ya es alegría,
Alegría entrañada
Que no se me revela
Sino como un apego
Jamás interrumpido
—De tan elemental—
A la gran sucesión de los instantes
En que voy respirando,
Abrazándome a un poco
De la aireada claridad enorme.

Vivir, vivir, raptar —de vida a ritmo—
Todo este mundo que me exhibe el aire,
Ese —Dios sabe cómo— preexistente
Más allá
Que a la meseta de los tiempos alza
Sus dones para mí porque respiro,
Respiro instante a instante,
En contacto acertado
Con esa realidad que me sostiene,
Me encumbra,
Y a través de estupendos equilibrios
Me supera, me asombra, se me impone [2].

En él, como vemos, aparecen la palabra «Dios» y la expresión «Más allá», pero no nos apresuremos a interpretarlas. Limitémonos por ahora a subrayar que se trata de un «preexistente» Más allá. Es decir, la Creación. La realidad, el universo es Creación, «valorada con una mayúscula» siempre [3], «Creación en creación» [4], dinámica, ininterrumpida, continua.

---

[1] Poema del mismo título, p. 61 de *Aire nuestro,* por donde citaré siempre la poesía de Jorge Guillén.
[2] *Ob. cit.,* 13.
[3] *El argumento de la obra,* p. 49.
[4] *Aire nuestro,* 394.

Si la vida, tal como la vive el poeta, es la realidad universal, quiere decirse que abarca no sólo mi vida, por supuesto, ni aun lo que biológicamente vive, sino que el «alrededor» [5] entero que la circunda, donde «todo conmigo está» [6], es vida. No hay «naturaleza muerta» sino que, como se canta en el poema famoso, donde el tablero de la mesa es descrito rigurosamente, a la manera de Robbe-Grillet; pero mucho antes, todo es «naturaleza viva» [7]. El mundo, todo él vivo, es «alrededor» y compañía. «*Cántico* es ante todo un cántico a la esencial compañía» y el imperativo vital, ético, casi el único imperativo que a lo largo de su obra dicta Jorge Guillén es «¡Adentro en la espesura!» [8], «entremos más adentro en la espesura de los seres que son y están» [9].

¿Qué quiere decir esto? Vivir es ser. «Ser. Nada más. Y basta.» Y «estar» es «la consumación de ser» [10], eternidad en vilo del salvado presente [11]. El sí a la vida, a «Más vida» [12], es tan rotundo, tan sin reservas, que incluso como en Nietzsche se desearía su «Vuelta a empezar» [13]. Y ¿qué otra cosa es sino renacer, volver a empezar, el «buenos días» al despertar de cada mañana? [14].

Jorge Guillén se siente entrañablemente unido al mundo todo. ¿Y cómo no?, si hasta

> El dios más inminente necesita
> Simple otra vez el mundo [15].

Cántico de la Creación

A la realidad entera como Creación responde el poeta con la creación de *Cántico*. Cántico de la vida y su crea-

---

[5] *El argumento de la obra,* 48.

[6] Verso del hermoso e importante poema «Tiempo libre», *ob. cit.,* p. 166.

[7] *Ob. cit.,* 50.

[8] *Ob. cit.,* 172; «Entramos más adentro en la espesura», variante de *Clamor* (*Ob. cit.,* 772). Adviértase el deliberado eco de San Juan de la Cruz, sobre quien Jorge Guillén ha escrito unas palabras, no muchas, pero enormemente liberadoras de su poesía.

[9] *El argumento,* 48.

[10] *El argumento,* 57. Véase también este par de versos: «Eres. ¡Ventura en potencia! / Más aún: estás» (*Ob. cit.,* 480).

[11] *Aire nuestro,* 227.

[12] *Ob. cit.,* 392.

[13] *Ob. cit.,* 286.

[14] *Ob. cit.,* 296, 343.

[15] *Ob. cit.,* 220.

ción, creación en la Creación. No, por tanto, de ningún modo, «poesía pura»[16] ni «deshumanizada». Poesía *humana,* cántico de «los grandes asuntos del hombre —amor, universo, destino, muerte». (Jorge Guillén agrega: «Sólo un gran tema no abunda: el religioso»[17]. Volveremos sobre esto.)

Pero no poesía egocéntrica, de «engreimiento del yo»[18]. El poema «Homo»[19] traza, firmes, los lindes de lo humano, su ser más o menos, incierto siempre; «todo es más que yo», «El mundo es más que el hombre»[20]. Y el poeta no es ni más ni menos que hombre. Hombre que exclama «¡Ya sólo sé cantar!»[21], cantar, es decir, «asombro de ser»[22]. El poeta no está encerrado en ninguna «torre de marfil», sino abierto al ser[23]. La imagen que Jorge Guillén prefiere a este respecto es la de la «ventana»[24]. Pero hay una cierta oscilación entre «el cristal / de una ventana que adoro» y el «aire nuestro», libre, completamente libre, símbolo que en definitiva prevalece y da título a la obra poética reunida[25]. Así

> Mi existencia habrá hincado sus raíces
> En este ser profundo a quien me debo[26].

O, dicho de otro modo, de un modo muy bello, con su conceptismo sutil:

> La realidad me inventa,
> soy su leyenda. ¡Salve![27]

---

[16] *El argumento,* 23-5.
[17] *Ibid.,* 29.
[18] *Ibid.,* 50.
[19] *Aire nuestro,* 14.
[20] *Ob. cit.,* 135, 480 y 783.
[21] *Ob. cit.,* 85.
[22] *Ob. cit.,* 476.
[23] *El argumento,* 64.
[24] Cfr. el poema «La ventana» (p. 155) también «Mundo en claro», II (p. 458). Y p. 531 del poema «Cara a cara». La ventana o el balcón como en «Los amantes» (47) y «Con nieve o sin nieve» (48), o ambos (p. 121). Alguna vez, casi en el mismo sentido la isla (276).
[25] *Ob. cit.,* poema «El aire» (518).
[26] *Ob. cit.,* 227.
[27] *Ob. cit.,* 228.

Lo que no es «Cántico»

Cántico de vida, sí, pero no «vitalista», y queda muy lejos del «gran delirio de Vicente Aleixandre». Ni vitalista, ni racionalista, fiel en este imperativo al ya sazonado Ortega. Su composición, como él dice, rigurosamente apretada, el edificio del volumen que manejamos aquí, «legato con amore», «El arco de medio punto» no sólo del poema [28] sino de su obra entera, se corresponden exactamente con su concepción del mundo, libre y, a la vez, ordenada. Jorge Guillén saca a la palabra «orden» de sus policíacas apariciones y, como por armoniosa voluntad de equilibrio, dota a la palabra «gana» [29] de una fuerza poética de la que estaba bien necesitada. La poesía de Jorge Guillén, entusiástica, de ningún modo orgiástica, es sazonada [30] y quintaesenciada, de «amor a la línea» [31], «perfección del círculo» [32] y «exactas delicias» [33].

Exactas delicias. «La sobriedad en el lenguaje», palabra con la que cerró su texto «Poesía integral», es exacta, sobria ebriedad. Yo diría que ningún poeta del 98 sobrepasa en sensualidad a Jorge Guillén. Pero su contención hace que los lectores apresurados no la perciban bastante. Poemas como, entre tantos, «El manantial», «Desnudo», «Los fieles amantes», «El encanto de las sirenas», «Anillo» y, quizá más que ninguno, «La isla», nos dicen que «la carne no es triste» [34], y que jamás se hartarán las manos y los ojos de nuestro poeta.

Tampoco diría yo que la poesía de Jorge Guillén sea mítica [35], aunque sí, en sentido profundo, «cosmológica».

---

[28] *Ob. cit.*, 235. El gusto del poeta en la ordenación de su obra, incluso en libro y tipografía, se manifiesta muy bien en el poema «Al amigo editor» (p. 1.557) y en el terminal «Obra completa» (p. 1.673).

[29] «Se esparce universal como una gana»; «Sí, más verdad, / Objeto de mi gana»; «Se redondea una gana...» (184, 364, 533).

[30] Así, el poema «Sazón» (97).

[31] *Ob. cit.*, 88. Eugenio D'Ors, empeñado siempre en su arquitectónico clasicismo, elogiaba en Guillén que la línea de cada uno de sus versos empezase con mayúscula.

[32] *Ob. cit.*, 90.

[33] *Ob. cit.*, 156.

[34] *Ob. cit.*, 1.169.

[35] Desde este punto de vista debe leerse, como expresión de su actitud con respecto a la pretensión de «Con dioses presidir, ser un arcángel», el poema «Aguardando» (208-9).

¿Y mística? Su lectura de San Juan de la Cruz —que me ha influido mucho, en texto próximo a aparecer— consuena con esa sensualidad poética suya, profunda, sin imaginerías, como el *Cántico espiritual,* comparado con el *Cantar de los cantares.*

Ni vitalista ni, por supuesto, existencialista. (Jorge Guillén pasó sobre todas las modas.) Ni arrebatado por la vida, aunque su poesía sea, hasta la fecha, canto de vida; ni angustiado por la muerte —forma frenética de «engreimiento del yo»—, aunque la muerte sea tema muy importante en su poesía. «Nuestra moral —escribe— se resume en el nuevo imperativo: ¡angústiate!»[36]. Frente a tal masoquismo, Jorge Guillén declara que «Muerte: para ti no vivo»[37] y que «Vivir no es un ir muriendo». Ni vivo para la muerte ni, aunque «he sufrido»[38] y «sufrimos»[39], tampoco «soy mi dolor»[40]. «Ninguno de existir se arrepienta»[41]. El ser lucha contra la nada[42]. *Cántico* es un «esfuerzo por ser»[43], el mundo es serenamente trágico, pero no absurdo[44] y, otro imperativo de la moral de nuestro poeta, «Evitemos la facilidad peor: el abandono al apocalipsis»[45].

Mas esta «mesura en la manifestación de las emociones», esta falta de gusto por la exhibición patética, no impiden al poeta ver ya en la cabeza la calavera[46] y meditar en el «camposanto»[47], sobre el «pasaje mortal»[48]. La muerte inexorablemente vendrá[49] —«¡morir tan cierto!»— y no depende de nosotros. ¿Habrá algún «allí

---

[36] *El argumento,* 103.

[37] *Ob. cit.,* 81. Véase también el poema, muy importante desde este punto de vista, «Al margen de Séneca» (1.106-7).

[38] *Nuestro aire,* 83.

[39] *Ob. cit.,* 308.

[40] *Ob. cit.,* 82.

[41] *Ob. cit.,* 120.

[42] Cfr. el gran poema «Los balcones del Oriente», *ob. cit.,* 339.

[43] *El argumento,* 89.

[44] «Trágico, no absurdo (Albert Camus)», *ob. cit.,* 987.

[45] *El argumento,* 104 y poema «El fin del mundo» en 292 y siguientes de *Aire nuestro.*

[46] *Aire nuestro,* 243.

[47] *Ob. cit.,* 266.

[48] *Ob. cit.,* 15.

[49] Véanse los poemas «Cierro los ojos» (290), «Muerte a lo lejos» (291), «Y se durmió» (786), los Tréboles de las páginas 860-1 y «Cualquier día» (874).

donde no hay muerte»? [50] En cualquier caso, sepamos terminar:

> Final en sazón.
> Sea el universo.
> Pero que el adiós
> Lo deje perfecto [51].

En lo que el poeta cree

Porque Jorge Guillén cree en la vida, en la Creación y en la creación poética dentro de ella, cree en la luz, la luz de la verdad, en el amor, en la esperanza, en la felicidad.

«La luz» guía [52], «Me guía bien» [53], guía en el día sereno, eleva en la claridad [54], pone el «Mundo en claro» [55], a «mi ser en mi ser», y logra la total «concordancia / Del ser con el ser». El poeta, todo consigo, no puede dudar. Más allá de la duda está «seguro de alentar entre existencias» y «pisando evidencias» [56].

El poeta espera. No solo él. El poeta invoca la «Esperanza de todos» [57], la esperanza de un pueblo compacto en ejercicio de esperanza, esperando la esperanza,

> Esperanza de vida inacabable
> Para mí, para todos.

Para todos y —«Luz natal» [58]— para España, de España.

El poeta ama. Amar es la manera de «ser más» [59]. El «Sol en la boda» es la metáfora luminosa de este cumplimiento del ser por el amor, y la música, su metáfora sonora [60]. Himnos de amor avanzan y ese avance mismo es «El viaje» [61] de la vida. Transitar por la vida, crecer, vivir, llegar a ser, estar de pleno en la realidad es fruto de amor.

---

[50] *Ob. cit.*, 112.
[51] Poema «Tránsito», 91.
[52] *Ob. cit.*, 489.
[53] *Ob. cit.*, 83.
[54] *Ob. cit.*, 100.
[55] *Ob. cit.*, 456 ss.
[56] *Ob. cit.*, 166, 167.
[57] *Ob. cit.*, 128 ss.
[58] *Ob. cit.*, 348 ss.
[59] *Ob. cit.*, 108.
[60] *Ob. cit.*. 822 ss.
[61] *Ob. cit.*, 312.

Hablábamos antes de la muerte. El espléndido poema «Huerto de Melibea»[62] abraza, es verdad, al amor con la muerte. Pero la muerte no prevalece y el amor creador produce el prodigio de nacimiento, de la resurrección, de los siempre continuados re-nacimientos y, con ellos, del orden en armonioso contrapunto final:

> Sosteniéndose entre todos
> Se deslizan confiados
> Nuevos grupos que se gozan
> En nacer resucitando.
> Y así, con una implacable
> Solicitud, el acaso
> Tan vencido, queda el orden
> Supremo ante Dios alzado[63].

El poeta canta a la festividad y da gritos de júbilo[64] porque, en fin, cree también en la felicidad.

La dicha absoluta

Ya sabemos en qué consiste. En el ser, y su culminación, el estar. El estar Aquí, Hoy, es el único camino —camino y llegada— del Siempre[65], de la eternidad del Instante. «¿Qué es ventura? Lo que es»[66]. El Paraíso, el jardín de las delicias, está justamente aquí, «en el medio»[67], entre el antes y el después de la vida, en el «absoluto Presente»[68].

El poeta repite una y otra vez su mensaje: gozo indecible del «cerco del Presente»[69], «Vida indivisible. / No hay otra. ¡Dure, pues!»[70], «Siempre, siempre, siempre» del río que corre[71], «Lo humano efímero»[72], el infinito cobijado[73], «Revelación: este Globo»[74], «Plenitud: nivel /

---

[62] *Ob. cit.*, 898 ss.
[63] *Ob. cit.*, 515.
[64] *Ob. cit.*, 486-7, 498.
[65] *Ob. cit.*, 49, 50.
[66] *Ob. cit.*, 242.
[67] *Ob. cit.*, «Jardín en medio», p. 62 ss.
[68] *Ob. cit.*, 186.
[69] *Ob. cit.*, 74.
[70] *Ob. cit.*, 81.
[71] *Ob. cit.*, 96.
[72] «Al margen de Goethe», *ob. cit.*, 1.148.
[73] *Ob. cit.*, 428.
[74] *Ob. cit.*, 533.

Pasmoso de la mano»[75]. Mil modos diferentes de decir lo uno y lo mismo. Es decir, esto:

> Dije: Todo ya pleno
> ... ...
> Completo para un dios.
> Dije: Todo, completo.
> ¡Las doce en el reloj![76]

O esto:

> Cuerpo es alma y todo es boda[77].

o, en fin, esto:

> Ser, nada más. Y basta.
> Es la absoluta dicha[78].

El ser, el estar, es ya, sin más, la felicidad. Pero por añadidura —ningún moralismo aquí— es también la virtud[79]. «Me invade la alegría: debo de ser mejor.»

Las maravillas concretas

En principio el mundo poético, el mundo real poetizado de Jorge Guillén, es en sí pleno y cerrado, autosuficiente. Lleno de «maravillas concretas», «el balcón, los cristales, / unos libros, la mesa»[80] y nada más allá. Mundo todo él portento, pero sin alarde («Si hay portento, no hay alarde»[81]). ¿Prodigios, pero no mágicos?[82] ¿Cuántos queréis?: La mañana[83], «ese andar de muchacha»[84], los niños («Entre las manos del niño / Pasa el mar»; «Isabel, si diosa, niña. / Un paraíso está ileso. / Adoración, embeleso»[85]), todo («Todo es prodigio por añadidura»[86]).

[75] *Ob. cit.*, 101.
[76] *Ob. cit.*, 485, poema «Las doce en el reloj».
[77] *Ob. cit.*, 499.
[78] *Ob. cit.*, 27.
[79] Poema «Virtud», *ob. cit.*, 315.
[80] *Ob. cit.*, 31.
[81] *Ob. cit.*, 471.
[82] *Ob. cit.*, 103.
[83] *Ob. cit.*, 119.
[84] *Ob. cit.*, 121.
[85] *Ob. cit.*, 67, 564.
[86] *Ob. cit.*, 137.

Pero se trata, sencillamente, de «los prodigios de este mundo» [87], que «no aportan reminiscencias de milagro» [88]. Lo mismo la dicha que sus maravillas son enteramente cotidianas, se encuentran ahora y aquí, en la vida, en esta vida, y en el mundo, en este mundo.

¿De la Creación al Creador?

La Creación se revela, más aún, es Reveladora [89] y Revelación. Jorge Guillén es, a la vez, abierto y resueltamente limitado. Por eso escribe: La Creación se revela de tal modo que puede postular una vía posible hacia un Creador. Por de pronto, henos ante la presencia terrestre. A su exaltación se limita *Cántico* [90].

¿Se limita a ella? Algo nos dice, más allá de ella nos dice, pero muy poco:

> Maternal, paternal
> a través de su incógnito murmullo,
> la Creación nos alza,
> nos nutre, nos castiga,
> sumo acorde hacia un dios incognoscible,
> quién sabe...
> Ojalá [91].

Y, fuera ya de *Cántico*, el poema «La gran aventura» [92] dice así:

> Es Dios quien al hombre crea,
> o el hombre quien crea a Dios.
> alguien desde una platea
> pregunta: ¿Cuál de estas dos
>
> creaciones ideales
> más sería maravilla?
> — Mucho en ambos casos vales,
> hombre, centella de arcilla.
>
> O tu origen es divino,
> y hay barca, remero y remos.
> o Dios en tu mente adivino.
> Siempre hay Creación. La vemos.

---

[87] *Ob. cit.*, 755.
[88] *El argumento*, 53.
[89] *Ob. cit.*, 84.
[90] *El argumento*, 66-7.
[91] *Ob. cit.*, 773.
[92] *Ob. cit.*, 1.381. Véase también el poema «El agnóstico» (1.648-9).

¿Que nuestra inquietud perdura?
La Tierra es gran aventura.

Hay poemas, en *Cántico*, de enigmática ambigüedad, así «Una puerta» [93], «La rendición al sueño» [94], y el más insondable de todos, quizá, «Noche de luna. (Sin desenlace)» [95]. Hay también el gusto, puramente poético-simbólico, por las festividades cristianas y algunas páginas evangélicas (poemas titulados «Navidad», «Epifanía», «Viernes Santo», «Sábado de Gloria», «Pentecostés», y también «Lázaro», Emaús», «Evangelio apócrifo»). Con todo, la apertura posible sería hacia un teísmo sensual, en el que « ¡no hay pecado! » [96], y sí (¿ironía?, ¿panteísmo?) bienaventuranza en el dormir [97], un teísmo en el que, como ya se recordó, «Cuerpo es alma y todo es boda.»

Algún otro poema tiene que ver con estos temas. Así el escrito «Al margen de Unamuno», el «Inmortal a toda costa» [98], o el de la «Feroz disyuntiva» de la Iglesia, condenada a ser «mártir entre mártires», o a erigirse en «Sacra burocracia / Del dios más piadoso / Desde un Santo Oficio» [99].

De «Cántico» a «Clamor»

Contra la impresión primera que la aparición de *Clamor*, y la total novedad de su tono con respecto al anterior del poeta, pudo producir; y contra la impresión que todavía hoy un lector apresurado que pase bruscamente de *Cántico* a *Clamor* puede seguir recibiendo, no hay solución de continuidad entre una y otra obra. Como el propio autor ha dicho, en su primero y gran libro está ya «el "pero" circunstancial al *Cántico* esencial» [100]. Si, sobre todo, tomamos la palabra «circunstancial» en su acepción más amplia y profunda, no exenta de resonancias orteguianas, vemos que en *Cántico*, la «circunstancia», la «historia», el «tiempo» y los «lugares» van penetrando paula-

[93] *Ob. cit.*, 138.
[94] *Ob. cit.*, 152-4.
[95] *Ob. cit.*, 221.
[96] *Ob. cit.*, 206.
[97] *Ob. cit.*, 280.
[98] *Ob. cit.*, 1.180.
[99] *Ob. cit.*, 1.109.
[100] *El argumento*, 94.

tinamente. Es el poeta mismo quien ha visto igualmente que la función de poemas que llevan por título el de festividades religiosas es por de pronto, y antes de cualquier otro posible simbolismo, al que hace un momento hacíamos alusión, la de datar lo cantado, refiriendo al más antiguo, profundo y movible calendario occidental, el calendario litúrgico cristiano.

No solamente la historia como tiempo y fecha, como acontecimiento y lugar, está ya presente en *Cántico*. Lo histórico conflictivo irrumpe ya hasta el punto de que «queda todo comprometido por los conflictos de la historia» [101]. Al final del libro se oye, estridente, el chirrío de la historia. («¿Siempre chirría la historia?») [102]. El «coro menor de voces, secundarias respecto a la voz cantante», en algunas escenas llega ya a formar «clamor» [103], el cual se convertirá luego en mayúsculo y lamentablemente dominante *Clamor*; y lo que, a primera vista, constituye el *leitmotiv* de éste, no es sino el desarrollo del verso de *Cántico*, «escándalo, poder, pelea, crimen».

Vista la obra en su conjunto, *Cántico* y *Clamor* no son sino el anverso y el reverso de un mismo canto. El canto total es la lucha épica entre el bien y el mal, es decir, para el poeta, entre el ser y la nada. Desde el punto de vista de *Clamor* se tendería a decir que «Este mundo del hombre está mal hecho». Pero la verdad es que este verso está ya también en *Cántico*, y en cierto sentido «es» *Cántico*. Mas, por otra parte, en otro de los poemas considerados, un poco tópicamente, más antológicos de Jorge Guillén, el titulado «Beato sillón», se dice con expresiva censura de encabalgamiento que suspende un largo momento, amplifica y, a la vez, hace más rotunda la afirmación, que continúa como resonando,

> El mundo está bien
> hecho [104].

Cántico, considerado como un poema cosmológico, por no decir ontológico, como una gigantomaquia del Ser y la Nada, ilumina y hace inteligibles las oscuridades de *Clamor*. El poema «Los balcones del Oriente» [105], por ejem-

---

[101] *Ob. cit.*, 75.
[102] *Aire nuestro*, 531.
[103] *El argumento*, 85.
[104] *Aire nuestro*, 245.
[105] *Ob. cit.*, 339 ss.

plo, es la obertura de lo que se ha de decir desde el otro lado, desde *Clamor*. *Cántico* no es pura luz sino que el «acompañamiento en claroscuro»[106], la crisis, asoma ya al fondo, como preparándose para pasar a primer término en *Clamor*.

En esta gigantomaquia, en esta lucha del ser contra la nada, todos estamos comprometidos y todos tenemos que luchar, de un lado o el otro. El poema «Cara a cara»[107], con el que termina *Cántico*, y que está como dedicado a Federico García Lorca, es la llamada a filas para defender al Ser de «El agresor general». El tono, el discurso de «Cara a cara», resume invertido el tránsito de *Cántico* a *Clamor*: empieza describiendo cómo «El círculo de agresión / General cierra su coso», cómo «zumba hostil, un difuso / Conflicto de tarde y lodo», cómo amenazan imperar «Las farsas, las violencias, / Las políticas, los morros» del siniestro animal; después el poeta, situado ante la terrible amenaza, exclama:

> Heme ante la realidad
> Cara a cara. No me escondo,
> Sigo en mis trece. Ni cedo
> Ni cederé, siempre atónito.

y a continuación, recobrada ya la calma, rechaza la tentación del «marfil» y afirma, frente a él, el cristal —ambigüedad posible a la que hemos hecho alusión— «De una ventana que adoro»; y sin cerrar los ojos a la existencia del mal ni el alma a la angustia que cerca los gozos, se serena y termina

> Admirando cómo el mundo
> Se tiende fresco al asombro.

Si, como acabamos de ver, en *Cántico* está ya *Clamor*, también es verdad que en *Clamor* sigue estando *Cántico* y por eso es esencial que su Introducción sea el poema titulado significativamente «El acorde», y que sólo tras él comience el Maremágnum. Los dos lemas del libro entero, «No haya escape: / Negar la negación» y «Toda afirmación me afirma» resumen el sentido trascendental del libro, el mismo de *Cántico*, por debajo de las terribles pe-

---

[106] *El argumento*, 71.
[107] *Aire nuestro*, 524 ss.

ripecias que describe: Guerra [108], crimen, Potencia [109] ciega, «Ruinas con miedo» [110], «El lío de los líos» [111], en el cual el mar del Maremágnum parece inundarlo todo.

El poema de *Clamor* «Luzbel desconcertado», reverso del reverso, ironía de la ironía, canto de «la Nada, maravilla perfectísima», grito de « ¡Abajo la Armonía! », solaz en el clamor, en el maremágnum y en la sujeción del esclavo a su dueño, reclamaría una detenida, sutil hermenéutica, improcedente aquí. Contentémonos con volver despacio la mirada a otro poema, el titulado «Una exposición», que parece como de *Cántico*, extraviado aquí, y que sin embargo está en su lugar, levantando fe de lo que venimos diciendo, de esta imposibilidad de entender *Clamor* sino desde *Cántico* y viceversa, de la presencia *in nuce* de *Clamor* en *Cántico*.

Por otra parte, *Clamor* no es solo «Maremágnum» sino, más serenamente, experiencia del paso de la vida —«del trascurso» [112]—, del paso de su vida y recuerdo de la niñez —«aquellas ropas chapadas» [113]—, muerte de la rosa [114], cansancio [115]. Y en fin *Clamor* es también «despertar español» [116] (otra vez bajo la advocación de García Lorca), elegía de la patria y esperanza de que también ella sea más: «queremos más España».

«Homenaje» o «Cántico» circunstanciado

Homenaje completa el tríptico poético de Jorge Guillén y, como *Clamor*, aunque en una dirección diferente, forma cuerpo, «legato con amore» con él. Ya vimos que *Cántico* es cántico a la vida, al alrededor, a la «circunstancia», en el sentido profundo de la palabra. Es ésta la dimensión de *Cántico* que *Homenaje* desarrolla, y por eso se subtitula «Reunión de vidas», es decir, compañía a todos, de todos. La dedicatoria general del volumen, «A quien leyere» y, en la hoja siguiente, más explícitamente,

---

108 *Ob. cit.*, 692 ss.
109 *Ob. cit.*, 572 ss.
110 *Ob. cit.*, 586.
111 *Ob. cit.*, 1.044.
112 *Ob. cit.*, 757.
113 *Ob. cit.*, 758.
114 *Ob. cit.*, 764.
115 *Ob. cit.*, 754 ss.
116 *Ob. cit.*, 924 ss.

«Contigo edificado para ti / Quede este bloque ya tranquilo así», anuncian ya el «para quien» escribe Jorge Guillén, cuyo poema, que se transcribe a continuación, constituye una especie de Manifiesto, no de lo que dice sino de a quién quiere decírselo. El poema se titula «De lector en lector» como pasando el libro de unas manos a otras, de unas manos en otras. Lleva como lema la pregunta de Sartre «Pour qui écrit-on?» y dice:

Con el esteta no invoco
«A la inmensa minoría»,
Ni llamo con el ingenuo
«A la inmensa mayoría».
Mi pluma sobre el papel
Tiene ante sí compañía.

Me dirijo a ti, lector,
Hombre con toda tu hombría,
Que sabes leer y lees
A tus horas poesía.
Buena para ti la suerte.
¡Si fuese buena la mía!

Yo como el diestro en la plaza
Brindo.
«Brindo por usía
Y
Por toda la compañía»
Posible.

(p. 1.591)

Poesía pues comunitaria, pero signada, destinada, dedicada, uno por uno a cada lector actual y lista para dedicarse a todos los lectores futuros posibles, a toda la «compañía». Poesía viva, acompañada, hablando en participio de presente, en el sentido en que se dice en inglés «living literature», o, en francés «art vivant», poesía participada a todo aquel dispuesto a compartirla.

Así pues, el sentido, la esencia de *Homenaje* fueron cantados ya en *Cántico*. Pero aquí el canto es concreto, al margen, es decir, al lado de los grandes escritores de toda la historia occidental, junto con ellos y también —«Al margen de un Cántico» [117]— junto consigo mismo; asimismo en atención y obsequio a las cosas y personas en torno; y finalmente canto concreto desde el Centro y a su Alrededor.

---

[117] *Ob. cit.*, 1.202.

Resumamos, para terminar, el resultado de nuestra indagación, de nuestra inmersión lúcida —toda lectura de esta poesía necesita ser lúcida—, no en el mar, en el aire, Aire nuestro, de Jorge Guillén y de cuantos, envolviéndose en él, quieran respirarlo.

Contra lo que muchos pensaron, pero como Joaquín Casalduero y Claude Vigée ya percibieron, Jorge Guillén lejos de ser poeta intemporal, en la acepción, más bien peyorativa, que en la época del existencialismo se daba a esta palabra, es poeta que vive la crisis de los valores de nuestro tiempo y que, por tanto, con su poesía nos habla directamente. Nos habla en el lenguaje en que, precisamente *hoy*, hay que hablar: no a espaldas del sentido trágico de la vida, sino por encima de él, más allá de él; no diciéndonos lo que hemos de hacer, sino proclamando, cantando una fe sin artículos, preceptos o mandamientos. Fe en la vida, que es apego elemental a ella y también «sabor a vida», lento saboreo de la sensualidad de la vida. De la vida como realidad total, de la vida que comunicamos a lo inanimado —«Naturaleza viva»—, de la vida del entorno y de la compañía. Los imperativos de esta, si se permite la expresión, moral poética son puramente formales, desnudos, y nos dejan a cada uno de nosotros la responsabilidad entera de colmarlos con la substancia concreta de nuestra propia vida, sin abrumarnos por eso, lejos de ello, con tal responsabilidad en cuanto obsesión. Del rotundo Sí a la vida se desprende el imperativo de entrar de lleno en ella, de adentrarse en el ser. Y a ese imperativo humano corresponde el imperativo poético de cantar el ser, de convertir la poesía en leyenda o lectura cantada de la realidad. La pregunta fundamental de la moral para el poeta proclamada aquí es, además del «para quién» al que acabamos de referirnos a propósito de *Homenaje*, la del «desde dónde» ha de cantar el poeta. ¿Desde la torre de marfil, desde la ventana y tras su cristal, o al aire libre nuestro? Como ya señalé hay junto a la repulsa de la primera posibilidad, una oscilación entre las otras dos y, yo diría que la iniciación de un movimiento, por parte del poeta, para dejar de mirar por la ventana y vivir *con* la realidad, en ella, dentro de ella, sin interposición de cristal alguno.

Cántico es, también lo señalamos a su tiempo, un canto al Orden. Y hay una rigurosa concordancia entre el orden de la Creación y el orden de su Cántico. Es un orden sereno, sin arrebato ni angustia. Un Orden de la Vida que prevalece sobre la muerte. Quien respira el *Aire Nuestro* no puede vivir ya para la muerte, pero tampoco vive para una inmortalidad exigida, frenética, voluntarista, al modo de Unamuno; o en la desesperación que, lo mismo que aquella reclamación de inmortalidad, denuncia un modo de ser engreído en el yo.

Orden frente al Desorden del yo y Orden también frente al Desorden del mundo. Porque en el mundo hay desorden y *Clamor* se enfrenta con él. Pero *Clamor* no es sólo lucha contra el desorden sino, más ampliamente, como su subtítulo nos lo declara, vida en el «Tiempo de Historia». El motivo de la historia, del tiempo, es como el marco dentro del que se presentan, a la vez que lo rompen, el conflicto, la violencia, el crimen. Al esfuerzo sereno por el orden frente al desorden interior corresponde la necesidad de tomar partido en favor del orden del mundo contra su desorden, disfrazado de «orden público». La poesía de Jorge Guillén es, justamente por poesía *comprometida en el ser, poesía cívica,* «Despertar español», enraizamiento en la patria, destino más allá y más acá, más adentro que todo «Pasaporte» [118].

Al imperativo de ser, y ser más y más, corresponde el imperativo de felicidad, de ser feliz. ¿Dónde, cuándo? En el Presente absoluto de la maravilla concreta del mundo, del prodigio exacto de la realidad, del portento efímero de la vida. Es otra característica de la poesía de Jorge Guillén que sintoniza, en acorde total, con la sensibilidad moral de nuestro tiempo, moral intramundana, pero que en Jorge Guillén, paradójicamente, trasciende el mundo sin salir de él y que, así, al triste, falso hedonismo de muchos de nuestros contemporáneos, opone —sin voluntad alguna de oposición: es una poesía de afirmación

---

[118] El poemita de este título dice así:

> ¿Por qué español? Lo quiso mi destino.
> Años, años y años extranjero,
> Fui lo que soy, no lo que me convino.
> Hado con libertad: soy lo que quiero.

pura, sin mezcla de negación— lo que me parece justo llamar un Hedonismo religioso, un sereno, clásico hedonismo cósmico y comunitario.

Desembocamos así en el problema de la religión, del que ya hemos hablado. La poesía de Jorge Guillén está penetrada de religiosidad profunda, aunque de ningún modo en sentido eclesiástico; religiosidad de este mundo, que no excluye la del Otro, pero que a este respecto consiste en sencilla, humilde confesión de no saber. Tan sencilla, tan humilde, que el poeta no pretende ser inmortal a toda costa. Se entristece ante la muerte, se inquieta ante lo que no habrá, o pueda haber, tras ella. Pero se sobrepone a su entristecimiento y aserena su inquietud.

En suma, la actitud expresada en esta poesía, frente a la crisis actual de los valores, consiste en mantener, como se suele decir, una «moral elevada», una moral muy alta que, sin embargo, no tiene nada de estoicismo porque, como acabamos de ver, es de gozo, sabor y gusto de lo efímero eterno. Moral que, como despojada de todo contenido, nos dice nada más y nada menos que esto: ama, goza, crea, cree, espera, vive, se, se feliz... y haz lo que quieras. Para Jorge Guillén, a mil leguas del hombre estoico, la Virtud no es sino un corolario de la auténtica felicidad.

Moral, en fin, la de la poesía de Jorge Guillén, que responde a la situación de crisis de nuestro tiempo y que, por la única vía accesible a todos, es decir, también a los que carecen de toda fe escatológica, religiosa o secularizada, trasciende la precariedad de esa situación. Hace años otros poetas parecieron tal vez, cada cual en su preciso momento, estar más dentro de la situación del tiempo que Jorge Guillén. Pero al desligar el estar del ser, en definitiva lo estuvieron menos. Prefirieron lo efímero transitorio a lo efímero eterno. Por el contrario Jorge Guillén, imperturbable, ha ido tallando lentamente los sillares de sus poemas para, con todos juntos, levantar el poderoso edificio que, en justa paradoja, se rotula *Aire nuestro*.

VI

ESTUDIOS ESTILISTICO-ESTRUCTURALES

JOAQUIN GONZALEZ MUELA

LA REALIDAD Y SU "IMAGEN".

Entendemos *imagen* en el sentido de «cuadro», «estampa», «pintura», visión total, y no podemos por menos de ligar ese concepto con el concepto «frase», que estudia la sintaxis. *Imaginar* es crear imágenes. El poeta imagina como el pintor pinta.

I. Imagen y sueño

Es necesario remitir a un par de poemas en los que se exponen las ideas —y algo más— fundamentales sobre la realidad y la poesía: «La vida real» y «Vida extrema». Sólo me interesa sacar de ellos ahora un concepto, que quiero relacionar con el presente asunto: el concepto «sueño». Soñar, en su más alta significación, es *imaginar*, acercarse a la *fábula* que la realidad está diciendo al poeta. La vida no es sueño; la poesía es sueño. Esta palabra, *sueño*, abarca un amplio campo semántico, como sabemos, que va desde lo que entendemos como fantasía, divagación, juego mental, hasta lo que se considera como una seria función del pensamiento: hacer ideas sobre las cosas. (Tal vez las diferencias entre los dos extremos sean sólo de tipo personal, temperamental: hacer ideas sólidas y fantasear puede ser para unos igualmente un juego y para otros, igualmente, una función tremendamente seria.)

El sueño, pues, en sus formas de imagen, idea, fantasía, fábula o leyenda, es el motor de la poesía guilleniana... y de la de otros muchos buenos poetas. Recordemos la temible amenaza de Lorca:

Vendrán las iguanas vivas a morder a los hombres que no sueñan.

Pero el sueño abrazado a la realidad, no el sueño a solas, o desvarío.

2. Imágenes de pensamiento e imágenes de fantasía

Las imágenes de Guillén —y las de otros poetas— no se pueden estudiar aplicando un criterio simplista y unitario: dependen de la forma del poema (si es largo, corto, cortísimo), de su intención y de su significado. No se puede analizar con la misma pauta un poema como «Más allá», en el que se trata de conocer, o reconocer, el mundo a las primeras luces del día, y poemas como «Tres nubes» o «Tarde muy clara» (58, 59), reunidos bajo el título significativo de «Juegos». Aquí las comparaciones tienen un carácter de «divertimento». El virtuosismo, el equilibrismo poético presiden conscientemente muchas metáforas guillenianas, y el poeta sonríe. La ironía surge por todo *Cántico,* y en este sentido hay que entender imágenes como «el despilfarro celeste de algún Lope» (107), o «con suavidad cruelmente discreta va deslizándose la pérfida bicicleta» (208-209), o cuando se dice que la esfera terrestre «se aflige» (30).

En el inmenso mar que es *Cántico,* quede, pues, establecida una primera división entre imágenes según su intención: *imágenes de pensamiento* e *imágenes de fantasía.*

(Esta división, que sólo me sirve como método para el estudio de la cuestión, a pesar de su parecido, es diferente a la clasificación de los antiguos retóricos, según la cual las figuras podían ser de palabra y de pensamiento —Quintiliano habla de las polémicas de sus contemporáneos en *Institutiones,* IX, 1, 15-16—. También me separo de Antonio Machado, para el que las imágenes o son puramente conceptuales —de significación nada más que lógica— o intuitivas —de valor puramente emotivo [1]. La intuición, para mí, no es más que una manera de conocer, ni superior ni inferior a las otras maneras, y des-

[1] Véase R. de Zubiría: *La poesía de Antonio Machado,* Gredos, Madrid, 1955, p. 177.

de luego ni exclusiva del poeta ni la única que practica. En mi distinción de las imágenes atiendo a la intención del poeta más que a la complejidad del fenómeno psicológico en sí: o las imágenes excavan en el conocimiento de la realidad —por intuición o como sea—, o son más bien decorativas, divertimentos —y puede haber intuiciones muy profundas en forma de divertimento. Más adelante analizaré en detalle algunos ejemplos de los distintos tipos de intención imaginativa.)

3. ANIMISMO

Este procedimiento imaginativo, con todas sus variantes (zoomorfismo, personificación, etc.), es el dominante en *Cántico,* como ya notó J. M. Blecua [2]. El procedimiento consiste en atribuir cualidades y acciones propias de seres vivos a las cosas inanimadas; y se puede cambiar en su contrario: atribución de cualidades y fenómenos propios de los seres inanimados a los seres animados. (Así alcanzamos la figura que Bousoño llama *visión* [3], que, según ese autor, y muy ciertamente, es característica de toda la poesía moderna.)

En Guillén, el animismo tiene una justificación y un sentido particulares. Para este poeta, todo lo que tiene significado tiene *alma,* y la entrega de esa alma es la función principal —el destino— de cada ser dentro de las leyes de la interrelación universal (que se expresan, como hemos visto, en muchos lugares de *Cántico,* pero sobre todo en «Más allá»). Como entrega o préstamo es como se atribuyen sus cualidades unos seres a otros; a veces como una asimilación, pero manteniendo el asimilador y el asimilado la integridad de su ser, pues los seres, aunque se den, no renuncian a su ser.

Las cualidades que se prestan unos seres a otros suelen ser, en principio, materiales (y por eso el dominio de lo que Bousoño llama *imágenes visionarias continuadas*), pero también puede haber *símbolos* bousoñianos —préstamos espirituales— y las *visiones* de un solo plano ideal, sin referencia o apoyo en otra realidad [4]. De todas for-

[2] *La poesía de Jorge Guillén,* Zaragoza, 1949, p. 288.
[3] C. BOUSOÑO: *La poesía de Vicente Aleixandre,* Gredos, Madrid, 1956, pp. 135-36.
[4] *Ob. cit.,* pp. 121, 118 y 135.

mas, tanto en los casos de préstamo material como espiritual, el poeta infunde al fenómeno una carga emotiva. Es decir: en verdad, las cualidades pasan de un ser a otro *a través del poeta*, catalizador. Para que la función del poeta se realice de la manera más limpia posible es por lo que Guillén quiere encontrarse en el estado más lúcido en trance de poetizar, no sometido al dolor, o distraído, no envuelto «en discordia bárbara con su esencia», como dice en «Muchas gracias, adiós» (72), para no confundirse y para no alterar *demasiado* la realidad de veras real o, dicho de otra manera, para que el sueño no se separe demasiado de la realidad.

Antes de seguir adelante, tenemos que repetir una peculiaridad del medio expresivo de nuestro poeta: su lenguaje *dice* más que *sugiere*. El lenguaje que sólo o principalmente sugiere se reviste de un misterio que Guillén quiere evitar, pues sólo la *cosa* es la que tiene misterio, mientras que la misión de los *nombres*, de las fieles palabras, es allanarse a la mente, sin distanciarse mucho de las cosas; pero, desde luego, sin usurparles su enigmática y fundamental cualidad.

4. Particularidades sobre el animismo

El poeta ha dicho: «Soy yo el espejo. Vamos. / Reflejar es amar» (163). Y la imagen que refleja del mundo está necesariamente teñida de *yo*, de *hombre* Esa es la razón del animismo en Guillén, y en el lenguaje más primitivo.

En el lenguaje de Guillén este procedimiento creador de imágenes es muy abundante y muy sincero (por la razón ya dicha de que hay un constante trasegar de alma —o significado— de las cosas al yo y del yo a las cosas: la llamada interrelación universal), aunque se presta a virtuosismo; pero Guillén suele ser por lo general un fiel espejo. El procedimiento es típico de la metáfora: una cosa vista como otra. Veamos algunas formas:

a) La más frecuente está lograda con un verbo de sentimiento humano atribuido a una cosa. Es la manera más simple de reflejarse las cosas en el yo y producir una imagen humanizada:

La población *consuela* con su impulso de mar
(214)

Y el cuerpo del amor
—Femenino, celeste—
Consolará a la noche.
(195)

Este último ejemplo se refiere a Venus, la estrella: un caso de humanización viejo y extremo; un caso de divinización, de mito.

... Aquel arce
Siente mejor los cielos que le rigen,
Y *presiente* quizá...
(108)

Cándidas, inmediatas, confiadas,
Aguardan las posadas
En que el sol *goza y yace*
(109)

b) Atribución —y así humanización— de acciones propias de hombres:

La noche *tornea* campo
(64)

Valles
Rondan por los tejados.
(337)

Un humo
Va dibujando
Yedras.
(191)

Todo el plumaje *dibuja* un sistema
De silencio fatal.
(147)

b') Acciones violentas:

Una alegría que *cae*
De bruces sobre la espuma.
(56)

En un fondo de rutas
Que van lejos, tinieblas hay *de bruces*.
(212)

Pueden ser acciones propias de unas cosas traspasadas a otras. En el caso que citamos a continuación, con un reflexivo impropio, la lengua española ya ha concedido un especial poder activo a una cosa pasiva de por sí (*la puerta se abre*), poder activo que es el que se transmite en nuestro ejemplo:

¡Los días del estío *se abrirán*
De par en par!
(138)

c) Las sinestesias, atribución dislocada de sensaciones, podrían considerarse relacionadas con el procedimiento que estamos estudiando ahora. No insisto en el asunto y me limito a dar unos ejemplos:

Esta oscura humedad tangible *huele* a puente
con pretil muy sufrido
para cavilaciones de suicida.
(208)

Huele a mundo verdadero
la flor azul del romero.
(134)

Todo el frío es un blanco:
blanco *en olor* a verde.
(336)

d) Humanización por medio de sustantivo:

Vaga en torno de un hombre *la paciencia* del musgo.
(191)

... Hay *disputas*
de luces.
(212)

e) Por medio de un adjetivo decisivo:

... Aquel despliegue de ramaje
con el retorcimiento *varonil* de un olivo.
(109)

El cielo, que es *humano,* palidece
(167)

El verdor *aguerrido* del pinar,
lejos, *encastillado* en su espesura.
(132)

f) Después de llegar a afirmaciones como «el cielo, que es *humano*, palidece», no tenemos dificultad en atacar ecuaciones como «La doncella que es Aurora» (330), donde se juega con la aurora matutina y su mito; o un tema tan guilleniano como el de «Manantial», donde un río se transforma en una muchacha, o viceversa; todo puede ser. Lo importante para Guillén no es la aceptación y elaboración de un mito —su historificación—, sino verlo nacer, crearlo; no darlo por supuesto. Para Lorca, por ejemplo, el viento es un viejo personaje, que, en un capítulo de su historia, levanta las faldas de Preciosa —y por eso es Lorca un poeta tradicional—; para Guillén, el viento puede tener cuerpo, pero la historia es diferente, es el principio de una nueva historia, de un nuevo mito si se quiere. Me refiero a todos los poemas donde el viento ejerce una función simbólica, y concretamente a estos versos:

> ¡Cuerpo en el viento y con cuerpo la gloria!
> ¡Soy .
> Del viento, soy a través de la tarde más viento,
> Soy más que yo!
>
> (125)

Aquí lo importante es que así como las cosas tienen generalmente alma, también conviene que no olvidemos que hasta las más etéreas tienen cuerpo. La unión de cuerpo y alma —forma y significado— es la perfección. Y estamos ya abocados a los grandes mitos guillenianos, de los que sólo voy a aludir a uno: un caso contrario de antropomorfismo, semejante al de «Manantial»: me refiero a «Salvación de la primavera». Una mujer se transforma en paisaje. ¡Qué lucha la de Salinas para labrarse la sombra de un cuerpo! ¡Para pensarla! En cambio, Guillén, de un plumazo, hace de una mujer un paisaje. Para gozarla. Con el cuerpo y con el espíritu. Si Guillén hace que *su* mujer, desde la primera estrofa del poema que nos ocupa, sea «puro elemento», es para universalizar su particular experiencia. Y, como San Juan de la Cruz, abre la espita de las metáforas para hablar en el lenguaje de todos. (Aunque después Guillén, como San Juan, se vuelva críptico.) Esa ampliación visual de la mujer

> (Mi atención, ampliada,
> Columbra. Por tu carne
> La atmósfera reúne
> Términos. Hay paisaje.)

es la que le hace dar a la mujer la denominación máxima: « ¡Oh realidad, por fin / Real, en aparición! » La realidad como la mujer, es lo máximo y lo mínimo: una cosa concreta y un concepto abstracto. Un caso de claridad entendida —entre el cielo y la mente— y trascendida. Mujer, realidad, poesía, mito: éste es el camino que ha seguido Guillén.

5. Confusión y distinción

El préstamo de cualidades, la transmisión de alma, en que consiste el animismo, tiene un peligro: la confusión. Y ya hemos dicho que los seres, al entregarse, no pueden dejar de ser fieles a sí mismos. Veremos, pues, a Guillén oscilar, muy conscientemente, entre la *fusión* (y a veces hasta la *confusión*) y la *distinción* o *separación* de unos seres y otros. Cuando Guillén dice «nada más real que el oro», está devolviendo a esta sustancia su valor propio, al contrario de los poetas para los que ciertas palabras son como monedas de un valor simbólico determinado. ¡También hay *oro* en la Naturaleza, y no sólo *cabellos*!

Si las cosas se confunden es porque no hay más remedio. Y entonces es cuando el poeta debe afinar más el órgano de la vista y la inteligencia. El poeta, según Guillén, no debe contribuir a esa confusión. En los momentos más graves —en medio de la ciudad confusa, cuando no tiene más remedio que exclamar: «Este mundo del hombre está mal hecho» (413)— le vemos asomarse a una ventana para dominar el barullo y no hacerse un lío él mismo. Lo importante es reconocer las esencias entre los accidentes. Mirar bien. Sería una simplificación excesiva decir que Guillén llama al pan, pan, y al vino, vino. Pero la verdad es que hay muchos casos en que si no lo hace nos avisa inmediatamente con una sonrisa o se justifica larga y cumplidamente. Si una mujer se transforma en un paisaje, en «Salvación de la primavera», la metamorfosis está ampliamente explicada y tiene una muy cumplida significación. Otro ejemplo egregio: en «Anillo» no se atreve a confundir y mezclar la suprema conjunción de los amantes con la conjunción de los elementos de la Naturaleza, sino que esta última aparece entre paréntesis y da a la primera una valiosísima significación universal gracias a su simple yuxtaposición: ambas conjunciones son dos cosas diferentes, y en el gran poema están yuxtapuestas para que se ayuden, no para que se confundan.

«Una ventana» es la lección máxima de cómo hay que mirar. Hay recreo en la contemplación y en llamar al pan, pan, y al vino, vino:

El aire está ciñendo, mostrando, realzando
Las hojas en la rama, las ramas en el tronco,
Los muros, los aleros, las esquinas, los postes:
Serenidad en evidencia de la tarde,
Que exige una visión tranquila de ventana.
Se acoge el pormenor a todo su contorno:
Guijarros, esa valla, más lejos un alambre.
Cada minuto acierta con su propia aureola,
¿O es la figuración que sueña este cristal?
Soy como mi ventana. Me maravilla el aire.
¡Hermosura tan límpida ya de tan entendida,
Entre el sol y la mente! Hay palabras muy tersas,
Y yo quiero saber como el aire de Junio.

(145)

¿Es esto una «imagen»? Sí, una imagen, o cuadro, o visión total, realizada gracias a la «fiel plenitud de las palabras», la realización más supremamente deseada por nuestro poeta. (Hablaré más tarde de esas frases tan importantes como «figuración que sueña este cristal» y «me maravilla el aire».) Pero el poema del que acabamos de citar un fragmento comienza con imágenes ornamentales de tipo tradicional, de fantasía —metáforas: el pan, no pan, y el vino, no vino—, y el poeta nos explica amablemente su existencia; es que

Tantos cruces de azar, por ornato caprichos,
Están ahí de bulto con una irresistible
Realidad sonriente.

(145)

Esta es la explicación (y en el poema está la técnica) del ornato imaginero. Jamás el sueño a solas, el desvarío.

El amor por la claridad, la exactitud, la visión bien distinta, es evidente en todo *Cántico*:

Es una masa negra el río
Que a mi vista no corre —pero corre
Majestuosamente sin ornato, sin ola.

(213)

Mis fresnos de corteza gris y blanca,
A veces con tachones de negrura.

(162)

En el contorno del límite
Se complacen los objetos,
Y su propia desnudez
Los redondea: son ellos.

(511)

Véase la descripción exacta del rododendro, añadiendo el poeta un toque de emoción a lo que hubiera podido quedar en descripción de botánico:

Hojas muy lucientes
Y oscuras.
¡Rododendros en flor!
Extendidos los pétalos,
Ofreciéndose al aire los estambres,
Muy juntos en redondo,
La flor es sin cesar placer de amigo.

(158)

Lo curioso es ver al poeta cuando la Naturaleza empieza a jugarle malas pasadas, por la ausencia de luz. Entonces enciende con mayor potencia la luz de la inteligencia para no dejarse engañar:

—¿Qué es esto?
¿Tal vez el caos?
—¡Oh!,
La niebla nada más, la boba niebla,
El no
Sin demonio...

(209)

La niebla es la enemiga, que trata de escamotearle los objetos:

¡La atmósfera, la atmósfera se deshilacha!
Invisible en su hebra desvalida.
A sí mismo el objeto se desmiente.

(208)

El objeto se desmiente a sí mismo; no es el poeta quien lo desmiente envolviéndolo en ropajes que ocultan.

Pero no hay remedio. Si no el poeta, la Naturaleza insiste en confundir. Sobre todo en los amaneceres un poco tristes:

Chapotea en lo oscuro,
Galopando con su caballería,
Un caos que se forma
Su guía.

....
Alba y lluvia se funden.

(107)

Se embrollan entre dos luces
Torpes cruces
Del amanecer y el sueño.

(329)

La ciudad también puede ser un embrollo:

... no hay batuta
Que dirija esta orquesta
Desordenada.

(409)

En «Aire bailado» (433), las parejas que danzan, emborrachadas por el compás, se transfiguran en fantasmas nebulosos de otro tiempo; pero el compás cesa y las parejas vuelven a «*la verdad* de esta sala»: es un caso de imagen hecha y luego deshecha, de realidad soñada y desoñada después. La tentación de lo confuso ha pasado sin peligro, dejando sólo un rastro de imágenes fantasistas.

En «Salvación de la primavera» también se produce una *fusión*:

Vemos cómo se funden
Con el aire y se ciernen
Y ahondan, confundidos,
Lo eterno, lo presente.

(100)

Lo que se *confunde* ahora es lo que los hombres, no sabemos por qué, han tratado de separar; pero la mente del poeta, una vez más, se abraza a la verdad. La misma verdad a la que llega en «Vida extrema»:

Llegó a su fin el ciclo de aquel hecho,
Que en sus correspondencias se depura,
Despejadas y limpias a despecho
De sus colores, juntos en blancura.

(390)

Sacando el máximo partido de lo que acabamos de leer, diríamos: las imágenes, que se hacen con palabras (las «correspondencias» de las cosas), no deben ocultar con sus colores el resplandeciente blancor de la verdad.

Y más que confusión, lo que encontramos es síntesis, concierto, concordancia mental, en los siguientes ejemplos:

Me centro y me realizo
Tanto a fuerza de dicha
Que ella y yo por fin somos
Una misma energía.

(102)

De pronto, cuatro son uno.
Victoria: bella unidad.

(463)

Una ola fue todo el mar.
El mar es un solo oleaje.
¡Oh concentración prodigiosa!
Todas las rosas son la rosa,
Plenaria esencia universal.

(352)

Eternidad de ríos estivales
Que son un río solo como el mar.

(340)

La conjunción concentrada de las cosas tiene un valor lógico por encima de las mismas cosas separadas. Igual que en cierto gran poema amoroso el «anillo» indica el abrazo de la tarde a toda la Naturaleza, lo mismo en «Playa (Niños)» el poeta ha sabido ver, en magnífica abstracción mental, los vínculos que el sol y todo el ambiente están tendiendo entre la mezcolanza de luz, arena, manos de niños y conchas, en la playa:

¡Oh vínculos
Rubios! Y conchas, conchas.
¡Acorde, cierre, círculo!

(481)

(Vale la pena copiar lo que de este poema dijo hace años Amado Alonso: «La belleza sorprendida por el poeta en esa escena de «Playa»... va más allá del placer que a los ojos da el nácar tornasolado, más lejos que la voluntad de sentirse inundado por la mañana de sol y que la ternura derramada en nosotros por la contemplación de los movimientos —divinamente torpes— de los niños; está en la intuición de la estructura que preside la trinidad sol, niños, conchas. « ¡Acorde, cierre, círculo! » La estructura, como no está condicionada por su cumplimiento, es un modo de eternidad» [5].

[5] A. ALONSO: «Jorge Guillén, poeta esencial», en *Insula,* año IV, número 45, septiembre, 1949.

6. Procedimientos lingüísticos

Sólo aportaré unos ejemplos para apoyar y confirmar ese respeto a la realidad reflejado en la técnica de hacer imágenes. Fijaré mi atención en dos aspectos importantes de la poesía de Guillén: el tránsito (la realidad cambiante) y el ser arraigado en su esencia.

Las imágenes que reflejan el tránsito tienen frecuentemente como eje un verbo que expresa cambio de estado. Es el rigor lógico —la exactitud verbal— correspondiendo al rigor de la observación. (Y no creemos que ese rigor lógico sea pecado de «conceptualismo», o esté privado de «intuiciones», o carezca totalmente de «emoción».)

La vida *convierte*
Su arranque fugaz
En alma de siempre.
(88)

Hay coche
Que *transforma sus focos en saludos.*
(212)

Todo contacto en goce se *trasmuda.*
(378)

Se diría que estas imágenes (gracias a esos verbos) son fieles al principio, expresado poéticamente por Guillén, según el cual la materia no muere, sino que se transforma.

Objetos, estados, sensaciones no tienen una uniformidad monótona; gracias a la atenta observación se puede comprobar su cambio (en el poema «Desnudo», 176, vemos las variaciones que la luz produce sobre la materia, que pasa de sombra a masa y de masa a forma). Un ejemplo más: «los abrazos» en curso de transformación, pero ya solidificándose en un estado nuevo:

Se transfigura
Bajo un viento nuestro abrazo:
Concentrándose está en lucha.
(499)

Pero las formas que mejor logran la expresión del tránsito son el adverbio *ya* y compuestos. Observemos *ya es*, abundantemente repetido en *Cántico*:

... La caricia,
Está en creación, ya es otra.
(489)

La llama...
....
Siempre en su ser persevera,
Ya es canción.
(430)

Disfruta
Del camino: ya es ruta.
(259)

Parejas que a través de los cristales
Se deslizan, lejanas —y ya espectros.
(434)

Ese ritmo es ya línea.
¿Las gracias serán leyes?
(433)

... Hasta el río es más río,
Ya murmullo fiel de huerto.
(439)

... El aire,
Que es ya brisa...
(508)

La inteligencia es ya felicidad.
(305)

Ese sentido de depurada evolución (una cosa «siempre en su ser persevera») da a las imágenes citadas un carácter muy particular y muy típico de Guillén. Obsérvese que nuestro autor no contrapone dos cosas diferentes al unirlas con *ya es*. Lo que sucede es que, merced a la observación atenta de lo que está evolucionando, se ven dos aspectos de la misma cosa: camino-ruta, ritmo-línea, etcétera. No hay ni contraposición ni comparación; el plano imaginado, si lo hay, no está separado del plano real. Es porque la evolución y el cambio no son caprichosos, sino siempre fieles al ser (se evoluciona dentro de las posibilidades del destino). Y ésta es una máxima que puede servir, con valor general, para toda la creación guilleniana.

Otro procedimiento lingüístico es el uso del adverbio *aún,* expresando ese momento tan querido que es la espera, un momento de atención antes que se produzca el tránsito:

Verdes *aún* las hojas de los chopos:
Hojas de una *impaciencia*
que habrá de *serenarse* en amarillo.
(349)

Conduce a una amplitud por donde asoma
la claridad, *aún* escalofrío
también.
(108)

Y el magnífico puente que trazan los dos adverbios, *aún y ya,* entre las dos orillas del tránsito:

Tan improbable aún y ya inmediata.
(170)

Toro aún y ya noche.
(362)

Trigo aún y ya viento.
(491)

Derrumbamiento aún que ya inicia un galope
(107)

Veamos ahora al *ser* en lucha por la supervivencia, en un continuo presente en movimiento:

... el suelo de la calle
No deja de ser valle
(110)

Todo, sí, rumoroso y prometido,
Se riza de recreo,
Todo *puede ser* nido
(107)

Y late el muro
Sólido en la espesura acribillada
Por claros
De energía que *fuese ya* una espada
Puesta sólo a brillar
(214)

Un paso más y estaremos ante la ecuación decidida, en la que la entrega de cualidades ha llegado a una transustanciación mucho más sólida que la de la metáfora tradicional de adorno:

Siempre aurora es primavera
Que jamás está muy lejos

(332)

Las calles resplandecen.
Son óperas de incógnito.
Quisieran ser terrestres

(408)

Este suelo de valle revelado *es* alfombra

(111)

Arenales con ondas marinas *que son* nieves

(145)

Esa blancura de nieve salvada
Que es fresno

(124)

La ecuación puede ser provisional, pero completa, por el momento:

La noche *es hoy* una sala
Con sus ya humanos primores
Y prodigios...

(438)

Y tan tajante como la afirmación es la negación:

Cada vez está más cerca
De mi intención el constante
Cantar *que no es* un cantar

(440)

La seriedad e importancia de estas ecuaciones se explica si tenemos en cuenta que, para Guillén, el *ser* y el *llegar a ser* son la tentativa máxima de la materia que no es y que está espiando los «cruces del azar» para ser, como hemos visto en «Más allá» y en otros lugares de *Cántico*. Por eso las imágenes construidas con ese verbo tienen un valor más decisivo, gracias al contexto, que las metáforas o símiles al uso. *Ser* es algo tremendo, que no admite ni discusión ni broma:

El universo *fue*. Lo oscuro
Rindió su fondo de futuro

(352)

Hay gloria en ser. El *es*

(374)

Nada se puede contra el ángel.
El ángel *es*

(385)

He tratado de iluminar por lo menos, si no explicar, el estudio de las imágenes de *Cántico* con la luz de este mismo libro. Y ya sólo me queda dar algunos ejemplos de lo que entiendo como *imágenes de pensamiento* e *imágenes de fantasía.* Lo más importante en esta división que propongo es el carácter, forma o intención del poema. Naturalmente que en imágenes de fantasía hay pensamiento, y viceversa. Mi división no tiene carácter científico, o sea que unas veces se podrá comprobar y otras no. Pero como decía al principio, no se puede aplicar un mismo criterio al estudiar las imágenes de un poema como «Más allá» y las de «Tres nubes» o «Tarde muy clara», de la *suite* «Juegos». Veamos qué diferentes son esas imágenes.

7. «MÁS ALLÁ»

a) Abunda extraordinariamente el animismo, la personificación, lo que los antiguos llamaban *prosopopeya*: el tiempo rodea, ruidos irrumpen, amarillos saltan, enigmas amables, átomos tristes, etc.

b) La imagen se hace a la vista del lector, sin juegos malabares, respetando la realidad y añadiendo el poeta su propio sentimiento: «sol *hecho* ternura de rayo alboreado», «*hecho* mundo», «vaguedad *resolviéndose* en forma», «el día *logra* rotundidad humana de edificio».

c) Tenemos en este poema el tipo más simple de imagen que puede existir, y no por eso menos impresionante: «Balcón, cristal..., ¿nada más? Sí, maravillas concretas.» O: «¡Energía o su gloria!» O: «La materia apercibe Gracia de Aparición: esto es cal, esto es mimbre.» *Gracia, gloria* y *maravillas* son los colorantes emotivo-imaginativos. Y ahora es cuando tenemos que volver a mencionar, de «Una ventana», estas frases:

> Cada minuto acierta con su propia aureola,
> ¿O es la figuración que sueña este cristal?
> Soy como mi ventana. Me maravilla el aire.
> ¡Hermosura tan límpida ya de tan entendida,
> Entre el sol y la mente! Hay palabras muy tersas.
> Y yo quiero saber como el aire de Junio.
>
> (145)

Los objetos, al hacer su donación al poeta, al entregar su significado o alma, le dejan tan perplejo, tan emocionado, que no sabe si es bastante mencionarlos por su nombre. (Juan Ramón Jiménez se quedaba confuso hace muchos años y creía que de la «mariposa de luz» que era la belleza sólo quedaba en sus manos «la forma de su huida». Después, en *Animal de fondo,* creyó haber superado ese fracaso, consiguió el Nombre de los nombres—Dios—, siempre en el terreno de su conciencia, y reconoció por fin el nombre de las cosas —como Salinas reconoció que el nombre del contemplado era «El Contemplado».) Guillén ha sabido deslindar los términos mucho antes. Refiriéndose a eso de «Me maravilla el aire», J. M. Blecua ha escrito este certero comentario: «El aire es tan claro y límpido que sólo con los ojos de la cara, ayudados por los ojos mentales, logramos captar esa realidad, que es su misma Idea»[6]. Hay cosas, y ojos en la cara, y el alma de las cosas para los ojos mentales —y además el poema por añadidura. Y nada más. Balcón, cristal —palabras tersas—... y, además, maravillas concretas para los ojos de la cara. La palabra en su lugar (el poema) es la manera de entender —ya exenta— lo que existe entre el sol y la mente.

d) También hay en este poema imágenes que por su novedad hubieran podido despistar hasta a don Antonio Machado, y que él hubiera denominado «conceptuales», cuando en verdad no lo son, por lo menos en el sentido peyorativo que él hubiera querido darles. Me refiero a expresiones como

> Y a la fuerza fundirse
> Con la sonoridad
> Más tenaz: sí, sí, sí,
> La palabra del mar.
>
> (18)

No basta decir que esta imagen es una prosopopeya; y desde luego no es jugar con un concepto: es haber encontrado un significado nuevo a una *cosa* vieja, el mar. Tal vez las imágenes de pensamiento se caracterizan por eso: por encontrar un significado nuevo a una cosa vieja; mientras las imágenes de fantasía son las que encuentran un significado nuevo a una palabra —lo cual sería mirarse en un espejo que reflejase otro espejo. En el caso que ahora nos ocupa se ha descubierto la expresión

[6] BLECUA, *ob. cit.*, p. 299.

que corresponde a la tenaz y reiterada afirmación del mar, desplegándose y golpeando con sus olas contra la costa y susurrando o siseando inacabablemente.

e) Abunda un tipo bien conocido de procedimiento imaginero: el adjetivo coloreante, previamente coloreado (en la imaginación o en la realidad) e impregnado de sustancia emocional: «rayo *alboreado*», «claros *caldeados*», «la calma *soleada*», «*sonreído* va el sol», «el gorjeo *esparcido*»...

Estas imágenes implican una visión total de una realidad de la que sólo se nos da una sintética expresión —acaso con alusiones previas, acaso no—: el alba que alborea, el calor que caldea, el sol que solea, la sonrisa, el esparcir estaban en el ambiente y en algunos casos habían sido mencionados; ahora sólo apuntados en calidad de adjetivos calificativos. En los casos en que encontramos mención previa de la sustancia que ahora sirve para calificar, creo que estaríamos frente a ejemplos semejantes a los que C. Bousoño analiza en el capítulo XII de su libro sobre la poesía de Aleixandre, en el apartado que trata de «Cualidades de plano imaginado B califican al real A»[7]: «*columnaria* noche», «labios *ponientes*». El procedimiento no es extraño a Guillén:

> Un pájaro sumió
> Su *cantar* en el viento
> Con tal adoración
> Que se sintió *cantada*
> Bajo el viento la flor...
>
> (475)

Y más concretamente, con el adjetivo pegado al sustantivo:

> ¡Cómo *fulgen* y crujen
> Conchas, arenas, indios...
> ... ...
> Y lanzan vivas, vivas
> *Refulgentes,* los indios
>
> (483)

(Este ejemplo aparece en el primer *Cántico,* de 1928.) El procedimiento, dicho sea de paso, tal vez en algunos casos debería clasificarse dentro de lo que llamamos imágenes de fantasía: serían imágenes de pensamiento si la

[7] *Ob. cit.,* pp. 192 y ss.

sustancia impregnante fuese verdaderamente real y tuviese que aparecer inevitablemente en la repetición del adjetivo; serían de fantasía si el adjetivo se dejase influir por el vocablo sustantivo más que por la verdadera sustancia. En Guillén se dan los dos casos: influencia puramente verbal e influencia verdaderamente sustancial.

f) Y por último debo referirme a imágenes como

> ... el día...
> ... va concertando,
> Trayendo lejanías,
> Que al balcón por países
> De tránsito deslizan.
>
> (24)

No es una imagen original: el balcón quieto pero que parece volandero por la presura con que las cosas van viniendo a él. Es como en el tren, que no sabemos si lo que se mueve es el vagón o el paisaje. Lo importante es decidir si la imagen está colocada aquí por su valor decorativo o por su valor expresivo inevitable. No sé; tal vez las dos cosas.

Mucho más intelectual es esta otra expresión, francamente una de las más difíciles de entender para mí en todo el poema:

> No, no sueño. Vigor
> De creación concluye
> Su paraíso aquí:
> Penumbra de costumbre.
>
> (19)

No estoy acostumbrado a imágenes buscadamente difíciles en Guillén, y, sin embargo, me cuesta trabajo admitir su aparente simplicidad. Para mí, la «penumbra de costumbre» es la conciencia, no despierta por completo, pero dándose suficiente cuenta de que lo que la envuelve no es el mundo misterioso del sueño, sino el mundo —o paraíso— del *aquí* cotidiano y familiar (es la *penumbra* para los ojos de la cara y para los del espíritu que domina antes de despertar bien, y que parece todavía *sueño,* pero es realidad). Si ésta fuese la verdadera significación, estaríamos ante una imagen que ya no llamaría malintencionadamente «intelectual», sino ejemplo de simplicidad expresiva.

7. «Juegos»

Yo llamo imagen de fantasía a la que se extiende, continua, por todo el poema «Tres nubes» (58): nubes como islotes de frescura blanca en el tórrido azul del verano. Con esta imagen no se penetra, sino que se juega —intelectual, sensorial, graciosamente— con las cosas llamadas nubes. El carácter de broma se nota ya en el primer verso: «Son tres nubes y están solas», y va de cuento. Además, las tres nubes «*suavizan* la soledad / *Severa* del firmamento», y le hacen un poco más «benévolo». El *juego* también se observa en la forma del poema: versos alternados de ocho y cuatro sílabas en unas estrofas, y en otras sólo octosílabos (alternando también un tema en azul y otro en blanco).

Con artificios formales muy parecidos, sigue, dentro de la misma *suite*, «Tarde muy clara», también sobre nubes. El poeta se enreda en una historia formada por complicadas imágenes; las estrofas se alternan tratando ora de la historia de un cielo azul nublado de gris y blanco, ora de la historia de un doliente bululú negro y azul. Juego de colores y juego de tristezas, de prometedora emoción, que termina al iluminar el sol por completo a la tarde y a los pliegues nebulosos donde fermentaba la imaginación. La conclusión es aleccionadora:

¡Qué oscuros tantos enigmas
A la par!
Entera lució la tarde:
Claridad.
(59)

Los enigmas oscuros son lo conceptual; la claridad es la que terminan percibiendo los ojos de la cara, esos cuyo testimonio tanto trabajo les cuesta aceptar a los de la mente.

[*Studia Philologica*, 37, II, 1962; recogido en *Jorge Guillén y la realidad*, Madrid, Insula, 1963]

ROBERT G. HAVARD

LAS DECIMAS TEMPRANAS DE JORGE GUILLEN

Reflexionando sobre la época decisiva al empezar la segunda década de este siglo, cuando él era ya miembro de aquel grupo de escritores reunidos en Madrid tan celebrado más tarde, Guillén nos informa francamente que no había deseado otra cosa que escribir un tomito de poemas. Pero no lo había hecho —¿por qué? «Porque nunca me atreví», dice el poeta [1]. Esta irresolución o cautela es significativa, porque iba a dar por resultado su primer volumen, *Cántico* (1928), que era relativamente delgado, compuesto enteramente de poemas cortos, intensamente labrados. Su inicial temperamento creador parece circunspecto más bien que precoz, pero esto no quiere decir, como afirmaron algunos, que le faltaba la inspiración: crítica que ha sido totalmente refutada por la evolución de la obra culminando en el fruto de toda una vida creadora: *Aire nuestro* [2]. Lo que se nota ante todo en los primeros poemas de Guillén es esmero escrupuloso por parte del poeta, un ideal de perfección que resalta tanto de su contexto temático como del proceso creador de los poemas. No era sino lógico que un poeta joven empezara con la tentativa de domar las formas poéticas más cortas antes de lanzarse a asuntos que se suponen mayores; sin embargo, en cuanto a Guillén, hay que tener en cuenta además el espíritu literario de sus años formativos, cuan-

---

[1] J. GUILLÉN, *Cantico, A Selection* (Londres, 1965), p. 4.

[2] Para facilitar, citaremos los poemas discutidos en este artículo con referencia a uno u otro de los dos tomos mencionados aquí: *Cántico* (Madrid, 1928), el tema de nuestro estudio, o, en el caso de poemas publicados después, *Aire nuestro* (Milán, 1968).

do el imaginismo de Pound y en particular las teorías de la *poesía pura* estaban en el aire. Y no olvidar que Guillén conocía a fondo la tradición francesa y personalmente a Paul Valéry. El poeta recuerda una conversación con Valéry en que éste le ofreció una definición de la llamada *poesía pura,* quizá la más significativa de tantas definiciones: «Poesía pura es todo lo que permanece en el poema después de haber eliminado todo lo que no es poesía» [3]. Aquí, de una manera que parece más característica de Mallarmé, el sueño imposible de un poema perfecto o *puro* se insinúa sigilosamente mediante una expresión negativa. A pesar de su cualidad evasiva, la definición nos revela bastante en cuanto al proceso o a la especie de pensamiento que ha contribuido a la creación de los poemas guillenianos; añadamos que, de haber tenido la teoría discutible de la *poesía pura* importancia alguna para Guillén, habrá sido solamente en este sentido de la aplicación práctica. Según lo arriba citado, podemos ver que la idea básica es la de *eliminación* que contiene implícitamente el concepto de compresión y de síntesis: eliminación de lo no poético, o, como escribió Henri Brémond entonces: «élimination du prosaïsme» [4]. El rigor de esta teoría, que debió de influir (aún sin habérsele clavado) la sensibilidad de Guillén, explica en parte el porqué del cariño especial que tiene el poeta al poema breve en donde los confines permiten una pieza más densamente labrada y de donde, con optimismo, se supone posible desterrar las imperfecciones.

Un lugar destacado entre las breves formas poéticas del primer *Cántico* ocupa la décima. Las diecisiete décimas de este volumen son muy representativas de la inclinación del poeta hacia la concisión conjuntamente con cierta redondez disciplinada de forma. Las décimas expresan también, mediante una u otra imagen, el tema más característico guilleniano: la relación esencialmente positiva entre el hombre y la realidad. Eso no es una coincidencia, porque, como intentaré mostrar, la propiedad fundamental de la décima, su misma concisión, hace esta forma poética la más apropiada para configurar el concepto dinámico de la realidad que tiene el poeta. Para decirlo con más exactitud, debemos referirnos a la tensión

---

[3] Véase FERNANDO VELA, «La poesía pura», *RO,* XIV (1926), p. 234.
[4] H. BRÉMOND, *La Poésie pure* (París, 1926), p. 35.

poética más bien que a los temas: la propensión que tiene la décima de concentrarse en una imagen escueta, en contra del tono más prolijo del soneto, por ejemplo, es factor clave en su acomodación del positivismo sencillo del poeta en el primer *Cántico.* Sin embargo, para que apreciemos este punto mejor es preciso distinguir entre lo que es intrínsico y tradicional en la décima y las señas particulares que caracterizan la décima guilleniana. El problema se complica más con la influencia del *dizain* francés; éste es un factor de suma importancia al considerar el tratamiento que da Guillén a la décima y por eso necesita aclaración.

Primero, se debe decir que la regeneración del interés en la décima en los años veinte, iniciada por Guillén y poetas como Cernuda, Aub y Bergamín, no era menos que sorprendente en el contexto del éxito limitado y la poca fama de la que había disfrutado antes. De vez en cuando había logrado momentos de esplendor, pero estos momentos se dieron principalmente en el teatro, por ejemplo en Lope, en Calderón (sobre todo en *La vida es sueño*) y en menor dimensión en el drama romántico del Duque de Rivas y de José Zorrilla. Por otra parte, la décima había tenido menos suerte como forma puramente poética y no llegó a crear una tradición verdaderamente significativa. En realidad, desde su evolución oscura como un poema de diez versos en las obras de poetas primitivos como Ferrant Manuel de Lando, y especialmente desde el siglo diecisiete, cuando Vicente Espinel llevó a cabo algo como una normalización de la forma, parece que la décima ha sido un buen terreno para los poetas de talento modesto [5]. La forma era manejable, claro está, y apetecible a aque-

---

[5] Generalmente y generosamente se atribuye la invención de la décima a Vicente Espinel; de aquí el término concurrente *espinela.* Respecto a esto véase TOMÁS NAVARRO TOMÁS, *Métrica española* (Nueva York, 1956), página 250; DOROTHY C. CLARKE, «Sobre la espinela», *RFE,* XXIII (1936), pp. 293-305; y de la misma autora, «A note on the décima or espinela», *HR,* VI (1938), pp. 155-158. No obstante, se ha encontrado evidencia de la forma antes de Espinel: J. M. DE COSSÍO, «La décima antes de Espinel», *RFE,* XXVIII (1944), pp. 428-454. En este sentido parece más lógico que se considere a Espinel como el poeta que, antes que haber inventado la forma, más bien normalizó la variante popular. Por último, en cuanto a la evolución oscura de la décima desde las formas más tempranas, tales como la *copla real* y *doble quintilla,* los nombres de poetas del siglo quince como Gómez Manrique, Don Alvaro de Luna y Juan de Mena pueden ser añadidos a F. M. de Lando. En realidad, no hay un inventor único, como indica M. MÉNDEZ BEJARANO en *La ciencia del verso* (Madrid, 1907), p. 288.

llos poetas que no tenían mucho que decir. Parece que hasta los poetas de estatura, cuando recurrieron a la décima, lo hicieron en momentos desafinados, atraídos por su aparente facilidad, notablemente en la esfera de expresión epigramática. En estos poetas —Góngora entre ellos— la décima no es sino un poema ligero, útil para ejercitar los músculos [6]. Los poetas inferiores del siglo XVIII, como Nicolás Fernández de Moratín, explotaron tanto el potencial epigramático de la décima que ésta apenas se ha repuesto para ser aceptada como medio de expresión de poesía auténtica. La agudeza, el ingenio y el uso de la antítesis bien pueden ser rasgos intrínsecos de la décima, pero eso no quiere decir que la forma sirva sólo para epigrama. No obstante, consta que el poema había ganado cierta notoriedad, y que, según lo que podemos suponer de lo que sigue, persistía entre los contemporáneos de Guillén. El siguiente fragmento de *Homenaje* explica gran parte de la antipatía que siente Guillén hacia el prejuicio común de los poetas españoles contra esta forma:

LA DECIMA

Con gracia de buen andaluz
Me dijo una vez Juan Ramón:
«La barriguita de la décima...»
Verdad es—para desazón
Del rudo poeta sin luz [7].

La alta estima en que tiene Jorge Guillén la décima y su modo serio de manejar la forma desmienten la fama generalmente infeliz que se había ganado ésta a través de los años. Sin embargo, antes que una reacción contra el mal uso en España, la décima guilleniana se entiende mejor desde el punto de vista de sus relaciones con la tradición más afortunada del *dizain* francés. El tratamiento maduro del *dizain* se nota ya en la potente escuela poética lyonesa del siglo XVI, cuando la estrofa floreció a pesar de tener que rivalizar con el soneto petrarquista. Maurice Scève, en particular, construyó su imperiosa *Délie* con cuatrocientos cuarenta y nueve *dizains*; aunque en la

[6] C. B. MORRIS observa «the frivolity and sententiousness found in many Golden Age examples» de la décima, y censura a Góngora por sus «light-hearted occasional pieces», en *A Generation of Spanish Poets 1920-1936* (Cambridge, 1969), p. 20.

[7] *Aire nuestro,* p. 1.589.

octava inicial se refiere a sus «si durs épigrammes», sería mejor entender esto como una expresión de la humildad profesional: la palabra *epigrama* de ninguna manera determina la calidad de la poesía que sigue. En realidad, la obra de Scève, como ha demostrado Wallace Fowlie, tanto se preocupa de la condición psíquica del autor que se parece mucho en su motivación a la tradición moderna que se ha desarrollado desde Baudelaire a Mallarmé y a Valéry [8]. Fowlie habla de la relación profunda entre Scève y los poetas modernos, y esto se funda, según él, en «the use to which they put poetry»; es decir, no como la expresión del sentimiento, lo cual ocurre con los poetas más populares de *la Pléiade,* sino como una exploración o análisis del yo: «poetry as a source of self-knowledge» [9]. Resumiéndolo brevemente, diría que la relación entre Scève y los poetas franceses modernos se ve de modo más impresionante en el caso de Valéry. En Valéry no sólo vemos el mismo interés en las formas poéticas redondas, sino también un cariño evidente al *dizain* mismo, cariño menos aparente en Mallarmé. En *Charmes,* cuatro poemas importantes se componen de *dizains*: «Aurore», «La pythie», «Palme» y «Ebauche d'un serpent», setenta y tres *dizains* en total. Cuando nos acordamos del respeto de Guillén por la obra de Valéry —entre otras cosas, le animó a traducir unos poemas de *Charmes* al español [10]—, nos parece lógico suponer que la predilección de Guillén por la décima habrá sido estimulada en cierto modo por Valéry en el primer lugar, y de aquí más generalmente por la tradición más fuerte del *dizain.*

Otra característica importante: la preferencia en el esquema de la rima, relaciona la décima guilleniana con el *dizain.* Guillén comparte la predilección de Valéry por un esquema nada frecuente: dos cuartetas y un pareado en el centro del poema. La rima tradicional de la *espinela* (abbaaccddc), muy común también en el *dizain,* se encuentra en el primer *Cántico* como en *Charmes*; pero en ambos volúmenes hay muchos más ejemplos del impresionante esquema centralizado (ababccdeed) [11]. Raimundo

[8] W. Fowlie, *Sixty Poems of Scève* (Nueva York, 1949), XI-XXIII. También I. D. McFarlane establece este punto de contacto, aunque menos vigorosamente, en su *The «Délie» of Maurice Scève* (Cambridge, 1966), página 4.

[9] Fowlie, p. xii.

[10] Las traducciones han sido reunidas en *Aire nuestro,* pp. 1.488-1.501.

[11] En el primer *Cántico,* diez de las diecisiete décimas tienen esta for-

Lida no ve lo esencial cuando sugiere que el esquema da una impresión auditiva de un «sonetillo abreviado», compuesto de una cuarteta y dos tercetos (abab; ccd; eed)[12]; porque, con excepción notable de «La rosa», citada por Lida, en la mayoría de los ejemplos —como se verá seguidamente— el sentido y el ritmo de las décimas acentúan el aislamiento del pareado central (abab; cc; deed). Luis Cernuda notó este esquema («dos cuartetas con un pareado en medio»); esto le movió a describir la décima más típicamente guilleniana como «importación española de cierta estrofa francesa, usada por no pocos de los poetas clásicos franceses, lo mismo que la *espinela* entre los españoles» [13]. Es exacta la distinción entre el esquema del *dizain* y la *espinela* corriente; pero el punto central de Cernuda parece exagerado: «Muchas de las décimas escritas por Guillén no son, propiamente, décimas». Se ha de entender esto en el contexto de un comentario bastante mordaz en que Cernuda se toma el trabajo de defenderse contra el cargo de haber sido influido por Guillén en su obra temprana, notablemente en sus décimas. Su argumento vale sólo si se adopta el punto de vista de que los términos *espinela* y *décima* son absolutamente sinónimos, y que la décima no puede tener otro esquema de rima. Esto nos parecería severo para con el término *décima,* dado que la forma es más antigua que el mismo Espinel: impondría restricciones no sufridas por otros términos poéticos, como *dizain* o *soneto.*

Lo que tiene más que ver con nuestro estudio es la pregunta por qué eligió Guillén este esquema especial en la mayoría de sus décimas tempranas. Aquí hay que considerar brevemente dos puntos antes de volver nuestra atención a los poemas mismos. Primero, es obvio que el nuevo esquema afecta no solamente a las palabras que riman, sino también la estructura rítmica del poema entero. El pareado tiene la función de concentrar y aun en parte de detener el ritmo del poema en su centro. En la *espinela,* en cambio, se encuentra siempre una pausa al cabo del cuarto verso, y los versos cinco y seis, con sus distintas rimas traslapadas, tienen la función de relacionar las partes separadas del poema y de redoblar su ímpe-

---

ma, y en *Charmes* la proporción es de sesenta y tres de los setenta y tres *dizains.*

[12] R. Lida, «Sobre las décimas de Jorge Guillén», *CA,* C (1958), p. 477.

[13] L. Cernuda, *Poesía y literatura* (Barcelona, 1960), p. 223.

tu. Es probable que Guillén no haya querido conformarse a este sistema bastante rígido y que haya deseado más variación en sus ritmos: aun en sus *espinelas* prefiere renunciar a la pausa tradicional al cabo del cuarto verso, utilizando, en cambio, con frecuencia el encabalgamiento [14]. Las dos especies de décima demuestran que Guillén quiso complicar el ritmo bastante flúido o andante que había sido una característica de esta forma; su realización es más evidente en la nueva décima con su pareado, y con su rima adicional y la compresión central.

El segundo aspecto de la nueva décima que quisiera hacer notar es más sencillo: el pareado central tiene como consecuencia el disponer el poema de una manera simétrica (4-2-4). Ahora bien, esto no es una distribución accidental, porque la noción de la simetría o, más específicamente, de la concentricidad, es motivo clave en la obra temprana de Guillén y está entretejido inextricablemente con su concepto de la perfección. Se puede encontrar cierta correspondencia entre la forma y el tema del poema en la mayoría de estas décimas tempranas.

PANORAMA

El caserío se entiende
Con el reloj de la torre
Para que ni el viento enmiende
Ni la luz del viento borre
La claridad del sistema
Que su panorama extrema:
¡Transeúntes diminutos
Ciñen su azar a la traza
Que con sus rectas enlaza
Las calles a los minutos!

(114) [15]

Este poema es buen ejemplo de la manera en que Guillén presenta su materia en formas precisas y muchas veces concéntricas. El lector se entera de la posición del

[14] De las siete *espinelas* en el primer *Cántico* solamente dos, «La cabeza» y «Lo inmenso del mar», tienen la pausa tradicional al cabo del cuarto verso.

[15] Aquí y en lo que sigue el número en paréntesis se refiere al número de la página en la que aparece el poema en el primer *Cántico* (Madrid, 1928). A propósito, la última versión del poema tal como aparece en *Aire nuestro* se diferencia de este original solamente en cuanto a la puntuación. En el poema más reciente el sexto verso termina con un punto, y no hay puntos de admiración.

poeta en lo alto de la torre por medio de la imagen concisa: «Transeúntes diminutos». Desde este punto focal de la torre surgen las calles como los radios de un cubo; y el poeta logra su visión total, su panorama, relacionándolo todo a una norma común. Aquí la torre con su reloj o, en el sentido abstracto, el tema del tiempo, constituye el centro unificante. Sin embargo, la visión total y compleja del espacio y del tiempo se ha logrado en mayor parte por medio de una abstracción hacia imágenes de formas. Es el esquema concéntrico y, según dice el poeta, «La claridad del sistema», lo que forma la raíz poética de la visión. También se encuentran las virtudes simétricas del poema en el uso importante de verbos, que crea una sensación de movimiento o vaivén dentro de un esquema que aparte de esto es estático: «Ciñen» y «enlaza», que resuelven la última síntesis del poema, sirven también de contrapunto a la palabra más temprana «extrema». La impresión que produce el poema, entonces, es de simetría y concentricidad: efecto intensificado por la estructura misma del poema. En relación con el motivo dominante de la forma, podemos apreciar también lo que se puede llamar las propiedades psicológicas del poema: en el fondo, la forma no es sino una imagen de cierta disposición o condición psíquica que había experimentado el poeta. Guillén nos ha informado que el origen concreto del poema era la torre episcopal en Murcia [16]; y fácil es comprender cómo el carácter de aquella ciudad le inspiró una visión esencialmente tranquila de armonía eterna.

La antítesis de este poema, tanto en su disposición como en sus valores formales, sería «Rascacielos» de *Clamor* [17]. Esta décima más reciente que, lógicamente, no tiene el esquema del pareado centralizado es una vista de una ciudad moderna en los Estados Unidos. Aunque construida otra vez con valores geométricos, aquí hay poca evidencia del equilibrio de antes. El poema tiene un movimiento único, trazando el empuje hacia arriba de los edificios imponentes. Este movimiento, en «Rascacielos», se hace el correlativo del concepto de una propulsión hacia un porvenir incierto, lo cual está de acuerdo con el tema del desencanto de *Clamor* y opuesto a aquella búsqueda de una experiencia de la belleza permanente que caracteriza *Cántico*.

[16] *Cántico, A Selection,* p. 6.
[17] *Aire nuestro,* p. 662.

Lo que espero haber probado acerca de «Panorama» es, sin embargo, que las cualidades formales y estructurales del poema contribuyen de una manera positiva a lo que el poema tiene que decir. Además, yo me inclinaría a sugerir que el poema en realidad no *dice* nada; más bien se construye como una imagen compleja y total, y esta imagen debe tanto a las cualidades formales del poema como a cualquier otra cosa. Con *formal* quiero decir a la vez el vocabulario geométrico interior del poema y la estructura del poema tal como es, que se puede considerar como externa pero, con todo, es inseparable en el contexto de su contribución a la imagen total. El pareado central hace su papel, y el vocabulario situado en estos versos indica que el pareado es el punto focal o el eje del poema: «La claridad del sistema / Que su panorama extrema». Sin embargo, puede ser que en este ejemplo los dos versos falten un poquito en cuanto a las imágenes para que suceda una correlación culminante entre el sentido y la forma. Hay, además, en esta décima una falta de puntuación poco característica, y este dato quita fuerza a la identidad separada del pareado centralizado. En general, Guillén cuida de explotar completamente, aunque con mucha sutileza, el potencial poético del pareado, para que la imagen armoniosa del poema se evoque más perfectamente. La primera décima del primer *Cántico* es un ejemplo delicioso:

EL RUISEÑOR

(*A don Luis de Góngora*)

El ruiseñor, pavo real
Facilísimo del pío,
Envía su memorial
Sobre la curva del río,
Lejos, muy lejos, a un día
Parado en su mediodía,
Donde un ave carmesí,
Cenit de una primavera
Redonda, perfecta esfera,
No responde nunca: sí.

(111)

Esta décima es bastante más compleja que «Panorama» en su ritmo y, además, en su ambiente, que parece ser maravillosamente misterioso, irreal, y aun mágico. Esto se explica en parte por la motivación literaria del poema, evidente en la imagen central y en la dedicatoria.

Sin embargo, lo misterioso procede esencialmente de la manera delicada y nostálgica en que el poema evoca el sentimiento del tiempo, que debe tanto al sonido y al movimiento casi perfecto de la pieza. Aquí está la tensión, pero mezclada con tanta ligereza y flexibilidad para que se mantenga el aplomo siempre difícil de la décima. Retrocediendo en el tiempo, a lo largo de la «curva del río» apenas real, se da una sensación de entrar en un paisaje totalmente atónito y encantador:

> Lejos, muy lejos, a un día
> Parado en su mediodía,

El sencillísimo modo de expresión, evidente sobre todo en la repetición de «lejos», contribuye mucho a la intensificación de lo misterioso. Fundamentalmente, la repetición, junto con el uso de la puntuación, efectúa una lentitud en el movimiento del poema, haciéndose casi totalmente inmóvil en el centro mismo: «...a un día / Parado en su mediodía». Aquí se coloca «Parado» en su posición más enérgica, donde se continúa la disminución rítmica del verso anterior; pero sobre todo, es la repetición sencilla de la rima («día» / «mediodía») lo que afianza la decisiva inmovilización del poema en el símbolo de mediodía. Esta repetición es ejemplo de parataxis que excluye la noción de una realidad consecutiva y detiene el poema en este punto central en un estado de permanencia. Desde este eje irradian los dos movimientos temporales: presente hacia pasado, pasado hacia presente. Más evidencia del esquema simétrico en «El ruiseñor» se encuentra en que la imagen temprana «curva del río» anticipa la consiguiente forma sólida del «Cenit» jubiloso, y la «Redonda, perfecta esfera». No obstante, el motivo de centralización está cumplido más vigorosamente por el pareado y su rima en el quid del poema; de esta manera la organización general, implícita en el símbolo de mediodía, se explota totalmente en la forma del poema.

La relación entre la forma circular, el simbolismo de mediodía, y la inmovilización resultan en un motivo complejo que se repite a través de todo *Cántico*. Fue utilizado también por Valéry, notablemente en *Le cimetière marin* de *Charmes*:

> Midi là-haut, Midi sans mouvement
> En soi se pense et convient à soi-même...

Tête complète et parfait diadème,
Je suis en toi le secret changement [18].

La investigación muy rigurosa a la que somete Guillén este motivo —a propósito, su exploración más completa de la décima centralizada iba a venir más tarde en «Perfección», del segundo *Cántico*:

PERFECCION

Queda curvo el firmamento,
Compacto azul, sobre el día.
Es el redondeamiento
Del esplendor: mediodía.
Todo es cúpula. Reposa,
Central sin querer, la rosa,
A un sol en cenit sujeta.
Y tanto se da el presente
Que el pie caminante siente
La integridad del planeta [19].

La virtud del poema reside otra vez en su espesura, su economía y, específicamente aquí, en su impresión de cuerpo; pero quizá la dependencia casi exclusiva del principio de imponer una impresión de forma circular se le note demasiado en su intención sistemática: cada cuarta palabra contribuye a la correlación de esta forma, «curvo», «firmamento», «compacto», «redondeamiento», «mediodía», «cúpula», «central», «rosa», «sol», «cenit», «integridad» y «planeta». Esto me recuerda la observación certera que hizo I. D. McFarlane acerca de los *dizains* de Scève: «...density and increased specific gravity have their own dangers, and in a form like the *dizain* where there is comparatively little room for manoeuvre, the utmost care must be taken to see that the poem does not ruin itself to a standstill by the sheer compactness and weight of its language...» [20] Tal vez se asomen las señales de un aviso en «Perfección», donde el poeta ha buscado las imágenes más sólidas y permanentes para correlacionar su concepto abstracto. Solamente al fin del poema, con la imagen del «pie caminante» (donde el protagonista anónimo casi corre parejas con la idea valéryana de «Je suis en

---

[18] *Oeuvres de Paul Valéry* (París, 1933), p. 160. Guillén ofrece la traducción siguiente: «Sin movimiento, arriba, el Mediodía/. En sí se piensa y conviene consigo.../ Testa completa y perfecta diadema,/ Yo soy en ti la secreta mudanza» (*Aire nuestro,* p. 1.497).

[19] *Aire nuestro,* p. 250.

[20] *Op. cit.,* p. 59.

toi le secret changement»), imparte el poema alguna sensación de movimiento. En realidad, el objeto del poema, en su búsqueda de lo permanente, es antitemporal. La correlación de este concepto en «Perfección» es muy singular; otra vez el pareado central constituye el eje:

> ... : mediodía.
> Todo es cúpula. Reposa,
> Central sin querer, la rosa,

Aquí hay abstracción total hacia la forma en las palabras «Todo es cúpula»; mientras la inversión delicada «Reposa, / ... la rosa» no sólo acentúa la estructura centrípeta del poema entero, sino que también sirve para implicar lo característico de la rosa microscópica como si fuera el meollo del poema: «Central sin querer» parece atestiguar la belleza maravillosa y modesta de la rosa que se encuentra, lo mismo que el poeta quizá, en el centro de la creación del mediodía.

En poemas más recientes, como «Equilibrio» y especialmente «Las doce en el reloj», Guillén iba a desarrollar el valor de la posición centralizada de una manera más personal, es decir, con relación al yo propio; pero en el primer *Cántico* es común una aproximación más objetiva hasta tal punto que varios poemas, por ejemplo «Gran silencio» y «Perfección del círculo», no hacen más que explorar las propiedades de la forma misma. Un poema del primer *Cántico,* sin embargo, «La salida», relaciona el yo con la posición centralizada, y una ojeada a este poema puede facilitar nuestro entendimiento de los motivos evidentes en tantas décimas. Se compone «La salida» de dos estrofas de diez versos. Su sencillo contenido pictórico es un hombre que se aleja nadando de la playa. Este, a quien podemos considerar como el yo, se deleita maravillosamente en la actividad del cuerpo sumergido en el agua; pero según se desarrolla el poema, nos enteramos de que la confrontación jubilosa de los músculos con las olas también tiene sentido metafísico, porque sugiere la imagen de un empuje enérgico hacia el centro paradisíaco:

> Lanzar, lanzar sin miedo
> Los lujos y los gritos
> A través de la aurora
> Central de un paraíso,

Ahogarse en plenitud
Y renacer clarísimo,
... ...

(*AN,* 490)

A este punto, el poema configura un concepto casi religioso de lo bautismal, subrayando el sentido de lo ritual muy sutilmente por reiteración de los infinitivos; ni que decir tiene que la imagen arquetípica del centro representa la salvación o la plenitud alcanzadas. J. E. Cirlot define el valor simbólico del centro como sigue: «The idea of the world as a labyrinth or of life as a pilgrimage leads to the idea of the *centro* as the symbol of the absolute goal of Man-Paradise regained, heavenly Jerusalem...» [24] En el terreno más literario, Georges Poulet ha puesto de relieve la reaparición del simbolismo concéntrico en *Les Métamorphoses du cercle* [22], donde el breve comentario sobre Guillén relaciona la obra de éste con la reciente tradición francesa de Mallarmé y sus contemporáneos e, igualmente, con los últimos poetas medievales tales como Scève.

Ejemplos importantes de este símbolo en Scève se encuentran en la *Délie, dizains* CCXXVII y CCCXXX, del que cito:

Au centre heureux, au coeur impénétrable
A cest enfant tous les Dieux puissants [23].

Ahora bien, en la obra guilleniana, según lo que hemos visto en «La salida», el simbolismo concéntrico conserva las mismas propiedades arquetípicas, aunque con cierta modificación que se podría anticipar en un poeta moderno: aquí sí, el concepto del centro es equivalente a paraíso y salvación, pero solamente en términos hiperbólicos, es decir, como metáfora del bienestar psicológico.

Podríamos considerar muchos poemas guillenianos, y

[21] J. E. CIRLOT, *A Dictionary of Symbols* (Londres, 1962), p. 27. Entre paréntesis, el comentario de Cirlot está influido considerablemente por el trabajo de Jung sobre la llamada *mandala,* sin duda el análisis más comprensivo del simbolismo concéntrico (C. G. JUNG, *Complete Works,* IX (Londres, 1959).

[22] G. POULET, *Les Métamorphoses du cercle* (París, 1961); traducción al inglés, *The Metamorphoses of the Circle* (Baltimore, 1966).

[23] Versos sacados de la edición de I. D. MCFARLANE, *The «Délie» of Maurice Scève,* p. 299.

especialmente las décimas construidas con énfasis en valores de la forma abstracta, como ilustraciones de la condición psíquica de su autor, en las que trata de hacer palpable su sentimiento de plenitud. Ejemplo extremo de esto es «Perfección»: es el resultado lógico de los motivos presentes en muchas décimas del primer *Cántico.* El poema está realizado magníficamente, aunque, como dije ya, algún lector no esté convencido por su *sistema.* En «Perfección» Guillén se propone definir su concepto con todo rigor, mientras que en la mayoría de las décimas prefiere extraer el concepto (perfección-armonía) de una fuente concreta que es la materia del poema. Aquí se nota un cambio de énfasis; y tal vez las décimas de este tipo, donde el elemento abstracto es menos abierto, sean más convincentes poéticamente. Un ejemplo que hace al caso es la última décima del primer *Cántico,* «La rosa», en donde la evocación de las cualidades armoniosas de la rosa anticipa la colocación de la misma en el centro de «Perfección»:

LA ROSA

(*A Juan Ramón Jiménez*)

Yo vi la rosa: clausura
Primera de la armonía,
Tranquilamente futura.
Su perfección sin porfía
Serenaba al ruiseñor,
Cruel en el esplendor
Espiral del gorgorito.
Y al aire ciñó el espacio
Con plenitud de palacio,
Y fue ya imposible el grito.

(127)

Lo abstracto es evidente en las palabras claves distribuidas a lo largo del poema: «armonía», «perfección» y «plenitud». No obstante, a pesar de la prominencia de estas palabras de peso relativo, el poema no resulta demasiado rígido a causa de su cualidad abstracta. Lo que llama más fuertemente la atención, lo mismo que en «El ruiseñor», es lo pictórico, encantador, del poema, que aligera, facilita y a la vez contiene el movimiento hacia la dimensión universal. Para el poeta la mayor parte de la belleza de la rosa reside otra vez en su aspecto pasivo o humilde. Significativas aquí son las palabras «Tranquilamente» y «sin porfía» que recuerdan lo modesto de la rosa en «Perfección»: «Central *sin querer*». Hay una sugerencia de movimiento hacia el futuro: «Tranquilamente futura», pero no se permite que la segunda dimensión temporal moleste la permanencia del presente. Aparece el «ruiseñor» de nuevo; y esta vez se ha hecho su canción incluso geométricamente sólida con «Espiral del gorgorito». Aquí se enriquece al motivo de la inmovilización con una dimensión más: la hermosura de la rosa tanto ha serenado y encantado al soberbio ruiseñor que ya no puede cantar. La «Espiral» inmóvil anticipa el aturdimiento del pájaro, estupefacto por la belleza pura de la flor:

> Y fue ya imposible el grito.

Aquí, donde la palabra «grito» tiene animación suspensiva y perpetua, tenemos un buen ejemplo del dominio guilleniano del último verso. Se puede comparar el citado con el último de «El ruiseñor»: «No responde nunca: sí», donde es aun más evidente que el valor positivo, «sí», se pone en ecuación con sus antecedentes negativos. De una manera semejante, «grito» y «sí» amenazan reactivarse, en los términos de sus positivas connotaciones lingüísticas, y en este sentido los dos están suspendidos en un estado de inminencia dinámica.

Como ocurre tantas veces en la poesía de Guillén, la intuición repentina, la sensación momentánea de la belleza, de la armonía o de la plenitud, se vuelve valor permanente que el poema inmoviliza. Pero ya hemos visto, en «La rosa», que este momento, aunque estático, resuena con tensión. En este caso la tensión era resultado de la interacción entre pájaro y flor; en «El ruiseñor» y «Panorama» consistía en la sensación de flujo, tanto espacial como temporal, alrededor de un eje central. En otra décima, «Pasmo del amante», se extrae la tensión del colmo de la unión entre el hombre y la mujer:

> .... blancura
> Si real, más imaginaria,
> Que ante los ojos perdura
> Luego de escondida por
> El tacto. Contacto. ¡Horror!
> ¡Esta plenitud ignora,
> Anónima a la belleza!
>
> (113)

Otra vez llama la atención la suma comprensión del pareado central. Aquí está lo esencial de la experiencia concreta, «Pasmo», evocada en el poema. Se funden el sonido y el sentido en creciente tensión hasta «...tacto. Contacto», y ambos se resuelven con exactitud increíble en la revelación culminante «¡Horror!» El ritmo de *staccato* transmite la excitación; pero las pausas, como una respiración sofocada, son igualmente importantes. ¿Era eso lo que quería decir Henri Brémond cuando escribió «La poésie pure est silence, comme la mystique»? [24] Se expresa la idea del poema con precisión notable: en el momento más crítico de la intimidad, anonimato. Otra vez, en el quid del poema se coloca una paradoja que determina su tensión. Esto parece ser una característica natural de la décima, porque, según dije ya, su restricción cuantitativa la limita a ser una imagen única, aunque extendida, y tal vez no sea más que la función de la imagen misma crear tensión por medio de la correlación de elementos desemejantes. Valga lo que valga esta consideración, queda en pie que la técnica guilleniana más discernible es la de construir el poema alrededor de una imagen centrípeta de tensión. Esta se basa muy frecuentemente en la fusión del espacio y el tiempo, y más generalmente, en la unión de elementos estáticos y dinámicos. El mejor ejemplo de esto se encuentra en la décima sobresaliente que sigue:

ESTATUA ECUESTRE

Permanece el trote aquí,
Entre su arranque y mi mano:
Bien ceñida queda así
Su intención de ser lejano.
Porque voy en un corcel
A la maravilla fiel:
Inmóvil con todo brío.
¡Y a fuerza de cuánta calma
Tengo en bronce toda el alma,
Clara en el cielo del frío!

(112)

Tiene interés la primera palabra: «Permanece». Lo mismo que «Queda» con que empieza «Perfección», inmediatamente impone cierta inmovilidad al poema, helándolo. Luego tenemos el movimiento opuesto de «trote»; y

[24] *Op. cit.*, p. 121.

ya en el primer verso se han establecido los dos elementos que constituyen la acción del poema. Casi todo lo que sigue contribuye de alguna manera a uno u otro de estos dos polos. En realidad, el segundo verso vuelve a plantear el contraste con el vigor de «arranque» y el dominio de «mano». Luego el poema va desarrollándose mediante una especie de paralelismo hipotáctico, con la restricción del tercer verso: «Bien ceñida queda así», haciendo resonar la solidez del movimiento: «Permanece... aquí», mientras que el cuarto verso ofrece otra insinuación de movimiento: «Su intención de ser lejano». El aspecto dinámico de la antítesis es muy evidente. Me recuerda la descripción gongorina de los dos luchadores en *Las soledades* que, musculosos y explosivos, siguen luchando encarnizadamente aunque inmóviles. En la décima de Guillén se le da a la estatua cada vez más potencia activa, a medida que las imágenes comprimen la antítesis: «Y a *fuerza* de cuánta *calma*» y sobre todo, en la suma concisión de «Inmóvil con todo brío». Aquí la frase técnica configura hábilmente la relación muy artística y composicional entre el poeta y su materia. Se nos recuerda que el poeta está contemplando una estatua, obra de arte. A este punto, la imagen tan felizmente escogida de la estatua está muy dibujada ya, y los elementos antitéticos de movimiento e inmovilidad han sido integrados. Ahora solamente queda la conclusión: ésta emerge en el penúltimo verso como una especie de avance o ilustración espiritual, al mismo tiempo que la correlación de «bronce» y «alma» implica fuerza y resolución nuevas.

El concepto paradójico de movimiento e inmovilidad como motivo artístico fue observado por T. S. Eliot en «Burnt Norton»:

> Words move, music moves
> Only in time; but that which is only living
> Can only die. Words, after speech, reach
> Into the silence. Only by the form, the pattern,
> Can words or music reach
> The stillness, as a Chinese jar still
> Moves perpetually in its stillness [25].

Luis Cernuda, como Guillén, ha empleado el concepto en una décima temprana, poema XIII de *Primeras poesías*:

[25] *Collected Poems 1909-1962* (Nueva York, 1963), p. 180.

Se goza en sueño encantado,
Tras espacio infranqueable,
Su belleza irreparable
El Narciso enamorado.
Ya diamante azogado
O agua helada, allá desata
Humanas rosas, dilata
Tanto inmóvil paroxismo.
Mas queda sólo en su abismo
Fugaz memoria de plata [26].

Se impone una comparación con «Estatua ecuestre», ya que tenemos otra vez no sólo la imagen de la estatua, sino también el paralelo entre «Tanto inmóvil paroxismo» de Cernuda e «Inmóvil con todo brío» de Guillén. Es complicada la cuestión de una posible influencia, y Cernuda se ha defendido con el argumento de que muchos motivos comunes a los dos poetas españoles fueron descubiertos en los simbolistas franceses de antes. Desde luego, es verdad que Mallarmé había utilizado el motivo de la inmovilización, por ejemplo en el cisne helado de su soneto «Le vierge, le vivace et le bel aujourd'hui», y ya hemos notado el símbolo extático de mediodía en Valéry. La relación entre Mallarmé y Cernuda es evidente: los dos utilizan la imagen estática para crear un valor fundamentalmente negativo de aislamiento e inercia. Esto se desarrolla en Cernuda por medio de los símbolos adoptados de «limbo», «vacío» y el arriba citado «abismo». En cambio, lo que domina en Guillén, e igualmente en Valéry, es el valor dinámico de la imagen: antes que estática, más bien se contiene dentro de un momento de animación perpetua en la que hay siempre indicaciones de movimiento.

La trascendencia de la imagen central en «Estatua ecuestre» puede ser relacionada eficazmente con el amplio contexto de *Cántico* en cuanto al tema y en cuanto a la técnica. Se puede ver el aspecto inmóvil de la estatua como reflejo del valor positivo de «calma», de paz, serenidad, armonía, que constituyen el fin de tantos poemas. A la inversa, las muchas implicaciones de movimiento, que determinan el carácter activo de la estatua (y vale la pena recordar que es un corcel), llegan a sugerir un valor más enérgico. Este valor corresponde al tema básico guilleniano: aunque la sensación de armonía no está fuera del alcance de uno, tampoco se la logra fácilmente; en reali-

[26] *La realidad y el deseo* (México, 1958), p. 18.

dad, lo que falta es un empuje vigoroso para conseguir esa experiencia permanente. En «La salida» la búsqueda agresiva de la plenitud se presenta en los términos del avance de un nadador por las olas. Desde luego, en poemas más extensos el elemento narrativo permite un desarrollo más explícito del tema, mientras que en las décimas emblemáticas se ha de percibir en los valores de imágenes destiladas. Sin embargo, es precisamente este tema el que domina toda la obra guilleniana, aunque en *Clamor* se preste más atención a las fuerzas negativas que impiden la realización de la plenitud. En la versión completa de *Cántico* hay también evidencia de las fuerzas negativas en cierne; pero en el de 1928 le interesa más a Guillén la creación de un correlativo poético de la experiencia misma. Aquí, lo difícil en la realización de la experiencia no es tanto el resultado de alguna intervención, sino más bien se debe al hecho de que la experiencia es quintaesenciada y por lo tanto esquiva. Esto explica mejor el motivo de centralización que ofrece imágenes de la experiencia como un núcleo. Por todas partes en estas décimas tempranas se encuentra el concepto de lo esencial. Además de los poemas ya considerados, se halla, por ejemplo, en la imagen de la luz en «La luz sobre el monte» (116) y «Presencia de la luz» (124), o en la centralización del tiempo en «Ahora» (125), o en la imagen de la sal en el poema siguiente:

EN LO AZUL, LA SAL

Estricto, pero infinito:
No acoge este mar, ¡oh idea
De lo azul!, ningún prurito
Que de tan blanco se crea
La Desnudez en raudal.
Y oculta en lo azul, la sal:
¡Poder tan ágil que a solas
Con el color restituye
La unidad del mar, que huye
Sin cesar bajo las olas!

(123)[27]

---

[27] Otra vez la última versión de este poema (*Aire nuestro,* p. 249) se diferencia de la primera solamente respecto a la puntuación; no hay puntos de admiración en la más reciente. Esta eliminación, muy característica de los cambios hechos por Guillén, sugiere que el poeta creyó que los puntos de admiración eran superfluos, dado que la organización misma de las palabras transmite la tensión.

El valor simbólico de esta décima no es de ninguna manera abstruso, sino en acuerdo con el sencillo contenido pictórico del poema. Otra vez el concepto de la sal como esencia está subrayado por la estructura del poema que da énfasis a cierta penetración y encumbramiento. El mar, dimensión macrocósmica, contrasta con lo diminuto de la sal y, otra vez, es el concepto de una antítesis lo que crea tensión en el poema. Tenemos un desarrollo significativo con el juego de colores. Aquí el poeta precisa lo caprichoso y lo insustancial del color del mar (« ¡oh idea / De lo azul! »), y lo contrasta con el color de la sal, la cual, en su inmutabilidad, parece ser el elemento permanente unificador: «Poder tan ágil que a solas / Con el color restituye...» La imagen se presenta más apropiada aún cuando el poeta concluye que la esencia, la sal («...oculta en lo azul...») es también la partícula más esquiva del mar: «...que huye / Sin cesar bajo las olas». Podemos ver que esta décima es muy representativa del primer *Cántico* en general. En realidad, una de las características más notables del primer *Cántico* es su uniformidad de tono y su técnica lógica. Esto no quiere implicar limitación alguna, ya que el objetivo primario de este volumen era correlacionar, en destilados poemas emblemáticos, una impresión del concepto central de la *plenitud.* Es en este sentido de una concentración total en la forma de la imagen que esta poesía se acerca a la noción de *poesía pura.* Además, no se debe creer que las virtudes formales de esta obra sean aciertos logrados fría o académicamente: constituyen una contribución significativa a la transmisión de una experiencia muy humana. Más tarde, aun en *Cántico,* como ya sabemos, Guillén iba a ampliar este concepto severo, si inefable, de la perfección, refiriéndolo más explícitamente a los problemas de la vida cotidiana. Pero el primer volumen permanece incontestable como el núcleo centrípeto de la expresión creadora guilleniana. Las décimas sobre todo, debido a sus lúcidas imágenes comprimidas, pueden ser consideradas como la esencia misma de la experiencia de Guillén en cuanto hombre y en cuanto poeta.

[Original inglés en *Bulletin of Hispanic Studies,* núm. 48, 1971 (trad. aut.)]

RAIMUNDO LIDA

SOBRE LAS DECIMAS DE JORGE GUILLEN

APUNTES Y ANTOLOGÍA [1]

No cábala, sino arquitectura estable: geométricas proporciones conscientemente cultivadas. En siete partes dividía Jorge Guillén su primer *Cántico,* el de la *Revista de Occidente.* En el segundo, el de *Cruz y Raya,* las refunde en cinco, cada una con su título propio: «Al aire de tu vuelo», «Las horas situadas», «El pájaro en la mano», «Aquí mismo» y «Pleno ser». Son las que, ampliadas, aunque conservando sus nombres, aparecen también en el tercer *Cántico,* el de México, y en el cuarto —«primera edición completa»—, de Buenos Aires. En el mexicano, «El pájaro en la mano» comprende a su vez cinco partes; en el argentino, dos, la primera de las cuales reúne todas las décimas del libro (y cada décima es un breve poema autónomo). Resultan entonces cuarenta y cuatro en total, frente a las treinta y seis de 1945, a las treinta de 1936 y a las sólo diecisiete de 1928. Hablo aquí, para empezar, de décimas en sentido estricto, de décimas octosilábicas y aconsonantadas; no de meros conjuntos de diez versos.

---

[1] De *Cuadernos Americanos,* con algunos retoques y ampliaciones. Sigo refiriéndome aquí a los cuatro *Cánticos* considerados en ese artículo. Haré una que otra referencia a *Aire nuestro,* aunque sin entrar en el estudio del lugar que la décima ocupa en este nuevo ámbito ni en el novísimo de *Y otros poemas.*

DISTRIBUCIÓN

De una edición a otra, pues la décimas han crecido en número; y han recibido además tal o cual retoque, y han cambiado de colocación. Pero, leídas atentamente, nos revelan el firme y culto pitagorismo con que el poeta ha combinado dos distintos moldes de estrofa. En las cuatro ediciones ha agrupado en el centro las que obedecen al esquema de rimas de la tradicional espinela (abba: ac: cddc). Así ésta, «A lápiz», publicada por primera vez en el *Cántico* de Buenos Aires:

> ¿El mundo será tan fino?
> ¿Le veo por nuevas lentes?
> Hay rayas. Inteligentes,
> Circunscriben un destino,
> Sereno así. Yo adivino
> Por los ojos, por la mano
> Lo que se revuelve arcano
> Bajo calidad tan lisa.
> Toda un alma se precisa,
> Vale. Tras ella me afano[2].

Y antes y después de ese núcleo de décimas castizas, coloca las otras: aquellas que, para un oído hecho a las décimas de Calderón[3], de José Zorrilla, de Rafael Obligado, de Salvador Rueda, suenan a modernas y discrepantes, y dejan una impresión como de final de sonetillo: un solo cuarteto, de rima alterna o cruzada (abab), y luego los dos tercetos (ccd: eed)[4]. Falta aquí la redondilla final

---

[2] En *Aire nuestro,* Milán, 1968, p. 246, el segundo verso aparece así mejorado: «¿Lo veo por nuevas lentes?» En 1950. y en una página en blanco de mi ejemplar de 1945, el poeta copió a mano esa estrofa, poco antes de que la nueva edición llegara de la Argentina a México, y le añadió esta reveladora apostilla: «Por ejemplo: Ingres, algunos Picassos».

[3] «Todos hemos partido de las décimas de Segismundo», me dice Jorge Guillén (marzo de 1974).

[4] Comp. el sonetillo de Villaespesa «Yo era un niño...» que TOMÁS NAVARRO cita en su *Repertorio de estrofas españolas,* Nueva York, 1968, p. 200 (utilizo aquí: FRANCISCO VILLAESPESA, «Ritornelos», II, en *Tristitiae rerum,* Madrid, 1918, p. 129). Escojo ése, entre otros sonetillos de la misma época, por las rimas alternas de los cuartetos y por el esquema aab:ccb de los tercetos: «... Siempre en el alma la idea / de ser contigo sincero: / —Mañana, como la vea, / le diré cuánto la quiero... / Y cuando a ti me acercaba, / te miraba, te miraba, / y a hablarte no me atrevía / de aquel tímido cariño... / Yo era un niño, yo era un niño, / ¡y cuánto ya te quería!»

(abba) de la espinela clásica. Ejemplo ilustre de esa modalidad «francesa», no tradicional, «La rosa»[5]:

Yo vi la rosa: clausura
Primera de la armonía,
Tranquilamente futura.
Su perfección sin porfía
Serenaba al ruiseñor,
Cruel en el esplendor
Espiral del gorgorito.
Y al aire ciñó el espacio
Con plenitud de palacio,
Y fue ya imposible el grito.

Claro que es, ante todo, ese final en tercetos lo que puede hacer pensar en el sonetillo, o —para el lector de otra formación— en el *dizain* de Hugo y Lamartine, de Musset y el Mallarmé adolescente de «La prière d'une mère» (1859):

Au premier jour, votre ombre immense
Daigna, Jéhova, trois fois saint,
Parmi les foudres de vengeance
D'astres et d'éclairs le front ceint,
Ouvrir le ciel au premier ange
Etonné de voir, rêve étrange,
Lui, si petit, et vous, si grand!
Les astres naissants se voilèrent,
Les flots troublés se retirèrent..
L'immortel s'envola tremblant! [6]

«La rosa» es por cierto una décima notable, pero no precisamente una «notable excepción»[7] por lo que hace a la arquitectura de la estrofa. Quien lea con sentido pleno una décima como «Estatua ecuestre» se encontrará, por lo pronto, con la clásica pausa al final del cuarto verso:

Permanece el trote aquí
Entre su arranque y mi mano.
Bien ceñida queda así
Su intención de ser lejano.

Y en los que siguen, tendrá que distinguir entre el punto y los dos puntos, y verá entonces que los dos puntos del

[5] Su texto se ha mantenido intacto desde 1928. En 1950 perdió su dedicatoria, que recuperó, afortunadamente, en *Aire nuestro.*

[6] STÉPHANE MALLARMÉ, *Poésies,* París, 1966, p. 166.

[7] ROBERT G. HAVARD, «The early *décimas* of Jorge Guillén», en *Bulletin of Hispanic Studies,* t. 48 (1971), p. 115. Por lo demás, el estudio de Havard abunda en finas y sugerentes observaciones.

sexto verso, lejos de aislar la pareja que ese verso forma con el anterior, la enlazan (en terceto) con el siguiente:

> Porque voy en un corcel
> A la maravilla fiel:
> Inmóvil con todo brío.

Comprobará, así, que este último punto lleva a hacer de los tres versos finales de la estrofa otro nuevo y cabal terceto:

> Y a fuerza de cuánta calma
> Tengo en bronce toda el alma,
> Clara en el cielo del frío.

En fin, estos breves poemas son de viva diversidad, como bien muestra Havard, y no se les hace justicia imponiéndoles unos rígidos principios o fórmulas. Ni es poesía que pueda reducirse a triángulos, cuadrados o círculos, aunque, como toda gran poesía, resista esos y otros ejercicios geométricos. Afirma variadamente su individualidad frente a una amplia tradición —a la cual tampoco hay que simplificar en bloque unitario.

Dinamismo

Contando, en fin, el número de poemas que entran en cada grupo, se podrá observar cómo la distribución perdura en los sucesivos *Cánticos.* En el de la *Revista de Occidente,* cinco décimas cruzadas, siete espinelas y otras cinco cruzadas; en el de *Cruz y Raya,* siete, dieciséis y siete, respectivamente; en el de México, diez, dieciséis y diez; en el de Buenos Aires, diez, veinticuatro y diez: en cada caso, dos grupos iguales de décimas cruzadas, como un par de alas simétricas a uno y otro lado de las décimas tradicionales.

Y no nos despiste la tradición. Esas espinelas no son de Vicente Espinel ni son las de *La vida es sueño.* En manos del gran poeta de hoy los moldes clásicos se remozan tan inevitablemente como los viejos temas o la vieja sintaxis. La décima se ha puesto aquí en movimiento. Bajo su limpia superficie metálica fluye, a veces casi con la soltura y sencillez de la conversación, a menudo en una continua sorpresa de rupturas y encabalgamientos, el canto originalísimo de Jorge Guillén. Décimas, sí, pero con qué cambio de signo. Ya no se reconoce el latido del metrónomo calderoniano. Ya no hay pausa regular al final del cuarto verso, que puede ahora enlazarse fuertemente con el quinto («La lentitud invasora / De la siesta...», «...manso / Discurrir de una armonía», «... ¿El cielo / Guarda esbelta esa figura...?») borrando así el contorno de la redondilla inicial. Ya resultan normales los versos que terminan en palabra inacentuada, en artículos y preposiciones sobre cuyas rimas pasa el sentido volando —y la lectura debe salvar entonces, con exacto ritmo y entonación, la individualidad de cada octosílabo:

Luego de escondida por
El tacto...

Gracias se deslizan por
El puro nivel del hielo...

Hasta convertirse en... el
Más allá...

Que muda todo sol en
Luz serena...

Es lo que ocurre en muchos otros poemas de *Cántico,* de metro alerta e innovador. Véase, para muestra, cómo el último alejandrino de «Siempre aguarda mi sangre», si ha de leerse en dos hemistiquios, nos hace transportar del segundo al primero la palabra *en*: «La cumbre de la cumbre en silencio: mi estupor». Más atrevido aún, entre los endecasílabos de «Sol en la boda», este cuarteto:

Tanta existencia es fe: serán. Felices
Serán de ser: se aman. ¡Oh delicia
Desde la voluntad a las raíces
Ultimas! El sol las acaricia.

Para la rima, *raíces* pertenece al tercer verso de la estrofa; para el metro, cede su sílaba final al verso siguiente.

Por otra parte, el claro patrón de la décima se complica con lujos de rima interior. Así en «Profunda velocidad»: «...La longitud del camino / Por el camino. ¡Qué fino! » Así en ese «Paraíso regado» (no ya espinela, sino décima cruzada) que Ruth Whittredge, con mucho acierto, ha escogido como ejemplo de evocadora y penetrante acumulación de notas sensoriales:

Sacude el agua a la hoja
Con un chorro de rumor,
Alumbra el verde y lo moja[8]
Dentro de un fulgor. ¡Qué olor
A brusca tierra inmediata!...

Y a cada instante, juegos de desdoblamiento e intercalación. En «Bella adrede», cielo y aurora, móviles y coloridos, se oponen desde los paréntesis a la impasible figura central de Galatea; en «Verde hacia un río», la descripción —en tercera persona— de ese descenso lento y feliz a través de una masa de follaje y gorjeos, se combina con la primera persona, la del poeta, y con la segunda, la de un «tú» a quien él exhorta y dirige.

Guillén se complace en recordar, a propósito de los modernos retoques a los metros tradicionales, el ritmo inquieto que el romance cobra ya en manos de Rubén Darío, el Rubén de los *Cantos de vida y esperanza* («Por el influjo de la Primavera»). Bien vemos que, en la compleja fisonomía de las décimas de Guillén, esa arritmia no es sino un rasgo entre otros. Por añadidura, los rigurosos lindes de la décima multiplican la acción de todos ellos. El pensamiento se concentra, corre, salta. Hay mucho que decir en sólo diez versos, y el espacio no alcanza para entrar en explicaciones. «Brevedad: yo me he jugado la vida a esta carta», he oído decir al poeta. Todo trabaja en la brevedad de cada décima; todo vibra. A cada incitación de los esquemas clásicos, una respuesta nueva: no forzada, pero inesperada. Es este, en suma, el mismo Guillén que, frente a las naturalezas muertas, llamará epigramáticamente a la suya «Naturaleza viva». Es el mismo que dedicará a Dámaso Alonso —el de la *Oscura noticia*— su propia «Clara noticia».

Tradición

Por lo demás, un largo ejercicio de afinamiento y variación, antes y después de Rubén Darío, ha preparado el terreno. Los estudios de Dorothy Clotelle Clarke, y la sabia *Métrica española* de Tomás Navarro, y su *Repertorio de estrofas españolas*, permiten recorrer las sucesivas etapas: la emancipación de la redondilla, el predominio de

[8] Hasta la edición de 1950, inclusive, «le moja».

la abrazada (abba) sobre la cruzada (abab), su auge y su ocaso en la comedia de los Siglos de Oro. De pronto, antes de 1600, aparición y rápido triunfo de la espinela: dos redondillas abrazadas y dos versos de enlace entre una y otra. La comedia consagra también ese triunfo. Lope da más de una vez, y en verso y en prosa, testimonio de su favor creciente en las tablas. Al dedicar *El caballero de Illescas* a Vicente Espinel (*Parte catorce de las Comedias* de Lope de Vega Carpio, Madrid, 1620), atribuye al poeta de Ronda el haber inventado, no sólo «las cinco cuerdas del instrumento que antes era tan bárbaro con cuatro», sino esa décima de nueva forma, «composición suave, elegante y difícil, y que ahora en las comedias luce notablemente, con tal dulzura y gravedad, que no reconoce ventaja a las canciones extranjeras». El *Laurel de Apolo* celebra también las «dulces, sonoras espinelas». En la citada dedicatoria al poeta andaluz, Lope, lector voraz, añade que unas décimas parecidas ha hallado él mismo en francés, «escritas por el señor de Malherbe» (parecidas, nada más: Lope señala la diferencia, en la rima del quinto verso, y, en efecto, no veo que el minucioso catálogo de estrofas francesas de Ph. Martinon incluya, entre los *dizains* de Malherbe, ninguno que se ajuste del todo a las rimas de la espinela)[9]. La preceptiva lopesca da un paso más allá, e intenta definir el papel que conviene a las décimas, frente a los demás metros, en la economía sentimental de la comedia española. «...Son buenas para quejas», dice el *Arte nuevo*. Pero los críticos se han quedado perplejos ante esas *quejas*. ¿Monólogo quejumbroso? ¿Diálogo entre amantes que se quejan o recriminan? Para lo uno y lo otro sirve la décima en el teatro del propio Lope, y, como era de esperarse, Morley y Bruerton han contrastado estadísticamente los dos oficios.

No sólo en el teatro es donde se afirman victoriosas las espinelas, aunque tan natural resulte hoy asociarlas con escenas culminantes de *La Estrella de Sevilla* y, sobre todo, de *La vida es sueño*. Navarro muestra cómo Góngora y Quevedo cultivan la nueva estrofa para sus epigramas, contra las dobles redondillas que para los suyos prefieren un Lope, un Trillo y Figueroa, un Antonio de Solís,

---

9 Más detalles sobre la historia del *dizain*, en el artículo de Havard, pp. 113-114. Pero Guillén hace partir su propio interés en la estrofa francesa —y su deseo de imitarla en español— de sus lecturas de Mallarmé y Valéry.

y cómo seguirán utilizándola los humoristas del siglo XVIII, mientras que la poesía neoclásica más ambiciosa le cierra, en España, las puertas. También apunta Navarro, para entonces, el «mayor arraigo de la décima clásica entre los poetas de América». ¿Y no es en la poesía popular americana donde sigue justamente floreciendo? Abramos los cancioneros de los distintos países hispánicos, y ahí se nos aparecerán: desde el atildado *pastiche* de Calderón hasta la estrofa tan incierta y desfigurada que es preciso quitarle laboriosamente las incrustaciones —redondillas sueltas, versos de romance— que se les han ido agregando con el tiempo. La décima atravesará, con irregular impulso, la época romántica. Irrumpirá en la poesía gauchesca, incluida la pulcramente académica de Rafael Obligado. Declamará en «Almafuerte». Fluirá sin estorbo en los momentos blancos o zorrillescos del premodernismo (también en los versos juveniles de Darío)[10].

[10] Ya en los Siglos de Oro, la acostumbrada pausa del cuarto verso no siempre acompaña el final de la oración. Lo que puede terminar ahí es un complemento adverbial, como en esta espinela de Góngora: «De un monte en los senos, donde / daba un tronco entre unas peñas / dulces sonorosas señas / de los cristales que esconde, / Eco, que al latir responde / del sabueso diligente, / condujo...» (*Obras completas,* ed. Millé, Madrid, 1956, p. 324; son versos de 1603). Comp. «Por la estafeta he sabido / que me han apologizado; / y a fe de poeta honrado, / ya que no bien entendido, / que estoy muy agradecido...» (*Obras,* ed. cit., bajo «Letrillas atribuibles», p. 420). Una simple coma puede cerrar la redondilla —toda ella un complejo sujeto gramatical—: «Un Conde prometedor, / que Portugal dio a Castilla / (tal conociera su Villa / como conozco su flor [juego con *Villaflor*]), / me remite a vos, Señor...» (*Obras,* ed. cit., p. 402). O puede cerrar el cuarteto inicial en cuanto prótasis de una oración hipotética: «Cuando no sea ['si no fuere'] a la malicia / del vulgo, en todo ignorante, / la satisfación bastante / de tu gracia, y mi cudicia, / defenderá mi justicia / un Doctor...» (*El doctor Carlino,* II, en *Obras,* ed. cit., p. 851). Parecidas variaciones de ritmo hallaremos, y con creciente frecuencia, en poetas de los siglos XIX y XX. En una décima de Obligado («Bajo el ombú corpulento...», en su *Santos Vega*) los complementos adverbiales ocupan los ocho primeros versos. Por otra parte, ya el juvenil Rubén Darío de *Epístolas y poemas,* 1885, se atreve a fuertes encabalgamientos entre los versos cuarto y quinto (en cada caso, cito también el sexto): «mujeres de la comarca / que su poderío abarca; / y ante el viejo de Bagdad...» (en *Poesías completas,* ed. Méndez Plancarte y Oliver Belmás, Madrid, 1967, p. 407); «frente a Alí; la mora, fiel / a su amado, está con él / y sollozando se agita» (p. 434); «tomaron la ansiada senda / del oasis. La hermosa tienda / los esclavos levantaron» (p. 435); «¡Y qué de ricos olores / saltando de surtidores / como lluvias de diamantes...!» (p. 438). Omito otros ejemplos de hacia la misma fecha. ¡Si ya tres años antes, en dos décimas de «El libro» (las que comienzan «Lleno de astros...» y «El libro males destierra...», en *Poesías completas,* ed. cit., pp. 33 y 41) utilizaba el precoz versificador esos enlaces entre el cuarto verso y el siguiente!

Y no interrumpe su canto en la poesía popular de toda América. El patriota ingenuo de cada país tendrá así ocasión de exaltarse ante ese común legado, y de deleitarse buscándole —y hallándole infaliblemente— su nota nacional y diferenciadora: la «suya», la exclusiva. Los argentinos Julio y Julio Carlos Díaz Usandivaras dedican, en su *Folklore y tradición* (1953), largos párrafos de alabanza a «esa estrofa de nuestra literatura, gloria del parnaso, que es la décima criolla». Y no se diga por despreciar a nadie.

> Lo que tiene la décima española de excelencia retórica... lo tiene la nuestra en musicalidad, en colorido, en descripción rítmica y sonora. Los argentinos, en sus décimas, han volcado una emoción fresca, intensa y vibrante, de un sabor especial... Nuestra décima es sinónimo de bizarría, de belleza, de altivez. Pero es a la vez dulce y melancólica.

A cada uno lo suyo, pues; pero a lo nuestro, a la incomparable décima criolla, el elogio máximo: el de la divina coincidencia de los opuestos. El discurso prosigue, vertiginoso:

> Y siendo la décima baluarte de las letras autóctonas, vuelvo a sugerir se la declare escudo de nuestra literatura, es decir, *estrofa nacional*. De tal suerte, tendría su personalidad definida, y habríamos sentado un testimonio que nos acreditaría identidad en el concierto de las letras universales.

Metro tan popular no se atrae el favor de los modernistas, aunque sí lo cultiva Lugones, y, con más novedad, Herrera y Reissig. Pues Herrera introduce en él una curiosa herejía: el hacer rimar, en el primer verso de la estrofa y en el cuarto, una palabra consigo misma; véase este cuarteto de «Tertulia lunática», cuyo léxico suena ya a pesadilla de Palés Matos:

> Canta la noche salvaje
> sus ventriloquias de Congo,
> en un gangoso diptongo
> de guturación salvaje.

Las décimas de la «Desolación absurda», en *Los maitines de la noche* del poeta uruguayo, utilizan el mismo artificio de rimas:

Es la divina hora azul
en que cruza el meteoro,
como metáfora de oro
por un gran cerebro azul.

Nótese cómo vuelve, en cambio, a la rima tradicional esta «Versión inefable» de Juan José Domenchina (en *El tacto fervoroso*, 1930), que es por lo demás una tardía y flagrante imitación de Herrera y Reissig:

¡Cuánta angustia soterrada!
Perennízase el coloquio
vital en un circunloquio
que no quiere decir nada.
De la huesa agusanada
el hipérbaton latino
surge, ecoico: desatino
que gongoriza verdad
y postula eternidad
de ceniza al ser divino.

Hacia los tiempos mismos de Guillén —desde los de *España, Indice, Verso y Prosa, Revista de Occidente*... —la décima revive en los nuevos poetas, con paso más tradicional en un Fernando Villalón o un Gerardo Diego, más finas y nerviosas en Cernuda. La América postmodernista venía prodigándolas también; bastará recordar las tan felices de Fernández Moreno, cuya fácil vena reaparece en el Francisco Luis Bernárdez de las «Canciones marginales a Antonio Machado». Graves y concentradas, en cambio, las de Villaurrutia: dos de sus «Nocturnos», las diez «Décimas de nuestro amor» y las otras diez de la llamada precisamente «Décima muerte» (creo que con ese Villaurrutia se enlazan luego genealógicamente las décimas de Guadalupe Amor). Del andaluz Antonio Aparicio —el de la *Fábula del pez y la estrella*— una «violeta» de antología, precisamente la bella antología de José Luis Cano.

Si en las últimas décadas del siglo XVIII, y en las primeras del XIX, variados experimentos métricos habían ya hecho mella en la vieja estrofa, las transformaciones han continuado en el XX. Ya no nos sorprende que tal o cual par de versos remate en palabras esdrújulas, como esas clámides y *pirámides* en uno de los largos poemas en décimas del cubano Andrés de Piedra-Buena (*Lápida heróica*, 1927); y llenos de originalidad y gracia resultan, en los *Epigramas americanos* de Enrique Díez-Canedo, los dos esdrújulos que rizan burlescamente el perfil de «Plaza Matriz»:

Has de estar calenturienta,
porque un rascacielos cínico,
como un termómetro clínico,
la fiebre te mide y cuenta.

Ni apenas percibimos, entre las muchas décimas ortodoxas con que Alfonso Reyes traduce y amplía en su *Panel rumoroso* la fábula de Bernard de Mandeville, este cuarteto final de rimas alternas:

alzan fábricas de ciencia,
torre, barco, muro y puente,
o al menos su equivalencia
aunque en orden diferente.

A toda clase de retoques, en fin, se ha sometido modernamente la décima en cuanto a la medida del verso: de siete sílabas en el cubano Pichardo Moya, de once en *El Arca* y *Las estrellas* de Bernárdez (y claro está que, en este segundo caso, los cinco versos iniciales de la ancha décima se perciben como un arranque de soneto). Más nos importan, por lo que se refiere a Jorge Guillén, las décimas en versos de nueve sílabas. Abundan en las *Odas* del boliviano Franz Tamayo (1898), donde imitan con crudeza el tono más ampuloso del romanticismo francés, con raros pormenores de puntuación —igualmente afrancesada, sin duda— y con violentas diéresis y sinéresis que hacen aun más tambaleante la marcha del eneasílabo:

Ese gran fuego, esa densa agua
Que brotan y caen a la vez;
Ese Nïágara hecho fragua,
Que apenas es humo tal vez;
La sombra, la fosforescencia...
¡Oh es una celeste demencia!
Semeja un cráneo colosal
Del cielo el gran techo redondo,
En cuyo tenebroso fondo
Delira un cerebro infernal.

También por sus rimas se atienen estas décimas estrictamente al modelo francés.

VARIACIONES

En el tercer grupo de poemas de *Maremágnum*, siete décimas en eneasílabos acompañan puntualmente a otras tantas en octosílabos. Si el lector afina el análisis, comprobará cómo el poeta distribuye, con plan muy exacto, las dos familias de décimas, equilibrando además las rimas alternas con las cruzadas. Oigamos una de esas nuevas, *clamorosas* décimas de eneasílabos, «Vía nocturna», con rima abab en el cuarteto:

El despertar, una estación,
Y mi cuello, casi torcido,
Niebla, puntos rojos, carbón.
Vaga el vivir en un olvido
Con sorda paz indiferente:
Yo no soy yo para esta gente.
¡Amables murmullos espesos
De tanto vagón por la vía
Que se sume en noche no mía
Mientras me enrosco entre mis huesos!

Del mismo modo que en las décimas octosilábicas de *Cántico* y *Maremágnum*, así también en las eneasilábicas el cuarteto de rima alternada anuncia siempre un final en dos tercetos. Esa norma de Guillén no rige, desde luego, para otros poetas. El sevillano Juan Sierra combina el cuarteto cruzado con un final de espinela. Su poemilla de «La pastora» se abre, en efecto, con rimas alternas:

Dobla junio su aire triste
con un silencio de amores,
cuando tu amor se reviste
de verde, almendra y rubores.

Los dos versos que siguen (« ¡Ay, qué añejos resplandores / Los de esa luz precursora...») ya forman el característico puente —el de la décima española usual— hacia el nuevo cuarteto, y éste, a diferencia del anterior, será de rimas abrazadas:

... de la noche! Allí, Pastora,
hueco de afán, sólo quiero
la niñez de tu sombrero,
el romance de tu flora.

Esquema opuesto, el de una décima de Adriano del Valle («Te adoran orbes enteros, / paralelos, meridianos...») que empieza con cuarteto abrazado y termina con dos tercetos; pero aquí ocurre, además, que la rima final de los tercetos —*balleneros, guerreros*— los enlaza con el cuarteto, dando al conjunto una como vaga unidad de espinela.

También Emilio Prados, en una «Canción» («Límpida el agua, se olvida...») de su *Mínima muerte,* hace repercutir la primera rima del cuarteto en tres versos de la sextilla, que se aparta tanto del final de espinela como del final en tercetos. Prados ha ido ciertamente más allá en sus retoques. En una décima que acaba en tercetos, ha reemplazado con una quintilla el cuarteto inicial, de donde resulta una estrofa de once versos: la *undécima* o *pradina,* como proponía llamarla Gerardo Diego. Más regulares son las décimas de cuarteto cruzado en Domenchina (comp. «Perfecto, para la muerte», en la breve antología que Enrique Díez-Canedo pone como «Epílogo» a la voluminosa del propio Domenchina) y en Ramón de Basterra, de versificación y sintaxis que rozan a veces las de Guillén, como en el brioso comienzo de sus «Mocedades»:

> Y fue el mundo la sorpresa
> pueril, que en los ojos brilla
> y que gusta al labio y pesa
> la mano. Gran maravilla.
> Las ventanas, los senderos,
> conocieron sus primeros
> transportes...

Etc. Pero el escritor formado en lecturas anteriores debe sentir como sospechosa la presencia del cuarteto alterno. No creo sea casualidad que el madrileño Jorge Santayana, puesto a traducir al inglés la «Estatua ecuestre» de Guillén, transforme su rima cruzada en abrazada, como volviendo por los fueros de la tradición:

> Motion stays suspended here
> 'Twixt its starting and my hand,
> Tightly braced the paces stand
> Well planned for a far career...

(con esa *career,* tan extraña aquí calcada sobre *carrera*).

Guillén se complace en juegos aún más atrevidos. Encabeza su «Rosa olida» con un cuarteto de rimas abrazadas, compuesto de octosílabos y pie quebrado (el habitual, el de cuatro sílabas; en otro poema, «Un Montealegre», introducirá un bisílabo):

> Te inclinaste hacia una rosa,
> Tu avidez
> Gozó el olor, fue la tez
> Más hermosa.

Y viene luego una sextilla cuyo metro evoca las coplas de Manrique, aunque las rimas se apartan de ese modelo, como se han apartado a menudo en la poesía española de los dos últimos siglos:

Y te erguiste con más brío,
Más ceñida de tu estío
Personal,
Para mí —sin más ayuda
Que una flor— casi desnuda:
Tú, fatal.

En una misma página del *Cántico* de 1950, los diez versos de «Fe» mezclan, con la mayor libertad en las rimas, el octosílabo y el pie quebrado, y los diez de «Ciudad en la luz», también con pie quebrado, forman una curiosa décima invertida. En efecto, la sextilla —por lo demás, sin el usual ccd: eed— ha pasado aquí a primer término: trasposición que recuerda la conocida travesura de Verlaine contra la forma consagrada del soneto.

SEXTILLAS

Con ese brinco a lo alto de la estrofa, la sextilla alcanza su máximo de autonomía. Ya la insinuaba hasta cierto punto, en la espinela clásica, la pausa habitual del cuarto verso. Y una estrofa como la «hernandina», la de José Hernández, la de Antonio Lussich, la del *epigrama americano* que Díez-Canedo dedica a Valéry Larbaud «pensando en Ricardo Güiraldes»:

Se fue. Ya no es más que sombra.
Montó en su pingo pampeano.
Solo se fue por el llano:
dejó atrás rancho y potrero
y en el último lindero
nos dijo adiós con la mano.

¿no ha podido parecer, con su primer verso sin rima, como arrancada de una décima? [11]. En Guillén, un inequí-

[11] Comp., en contra, EMILIO CARILLA, *La creación del «Martín Fierro»*, Madrid, 1973, cap. X, «La métrica», y principalmente, pp. 190-198, «La sextilla». En su minuciosa y hasta sarcástica argumentación, el autor prefiere asociar la estrofa predilecta del *Martín Fierro* con la llamada «bermudina»: en los dos casos, sin rima el primer verso; en la bermudina, además, el quinto («La luna en el mar rïela... / y ve el capitán pirata...»). Carilla

voco aire de familia enlaza asimismo las sextillas finales de décima cruzada y las sextillas independientes. También éstas tienden al eneasílabo. La estrofa había ya atraído al cubano Federico de Ibarzábal («Prólogo», «Pax» y «Deslumbramiento», en *Una ciudad del trópico,* 1919) y al joven Pablo Neruda de *Crepusculario*:

> En esta hora en que las lilas
> sacuden sus hojas tranquilas
> para botar el polvo impuro,
> vuela mi espíritu intocado,
> traspasa el huerto y el vallado,
> abre la puerta, salta el muro...

Pero no se nos vienen a la memoria estos versos cuando pensamos en la poesía más lograda de Neruda, en tanto que sí incluimos en la zona más brillante de la obra de Guillén eneasílabos como los de «La Florida», de *Cántico,* en siete sextillas agrupadas por parejas al comienzo y al final, con un núcleo de tres estrofas en el centro (en conjunto, pues: dos, tres, dos). Cuesta no citar el poema íntegro, sino sólo el fulgurante par de sextillas en que culmina y concluye:

> ¡Tiempo todo en presente mío,
> De mi avidez—y del estío
> Que me arrebata a su eminencia!
> Luz en redondo ciñe al día,
> Tan levantado: mediodía
> Siempre en delicia de evidencia.
>
> ¿Pero hay tiempo? Sólo una vida.
> ¿Cabrá en magnitud tan medida
> Lo perennemente absoluto?
> Yo necesito los tamaños
> Astrales, presencias sin años,
> Montes de eternidad en bruto.

Muy otras, en cambio, las sextillas de «Estación del Norte», también en *Cántico,* y ya tan afines, por sus imágenes y su ritmo, a «Vía nocturna». Afines; sólo que en «Vía nocturna» un cúmulo de dislocadas sensaciones se

---

afirma el parecido con prudencia: «No pretendo sentar la tesis de que la estrofa hernandiana deriva de allí. Solamente quiero mostrar alguna semejanza vaga, dentro de características que ligamos a la época y, sobre todo, a la métrica romántica» (p. 192). En el terreno de las vagas semejanzas, y situando estas relaciones en el ambiente de libertad métrica grato a los románticos, creo que tampoco resulta idea descabellada la de la afinidad entre la sextilla de Hernández y la décima.

comprimen, instantáneas, en la estrofa única, mientras que en «Estación del Norte», a lo largo de siete sextillas, el péndulo de la lírica meditación ha podido oscilar holgadamente entre polos opuestos, entre «El mundo se inclina a su muerte» y «No, no, no. Vencerá la Tierra, / Que en firmamento nos encierra: / Ya al magno equilibrio nos suma». De todas maneras, es este poema de Guillén, fuerte y abrupto (con su golpe de sorpresa en el primer verso, en la primera palabra: «Pero la brutal baraúnda...») [12], uno de los varios que, desde la «fe de vida» de *Cántico,* preludian ya dramáticamente el turbio« tiempo de historia» de *Clamor.*

[De *Cuadernos Americanos,* México, núm. 100, julio-octubre de 1958, pp. 476-487]

[12] La «baraúnda» vuelve a resonar en otra décima en eneasílabos, «Temporal» (*Aire nuestro,* p. 1.635), también en final de verso —es decir, también como palabra portadora de rima—. Y aquí se opone asimismo a una nota última de esencial equilibrio: a ese «algo», invisible y promisorio, que, resistiéndose al empuje del temporal, «para más tarde me da cita».

PEDRO SALINAS

EL ROMANCE Y JORGE GUILLEN

Lo primero que se echa de ver en esa obra, por tantos conceptos única en las letras españolas, *Cántico,* de Jorge Guillén, es cómo en su curso va aumentando la afición al romance: uno sólo hay en el *Cántico,* de 1928; cuatro en el de 1936; dieciocho en el de 1946. Aumenta, asimismo la longitud; algunos, de alrededor de doscientos versos, figuran entre los más largos del romancero lírico moderno. Todos los grandes temas de la lírica guilleniana hacen acto de presencia en sus romances: la belleza del mundo y las cosas, el despertar, el júbilo de vivir, el amor humano. Y otro nuevo, se asoma, desusado en la obra de Guillén en el magnífico «Cara a cara»: el afrontarse del poeta con la imponente amenaza de las fuerzas hostiles, negadoras, que sitian el mundo de nuestros días, amagando con la bárbara destrucción de sus valores y hermosuras. En este reto de amor y fe, lanzado a las potencias del mal, el romance se aleja como nunca del historicismo retrospectivo y pintoresco, y vive de la sustancia histórica actual, dramáticamente percibida, latente entre las líneas. La lectura cuidadosa de los romances de Guillén comprueba la certeza de dos afirmaciones hechas por sendos críticos. Una, de Casalduero, al decir que *Cántico* en cuanto a la versificación «podría titularse *Estudios,* dando a esta palabra el sentido que se le da en música» [1]. Otra de José Manuel Blecua: «Cuando tengamos la historia de la métrica española, el nombre de Guillén figurará entre las

[1] JOAQUÍN CASALDUERO: *Jorge Guillén. Cántico,* Santiago de Chile, Cruz del Sur, 1946, p. 80.

más felices adquisiciones»[2]. Por mi parte sólo puedo aquí apuntar a algunos rasgos de la prodigiosa obra de laboreo, exploraciones y beneficio del romance realizada en *Cántico.*

¿Cómo se explican las innovaciones que introduce? Siendo poeta de tanta precisión de visión, como escrupulosa conciencia realizadora, no es atrevido suponer que provienen del justiprecio que hizo de los riesgos y tentaciones que esta forma del romance lleva en sí. Uno de esos peligros es su indefinición de límite, de longitud; el romance con su facilidad, su «hilo de decir que va continuado y llano»[3], como escribió Juan de Valdés, invita a extenderse, sin prisa, a dejarse llevar por el correr de los versos. Guillén opone a eso un contrarresto: en casi todos sus romances se nota cómo se fijó un límite numérico, y su deseo de contenerse en números redondos. Favorece mucho el romance de veinte versos. Ya habló Amado Alonso en excelente ensayo de «la estructura de cada poema, abarcable en una mirada»[4]. No menos consciente de la presunta falta de recursos de variedad en el romance, de su posible tender a la monotonía, a la uniformidad cansada, lo que Hermosilla llamaba «el sonsonete», Guillén ha realizado una verdadera revolución interna en la estructura de esta composición. A su lisura, a su igualdad de curso, opone múltiples incidentes: elementos del lenguaje afectivo, exclamaciones, admiraciones; frases interrogativas; modos de lenguaje monológico determinantes de un tono de calidez y vivacidad humana, de un temblor de hablar inmediato, recién brotado del ser. Esas intermitencias de orden emocional, con sus quiebros del discurso poético, logran importante resultado: convertir la voz corrida, seguida, del romance en voz entrecortada, como lo es la que corresponde a los estados emocionales, sembrando en el sucederse aéreo de los versos, explosiones, estallidos de lo personal. El poeta rompe, por decirlo así, con estos gritos de su intimidad, el tono de impersonalidad que puede tener el romance: verdadero recurso, éste

---

[2] José Manuel Blecua, Ricardo Gullón: *La poesía de Jorge Guillén,* Zaragoza, Heraldo de Aragón, 1949, p. 166.

[3] Juan de Valdés: *Diálogo de la lengua,* en «Clásicos castellanos», volumen 86, 940, p. 163.

[4] Amado Alonso: «Jorge Guillén, poeta esencial», *Insula,* año III (15 de septiembre de 1949), 1.

de lirificación, que se presenta por primera vez en el famoso estribillo de « ¡Ay de mi Alhama! ».

No menos original es el modo de dividir los romances. Vieja es la discusión sobre si fueron éstos compuestos en unidades de cuatro versos, en cuartetas [5]. Guillén adopta ese modo en varios casos, como «El aire». Pero en otro —ejemplo ese precioso «estudio», «Sierpe»— juega magistralmente con la capacidad, al parecer ilimitada, del romance, para seguir y seguir, sin parar, ni siquiera en un punto, indivisible de su fluir, volviendo sobre sí mismo. Sus innovaciones consisten en el modo, puramente suyo de dividir, de seccionar los romances, valiéndose del uso de los espacios en blanco, para separar las partes que desea destacar, y hasta de los desplazamientos laterales de grupos de verso por medio de lo que que los tipógrafos llaman *sangrías*. (Empezar un verso no en el mismo eje que los anteriores, sino más adentro, de modo que se destaque de los demás.) En «Plaza Mayor» los veinte versos del romance están divididos por espacios blancos en este esquema: 2-6-4-6-2. Clara aparece la voluntad de ordenación, simétrica en este ejemplo. Hay ocasiones en que varios elementos semánticos, dentro del mismo verso, se dividen, imprimiéndolos a distintas alturas, de suerte que resalten, distinguidos unos de otros, con toda evidencia a los ojos del lector. El verso inicial de «Cuerpo veloz» es: «En marcha. Más viento. Libres». (Dígase que este *libres* es adjetivo cuyo sustantivo vendrá en el verso siguiente, sobre el cual cabalga.) Pues bien, cada frase está impresa en un renglón diferente, en forma de escala descendente: arriba, «En marcha»; luego, una línea debajo: «Más viento»; y después, en renglón inferior, el «Libres». Conserva, pues, el romance en la poesía guilleniana su configuración general, sin cambiar su contorno, idéntico; pero Guillén le llena de rasgos, trazos, líneas interiores, semejantes a los que en los dibujos de Ingres dan tanta gracia, movilidad y encanto a las figuras sólidas y hasta graves, de los personajes. No se tome nada de ello por capricho ni licencia de juego. Esas disposiciones tipográficas son sugestio-

[5] *Vid.* S. Griswold Morley: «Are the Spanish *Romances* Written in Quatrains?», *The Romanic Review,* VII (January-March, 1916), 42. Cirot: «Le monument quaternaire dans les romances», *Bulletin Hispanique,* XXI (Avril-Juin, 1919), 103. Emiliano Díez Echarri: *Teorías métricas del Siglo de Oro,* Madrid, Patronato Menéndez y Pelayo, Instituto Miguel de Cervantes, 1949, pp. 203-205.

nes, indicaciones al lector, de donde han de caer las pausas —no las gramaticales, sino las poéticas— dentro del romance. El poema requiere para ser bien leído, bien vivido, conforme al ritmo de su creación, tal parada, tal ruptura de su paso normal. Se crea de ese modo un romance con sistema respiratorio propio, marcado en cada caso por esta seña del autor; las indicaciones tipográficas, lejos de ser fantasías como el caligrama, responden al ritmo vital peculiar de cada poema, que tiene su aliento distinto, y no el común y normal del romance corrido, en el cual versos y frases transcurren con uniformidad de duración. Guillén lo que desea es que cierta palabra, cierto verso, que lleva un particular valor significativo dentro del poema, total, se detenga un poco más, se exhale con más espacio. El romance es proyectado en la lectura —en la página— con fidelidad al orden de valores del poema y a la voluntad de concepción del poeta, que por esos medios tipográficos, dirige y guía al lector, y revela el designio del autor.

La singularidad del romance guilleniano estriba en su enorme potencia de expresividad espiritual, en su intensidad de carga lírica por nadie superada; y en su *animación*, en la riqueza de movimientos interiores, producidos con las mudanzas, las paradas y los seguimientos en el ritmo de la lectura. Por eso en ellos no hay puntos muertos, trozos fláccidos y fríos, sino que todo vibra, tenso de sentir y decir: el romance, superado ya lo narrativo, lo descriptivo —aunque lo emplee— se ha tornado, él también, exaltado cantar, puro *Cántico*.

[De *El romancismo y el siglo XX*. Paris, Librairie des Editions Espagnoles, 1955; recogido en *Ensayos de literatura hispánica*, Madrid, Aguilar, 1958]

TOMAS NAVARRO TOMAS

MAESTRIA DE JORGE GUILLEN

Numerosos rasgos indican en la versificación de Jorge Guillén la especial atención que el poeta ha dedicado a este aspecto de su obra. Desde el primer momento, su famoso libro *Cántico* llamó la atención, no sólo por su eminente valor poético, sino por su elaborada construcción métrica. En las partes publicadas de *Clamor* se ve mantenida la misma escrupulosa actitud respecto a esta materia.

La versificación de *Cántico* se hace notar por su equilibrio y armonía. Las cinco partes que componen la obra forman un ponderado conjunto al cual sirve de centro, en la tercera, la base clásica de 42 décimas y 22 sonetos. En los extremos, las series homogéneas de poesías en metros hexasílabos y heptasílabos de la primera parte se corresponden con los romances de la quinta. Las partes intermedias, segunda y cuarta, coinciden asimismo entre sí por la variedad miscelánea de sus formas métricas. El signo simbólico de esta organización pentagonal se refleja de varios modos a través de todo el libro. Cerca de un centenar de poemas quíntuples, de cinco estrofas, encuadrado cada uno en una página, repiten la evocación de ese simétrico signo.

Una delicada labor refina la composición interior de las secciones indicadas. De una parte, por ejemplo, los sonetos aparecen estricta e invariablemente ajustados al modelo tradicional de cuartetos de rima abrazada, ABBA, y tercetos correlativos, CDE CDE, o paralelos, CDC CDC. De otra parte la décima, además de repartirse entre la modalidad española, abba ac cddc, y la francesa, abab cc deed, sirve de base, en la unidad esquemática de sus diez versos, a múltiples combinaciones en distintos metros rimados y sueltos. El concepto académico del soneto guarda una compostura que contrasta con la libertad de la décima popular.

Nota característica es la invención de las redondillas rimadas con asonancia (en lugar de la habitual consonancia), practicadas por Guillén en unas treinta poesías de la primera parte de *Cántico,* las cuales significan un notorio progreso en cuanto a la elevación de la menestral asonancia al nivel de la métrica artística. Sabido es que algunos poetas románticos y modernistas, especialmente Bécquer, habían intentado abrir este camino. El ejemplo de Guillén representa hasta ahora el paso más avanzado y consistente, aunque lo limitara particularmente a las redondillas en metros de seis y siete sílabas. Ningún motivo impide que un elemento tan legítimo y valioso de la versificación española extienda su campo a otros metros y estrofas, no para competir con la rima consonante sino para desempeñar a su lado el propio papel que a su suave y flexible naturaleza corresponde.

En esta artística elaboración interior de las secciones de *Cántico* han llamado la atención dos composiciones en minúsculos versos trisílabos. Una de ellas, «Tras el cohete» (pág. 140 de la edición de Buenos Aires, 1950), consta de seis estrofas de siete versos cada una. La segunda, «Otoño. Pericia» (188), está formada por tres estrofas de diez versos. En una y otra la condición del trisílabo da por natural resultado el ritmo dactílico. Además de la exigencia de su breve medida, los versos de la primera van enlazados en cada estrofa por dos rimas asonantes alternas, y los de la segunda van rimados en pareados bajo otras dos rimas alternas que se suceden a lo largo de la composición, la cual añade la circunstancia de terminar cada una de sus tres estancias con dos versos de retornelo exclamativo. Ritmo y sentido discurren ágilmente con suavidad y sencillez como en labor realizada por placer y recreo.

Los metros usados en *Cántico,* en orden de frecuencia, son en primer lugar el endecasílabo y el octosílabo; en segundo lugar el heptasílabo y el hexasílabo, y en tercero, el alejandrino y el eneasílabo. Los de cuatro y cinco sílabas sólo ocurren como elementos auxiliares. Los indicados trisílabos son particular excepción. Sólo se advierte la ausencia, dentro del repertorio corriente, de los conocidos metros de diez y doce sílabas. Los versos de Guillén, de cualquier tipo que sean, se distinguen por su impecable corrección.

En la aplicación conjunta de las variedades del endecasílabo, coincide con la común preferencia de la poesía moderna por la de ritmo sáfico, pero reduce la distancia de proporciones entre esta modalidad y las restantes, con ventaja para el ponderado efecto de tal metro. Del análisis de los cuartetos de «Anillo» (188), resultan las cifras siguientes: sáficos, 42 por 100; melódicos, 29 por 100; heroicos, 19 por 100; enfáticos, 9 por 100. Datos semejantes se obtuvieron del examen de «Sol en la boda» (148), registrado en mi *Métrica española,* § 469.

Aparte del corriente uso del endecasílabo polirrítmico, con las variedades indicadas, Guillén dedicó particular atención al tipo dactílico de este metro, acentuado en las sílabas cuarta y séptima, única forma de verso uniformemente monorrítmico registrada en *Cántico* y en los demás libros del mismo autor. Se halla en los cinco cuartetos ABAB de la tercera sección de «Anillo», centro de las cinco que forman el poema, entre las cuatro restantes del tipo común a que se refieren los datos anteriores. Figura igualmente tal tipo dactílico en el quinteto en versos sueltos de «Noche encendida» (322); se combina con pentasílabos del mismo tipo rítmico en los pareados de «Interior» (206), y con heptasílabos polirrítmicos en los cuartetos AbAb de «El cisne» (147).

Sobre la misma base dactílica, otras tres poesías aparecen como muestras de experimentación respecto al pentámetro clásico, dando indicio de una curiosidad métrica rara en la poesía actual. Una de ellas consiste en el cuarteto tetradecasílabo dactílico con cinco apoyos acentuales de «¿Unico pájaro?» (247), cuyo metro, no obstante su medida de catorce sílabas, difiere enteramente del alejandrino: «¿Unico pájaro? ¿Vibra ya el alba hacia el nido?». Dos olvidados precedentes habían ensayado también este mismo metro, uno en *Soledad del alma,* de la Avellaneda, y otro en *Estudios de métrica,* de Vicuña Cifuentes. Constituyen los otros dos ejemplos el cuarteto de «Avión de noche» (258) y el quinteto «¿Ocaso?» (318), en los cuales la línea dactílica del tetradecasílabo se quiebra a veces por la intervención de alguna cláusula de otro tipo, con lo que el compás y tono del verso se aproximan más al clásico modelo imitado, como se observa en el último verso de «Avión de noche»: «Y triunfa pasando. Mundos ya menos distantes», y en el cuarteto de «¿Ocaso?»· «Los sones menguantes del mundo. Pozo de ocaso».

Experiencia más sutil y personal es la que se advierte en otros poemas en que la flexible dinamicidad de la palabra es utilizada en la representación imitativa de variables e imprecisos movimientos. Los breves y ligeros versos de «Viento saltado» (124) contribuyen con sus vivos giros a dar la impresión de las cambiantes ráfagas del aire que la poesía describe. La vacilación de las vagas sensaciones que afectan a la mente mientras se va sumiendo en el sueño se refleja en el vaivén de la silva de «La rendición del sueño» (142), y en los variables cuartetos de «Quiero dormir» (436). La línea titubeante de otra silva sugiere la imagen del vigoroso monólogo interior de «El distraído» (191). De manera semejante se recogen las dispersas y momentáneas impresiones de luz, aire, rumores y silencios de la madrugada, en «Temprano» (336).

Se suman en estas poesías el ejercicio de una aguda observación y un refinado manejo de la sonoridad de la palabra. Por supuesto, tratándose de fenómenos tan ajenos al orden regular, el poeta ha necesitado prescindir en gran parte de las usuales normas de metros, ritmos y estrofas. No hay detalle en *Cántico* relativo a la versificación y hasta a la representación tipográfica de cada poema que no corresponda a la escrupulosa atención del autor. Los romances, por ejemplo, aunque estén compuestos en el mismo metro y rima, se escriben en verso continuo o en cuartetas separadas de acuerdo con el orden sintáctico de su construcción interior. La diferencia se hace notar a veces entre las partes del mismo romance, como ocurre en «Su persona», (492). En «La Isla. Encanto» (485), se imprimen con separación de espacio los dos octosílabos de tono exclamativo que siguen a cada cuarteta. El de «Arboles con viento» (474), ofrece la particularidad de llevar la asonancia en los versos impares, circunstancia introducida probablemente con objeto de avivar la atención mediante la alteración del ordinario compás.

La versificación de los tres libros reunidos bajo el título de *Clamor* (*Maremágnum*, 1957; *...Que van a dar en la mar*, 1960, y *A la altura de las circunstancias*, 1963), ofrece significativos cambios. De una parte desaparecen los característicos poemas de *Cántico* en hexasílabos y heptasílabos, con excepción de dos ejemplos en *Maremágnum* (45 y 49), y se reduce visiblemente el número de sonetos y de décimas regulares. De otra parte se introduce la novedad de las composiciones que el autor llama *tréboles*, formadas por tercetos y redondillas en octosílabos y eneasílabos, y la de los poemas en prosa artística. Queda como principal lazo común entre la versificación de *Cántico* y la de *Clamor* la silva de metros impares, rimados o sueltos, representada por varias poesías en las secciones misceláneas, segunda y cuarta de *Cántico*, y desarrollada en *Clamor* en extensas composiciones, entre las cuales se destacan las de «Luzbel desconcertado» y «Huerto de Melibea».

Fácil es darse cuenta de que tales diferencias de métrica corresponden en el fondo a notorios cambios de materia y actitud. En *Cántico* predomina el deleite de exprimir la esencia lírica de las infinitas «maravillas concretas» que nos circundan con su enigma y misterio. En *Clamor* se siente el sabor agridulce y con frecuencia amargo de los constantes desajustes y obstáculos de la convivencia humana. Antes era la gloria de la mañana gozada en la clara resonancia de la *a* en «Damas altas, calandrias». Ahora es el desapacible ambiente evocado por el oscuro eco de la *u* en «Esa *u* de Belcebú».

Sin embargo, el sentido de proporción y equilibrio se mantiene en todo momento. No obstante el aire ligero y desenvuelto de los tréboles, con la epigramática ironía de sus breves estrofas, una determinada disciplina rige su extensión y representación en cada libro. Se advierte asimismo un claro orden en los poemas en prosa, tanto por el número y extensión de sus períodos como por la disposición en que alternan con las composiciones en verso. En manos de algún otro poeta estos textos de organizada prosa habrían sido probablemente presentados bajo forma de verso libre, para lo cual bastaría escribir en líneas separadas los grupos fonicosemánticos que cada período contiene. La sensibilidad rítmica de Guillén ha rechazado tal práctica. La suelta versificación de sus poemas imitativos o descriptivos es de otro género y obedece, como se ha visto, a un especial propósito.

El cálido temple satírico de *Guirnalda civil*, 1971, no ha sido una sorpresa. Venía anunciándose en poemas como «Potencia de Pérez», con sus coros de burócratas, guardias, clérigos y políticos, en *Maremágnum* (40), y en el aliento de esperanza de «Despertar español», en *A la altura de las circunstancias* (14). Representa *Guirnalda civil* la condensación de una honda crítica por mucho tiempo reservada y llegada al punto de no poderse reprimir. Ningún otro libro de Guillén, en el espacio correspondiente a la breve extensión de *Guirnalda civil,* ofrece una versificación tan viva y variada. Sus metros, regulares y corrientes, se combinan con espontánea soltura en diversas formas, de acuerdo con la intención de cada pasaje. Cada poema es una tensa nota emocional sobre la actual situación civil de España.

Desde *Cántico* a *Guirnalda,* la versificación de Guillén es como un tenue y flexible ropaje ajustado a la medida de cada uno de sus libros. En la larga y honda crisis que el verso ha venido sufriendo después del modernismo, Guillén ha dado el más notable ejemplo de continuidad, a la vez conservadora y renovadora, de la auténtica tradición de la métrica española.

El verso libre, tan cultivado en este tiempo, no ha producido un refinamiento del ritmo, sino todo lo contrario; ha oscurecido su concepto y percepción. Cuando más de cerca y con mejor deseo se le estudia, más se confirma su deficiencia para la armonía y musicalidad del poema. Guillén se ha abstenido de practicarlo. Para la expresión de las más sutiles exigencias de su creación poética, ha hallado siempre dúctil instrumento, sin sacrificio del ritmo, en el verso normal y especialmente en la sensible línea de las silvas de variables metros afines y concordantes, de las cuales se ha servido con magistral habilidad.

[De *Los poetas en sus versos: desde Jorge Manrique a García Lorca,* Barcelona, Ariel, 1973]

ORESTE MACRI

FONOSIMBOLISMO EN *CANTICO*

(Fragmento crítico)

El río parece ser el lugar más natural para el «distraído» o el «vagabundo»: mientras vaga libremente, su «alma tarareada goza de río suyo» («El distraído», *C*, 194). Se trata de un poema de 89 versos libres (que van de bisílabo a pentadecasílabo): imagen métrica de una libre y gallarda «toma de vista», alternando corta y larga distancia, de los más variados fenómenos en fugas y encuentros rápidos-suaves: lluvia que envuelve tiernamente, musgo, chopos, diseños que se esfuman entre yedras y torres de nadie, una flora cortés, túneles húmedos que se abren hacia puentes amantes, refugios de lejanía en valles, canto perdido hacia ensanches de días sin lindes, nubes, cielos que cercan el único espacio del paseante. Este se desdobla en «pescador atento» (sinónimo de «ocioso»: «*Cántico* es un acto de atención», *El argumento de la obra,* p. 38) que pesca en la corriente nubes distraídas, y en el «músico pródigo» que «va cantando y dejando las palabras en sílabas / Desnudas y continuas»:

La ra ri ra,
ta ra ri ra,
la ra ri ra...

Reducción elemental del lenguaje lírico a sílabas.

Otros ejemplos de tal expresividad ocurren en el segundo *Cántico* como figura fónica de la nueva *inmediatez* y una *excitación* embriagada de *ser más* a través del contacto directo con la naturaleza. Obsérvese que tal figura fónica aspira a reproducir ante todo la embriaguez del protagonista enamorado, aun si en sus reacciones a las cosas con que choca se desliza también el semantema del objeto de la lengua común, como el « ¡Mármara, mar, maramar! » del que «aparece en el ser» («El aparecido», 466), grito de «ser y flotar» que es otro modelo guilleniano de la *ex-sistencia.*

Nótese particularmente un «zigzag definitivo» de relámpagos en un campo semántico de violencia cruda y viva del ser patente: el mar «díscolo», «silbidos» que «esparcen escalofríos», «formas de ídolos / Recónditos», « ¡Irrupciones», «Eses de móviles algas», «red de nervaduras / Lívidas» de los relámpagos. Aun la tersura no reposa, es activa: el protagonista emerge «tajante» «con felicidad de filo». La aparición del ser toma lugar «entre dos olvidos», casi entre dos no-seres.

Como se ve, la estructura especulativa del relámpago existencial guilleniano (contracción de la espera amorosa) —el secreto de *Cántico*— es delicada y tremenda en su tiempo abolido que reduce al mínimo —diríamos al límite— el espacio *nada-vida-nada,* o sea, la sección vital del *intervalo.* Un mínimo, sin embargo, que es una nicha de dominio eterno, colmado y lanzado más allá del alma del protagonista. Salvada del antiguo «delirio» informal-onírico, que ahora exclama su « ¡Mármara, mar, maramar»: principio y cláusula métrica de un coro fónicamente dirigido por el morfema *con*:

> Vigor de una *con*fluencia... *Con*fluyan los estribillos
> ... Cielos *com*unicativos... Fluye todo el mar *con*migo
> —/ Una *con*fabulación / Indomable de prodigios

El nadador en «El aparecido» es análogo al «cuerpo en el viento» y a la «gloria con cuerpo» en «Viento saltado» (124). El protagonista, con semejante fluir métrico libre y abierto, es del viento, y a través de la tarde más viento, y más él mismo (también el *viento* es amor en *Cántico*). Como la explosión de un núcleo cerrado en un poema más cerrado aún: « ¡El día plenario profundamente se agolpa / Sin resquicios! »; igual que el movimiento de liberación: « ¡Oh violencia de revelación en el viento! »; como el dominio de lo eterno es «más revelado» en el mar existencial de «El aparecido». Análogo al citado «zigzag» de los relámpagos (en «Tiempo libre», p. 156, «el zigzag del pez») es el golpe seco de la cláusula en la cuarta estrofa (que en el tercer *Cántico* se repite en la novena)

¡En el viento, por entre el viento
Saltar, saltar,
Porque sí, porque sí, porque
Zas!

El «sí» proviene del «sí, sí, sí», la «palabra del mar» en «Más allá». El «zas» es el portador fónico de la señalada brevedad instantánea de la sección vital, cifra de lo eterno, que enciende la cima y la esfera del primer *Cántico*; en efecto, el salto se ejecuta «a un segundo / De cumbre»; los pies «sienten la Tierra en una ráfaga / De redondez».

Estos momentos fónico-expresivos de motivación existencial (por lo cual resulta imposible hacer una distinción analítica entre el significante contextual y el significado situacional) tienen su medida en el conjunto de *Cántico*, revelándose de un modo que no es ni superfluo, ni excepcional al nivel normal (¡normales ellos mismos!) del estrecho y sagaz tejido general armónico-sintagmático: monosilabismo, asíndeton, interjección, interrogación, políptoton, alteración, anagrama, etimología popular, asonancia y consonancia dominantes, contrapunto y atonalidad, reiteración o multiplicación, estribillo obsesionante... La explosión fono-simbólica, aparentemente asemántica con respecto a lo convencional, se destaca violenta y seguramente del contexto normal, pero ya amenazador, como llamas, hielos, cuernos, silbidos y zambombas subyacentes en la *Primavera* de Stravinsky o *El amor brujo* de Falla. A veces el texto parece elevarse mientras pasa a una redacción nueva al cabo de varios años. En «Noche del gran estío» (p. 184) la «z» de «iza» («que iza en sublime siniestro») desaparece para integrarse al «zigzag» («Que hasta el zigzag del siniestro») dentro de la «ignición de un caos» de aquella amarilla noche de insomnio; los últimos tres versos de la primera edición (1921) se suprimen para que resalte más el dístico desesperado

¡Ay, amarilla, amarilla,
Ay, amarilla, amarilla!

Del mismo modo, el «zozobrante» de «es un frágil esquife zozobrante» de la primera redacción (1920) de «Buque amigo» (p. 312) cobra más expresividad en el texto del primer *Cántico*: «¿Zozobrará, zozobrará ese buque?»

Muy producente este portador asemántico *z*:

Una *zozobra* / De Luz («Las cuatro calles», p. 412); Sobre un... resto de noche y *zozobra* («Unico pájaro», p. 247); «Ya invisible y *zumbón,* celeste círculo» («Gran silencio», p. 315); «Más atropelladamente / *Zumban* ondas» («No es nada, p. 322); «Cuántas pistas... *zumban*» («Meseta», p. 491); «El tren... Desde los *zumbadores*... cables» («El diálogo», p. 133); «A contra luz, algo *anónimo* / Que *zumba* hostil» («Cara a cara», p. 515).

No menos provocadora es la figura fónico-expresiva *t* —en vocablos como *tú, ti, tumba, tumbos, retumbos, tumulto, tropel, toro,* etc. Aducimos algún ejemplo de series significativas. El poema «La vida real» (p. 470) es dominado por las imágenes «barullo» y «vendaval», insertadas en lugares oportunos:

exabrupto... azar testarudo... abrupto... ¡Qué de tumbos y retumbos... Dure el tumulto...

Sólo «retumbos» estaban ya en «Arena» (p. 482), desarrollándose enormemente la *r* del prefijo en un cuerpo fónico de perfección clásica, imitativa del romper crujiente de la resaca:

Retumbos. La resaca
Se desgarra en crujidos
Pedregosos. Retumbos.
Un retroceso arisco
Se derrumba, se arrastra.
¡Molicie en quiebra, guijos
En pedrea, tesón
En contra!...

Más tarde, el prefijo *re* refuerza el crujir: «Cruja y recruja» («Noche del caballero», p. 425).

Ahora bien, la *r* cede a la *l* («limpios») y a la *s* («silencio») en la transición a la pausa de silencio entre los retumbos del mar:

sin ruido
Sobre la arena, suave
De silencio. ¡Qué alivio,
Qué sosiego! ¡Silencio
De siempre, siempre antiguo!
...
los siglos.
Sobre la arena duran
Calladamente limpios.

En los últimos dos versos se compendia la oposición *r* / *s*:

Retumbe el mar, no importa.
¡El silencio allí mismo!

Del «silencio del mar» provendrá la citada «palabra del mar»: el «sí, sí, sí» de «Más allá».

Examinemos, en aura de «fragor de creación», la lucha entre *l* y *r*, portadoras de «luz / rumor» en los versos dominantes de «Paso a la aurora» (107):

> Todo en su luz naciente se aligera... A plena luz la calidad de ser. // Fluye la luz en ondas amarillas; Unánime fragor de creación... barro, // Derrumbamiento... despilfarro... Todo, sí, rumoroso... Se riza de recreo... Madrugador, un tren... por entre el caserío... prorrumpe... Un runrún que va siendo rumor de compañía...

No falta alguna fusión delicada de los dos radios fónicos:

> A través de un aire más libre la luz se atreve.

Un ejemplo de alternancia de *r-* con *s-* y *z-* se encuentra en «Santo suelo» (p. 364):

> ... entre los ruidos: / Tren ensordecedor, raptor en rachas, Roncos deslizamientos—o silbantes... bajo los ruidos... Nuestro sosiego nunca silencioso... rumores: / Borrascas por carriles, / Otra vez el desliz / Fugaz...

El «se desgarra» de «Arena» nos hace pensar en el «se resquebraja» de «La tormenta» (p. 77); a los «retumbos», siguiendo el modelo de «tumbos y retumbos» visto en «La vida real», responden los «Embates de rebotes / De bronce en bronces»; al final, los «silbos sesgos» y la aliteración silábica «¿Víspera? ¡Viva, viva!» son casi etimológicos. Tal sintagma binario aliterado con correspondiente excitación semántica es una constante fónica:

> cálculo de cólera (133), profusión furiosa, me arrulla un ruido (262), palpita con... pulsación (297), late... con latido (ibíd.), Pozo de gozo (138), óptimo otoño (415), Rompa así la realidad / En mis rompientes (522), Con su rojo arrulla el brillo / De la brasa (431), En relámpagos se rasgan (515), Los siseos de algún coche / Que se desliza despacio (440), Y hasta el carruaje veloz / Es ráfaga referida (440), La rotunda red total (441), etc.

La palabra se repite frecuentemente con la intención de ajuste, adhesión, exactitud:

forma a forma; borde a borde; hoja a hoja; la luz en luz; uno a uno; noche a noche; sesgo a sesgo; días y días, etc.

Es notable el tipo bíblico:

gozo de gozos; realidad de realidades; negrores de negrores; generaciones de generaciones, etc.; en *Maremágnum*: soledad de soledades; en *Homenaje*: jardín de los jardines; tesoros de tesoros.

Muy importante es la reiteración del *tú,* que empieza en «Salvación de la primavera» del segundo *Cántico* como un signo gramatical del primer encuentro de la amada con su individualidad única: es la nueva verdad del segundo *Cántico.* Tal vez en ningún otro lugar sea más tangible la transición del sueño al ser despierto, de la noche a la luz, de la tumba del sexo a la primavera salvada por un Amor diverso de los opuestos:

¡Amor! Ni tú ni yo,
Nosotros, y por él
Todas las maravillas
En que el ser llega a ser.
(95)

El Amor, anterior a la mediación, es la unión completamente segregada de los «Amantes» (p. 37) en su tumba de «los tercos abrazos»:

Sólo, Amor, tú mismo,
Tumba. Nada, nadie,
Tumba. Nada, nadie,
Tumba... —¿Tú conmigo?

La falta de diferenciación entre los dos amantes es llevada del «tú», invocado afirmativamente, al «Amor»; luego, con interrogación torpe y confusa, a la amada reacia a ser reconocida. Es patente el nexo de aliteración fónico-semántica *tú-tumba* con su desarrollo-derivación en quiasmo serial: *tú-tumba-tumba-tumba-tú* (el tercer «tumba» de la primera redacción se vuelve disímil en el primer *Cántico* por medio de «pero»). Las últimas dos partes de «Salvación de la primavera» celebran al nuevo *tú* en una especie de amorosa velada de armas caballeresca: «un velar / Fatalmente —por ti— / Para que... Seas la vida tú» (VIII, 102). La tumba ha desaparecido —o volverá a aparecer más tarde, pero con una calificación contraria:

«¿Tumba / Para una resurrección...» («Pleno amor», p. 500).

En seguida, en la parte siguiente, se vuelve a una reiteración casi ascendente:

> ¡Tú, tú, tú, mi incesante
> Primavera profunda...
> ¡Tú, ventana a lo diáfano...
>
> (103)

con 16 calificaciones en el estilo de una «letanía a tú» (González Muela, p. 156) hasta llegar a «mía». La meditación de la última estrofa se condensa en una armonía discreta y total de lo singular mínimo, donde se encarna lo universal («universal y mía»), extendiéndose la *U* en una imagen fónica de la integridad profundamente alegre del eros vital:

> ¡Tú más aún: tú como
> Tú, sin palabras toda
> Singular, desnudez
> Unica, tú, tú sola!

Nótese el contrapunto rítmico «tú como» y el triple y continuo encabalgamiento: «como / Tú», «toda / Singular», «desnudez / Unica». La expresividad del portador *tú* llega al máximo dentro del mínimo espacio métrico.

Este *tú* pasa al tercer *Cántico*: en «Rosa olida» (p. 253) la amada «casi desnuda» es ceñida de su «estío personal», surgiendo de una rosa perfumada, y se compendia al fin en un «Tú, fatal». En «Santo suelo» (p. 364) la misma amada es la figura de la vuelta fatal del amor cotidiano a «una superficie que se palpa» (el amor es ya familia e hijos...). También aquí el *tú* es reiterado en el verso-cláusula final:

> Tú nos creas, Amor, tú, tú nos quieres.

Las reiteraciones ya vistas (como *amarillo, tumba, tú, sí*) en el primer *Cántico* fomentan otras del segundo al cuarto; añádase «¡Albor, albor, albor!» en «El durmiente». Y volvamos a «Noche del gran estío», ya citada. Una alucinante luz meridiana de tórrida Valladolid estiva parece cubrir con una piel de toro el mundo para el insomne en su angustia; pero es luz meridiana —o una testuz de toro espléndido que embiste al diestro en su traje de luces y le coge, arrastrándole en una caída mortal serpenteante («siniestro»):

Un mediodía...: ¿de luz,
O de taurino testuz
Que hasta el zigzag del siniestro
Levanta la luz del diestro? ,

(184)

Es algo peor: es «la ignición del caos». El texto termina en el primer *Cántico* después de la invocación del viento y de la lluvia, repitiendo el grito:

¡Ay, amarilla, amarilla,
Ay, amarilla, amarilla!

Obsérvese que en la primera redacción, el poeta preguntaba al principio y al fin: «¿Soy... tu reo?... ¿Por qué oh noche soy tu reo / Sin culpa?» He aquí, pues, el siguiente campo semántico: *toro-fuego-amarillo-viento-agua-reo.*

El anverso de «Noche del gran estío» parece ser «Ardor» (p. 478). El complejo estivo de cornetines tercos, chispas, olor a metal, luz cruel tiene un sentido opuesto al de la angustiada noche de estío del poema anterior: *ardor* se vuelve un signo de reconcentración, de cantera calurosa del ser; compacta y redonda, se fija la *expectación*:

Y en el silencio se cierne
La unanimidad del día,
Que ante el toro estupefacto
Se reconcentra amarilla.

El «toro estupefacto», reducción del «taurino testuz», es una divinidad solar, ardor-luz, o la *expectación* misma, como en «Su persona» (p. 494): «Amarillea, / Inmóvil, la expectación /Yacente sobre la arena». A su vez, la «arena» es el «redondel» por el que se extiende la expectación en «Ardor». Estamos presenciando el nacimiento del mito: estatua coagulada de la expectación como conato natural y humano del *más allá,* es decir, el intervalo fulmíneo e intensísimo a la vez, el ser en movimiento tras la realidad y más realidad (fábula de sí misma), ser y más ser, vida y más vida. La terca obstinación de las fieras en el bloque canicular se vuelve plástica en este «toro estupefacto» a la Picasso o Lorca, cuyo reflejo sobre el ambiente del día es un amarillo de cobre o bronce («metal envolvente») tan benéfico y positivo cuanto era negativo y angustiado el amarillo de los soles y de la calentura en «Noche del gran estío». La *t* taurina se anuncia con *i*: «cornetines... tercos» de la corrida. Es el toro del *Llanto por Ignacio Sánchez Mejías,* el toro de Picasso (en *Homenaje,* dedica un poema a la *Tauromaquia* de '58-'60 de Picasso). Más directamente aún, los toros maduros, fecundos e íntegros (sin estilizar) de Stravinsky, cuya *Primavera* comentó Guillén en 1921 como sigue:

> «Observe cómo músicos y bailarines trazan en líneas paralelas el ansia de fecundidad que conmueve el paisaje y sus figuras. No es ésta, en efecto, la primavera virgen. Sí, en cambio, la primavera engendradora de las estaciones, la primavera henchida del futuro... la primavera mugida de un toro... ¡estos toros! Mugen con sabiduría total. No se acuerdan de la tradición, porque no tienen gana ninguna de acordarse de ella. Pero la llevan dentro» («Desde París. Falsa barbarie», *La Libertad,* 18 de enero de 1921) *.

El poema «Las llamas» (p. 362), de 1931, 1933, 1935 debe de ser contemporáneo de «Ardor». Mantengámonos en el campo de la obstinación: así como en el «Ardor» de agosto «se obstinan profundamente / Masas en bloques», aquí lo son las llamas, con su meta de noche «atesorada» y «muy noble», como una ciudad ilustre y maternal:

> Tanto se obstinan, tanto
> Que asciende a sus desiertos
> Oro maravillado...

Centelleo dorado de la materia inferior consumada, que crece y se esfuerza por alcanzar la noche celeste. El «oro maravillado», corazón dilatado del fuego, es una variante sinónima de «toro estupefacto» (cero/*t*); en «maravillado», por otra parte, se juega con *amarilla* del estribillo de «Noche del gran estío»; *amarilla* es, además, un anagrama parcial de *maravilla* (en «Ardor», junto a «toro estupefacto» leemos «Alzarme a la maravilla», que es la cabeza de hombre-toro, levantada hacia el vértice del estupor).

Y si el oro no basta, muéstrese el *viento,* otro demonio erótico guilleniano del impulso hacia más allá y más ser. Muéstrese el viento y ayude el deseo de las llamas con su

* Texto retraducido del italiano.

forma; las llamas mismas parecen implorar ayuda: «¡Viento, / Aparece, socorre», así como en «Noche del gran estío» el insomne invoca la ayuda del mismo viento, pero con el sentimiento opuesto, de angustia:

... Y creándose, *torpes*
Manos *palpan* un cuerpo:
Toro aún y ya noche.

He aquí el desarrollo de otra explosiva, la *p*. La fórmula conjuntiva *aún y ya* sintetiza otra estatua mítica: el toro + noche, a la que se llega a través de toro→noche y toro = noche. La aliteración de «torpes... toro» se parece a la de «tercos... toro» de «Ardor»; el *tacto* o *contacto* de la *mano* garantizan lo *inmediato* de la transición y sobre todo el complejo indivisible *alma-cuerpo*. Es interesante notar que la fórmula *aún* / *ya* se usa en el clima erótico de la «tarde amarilla» de «Anillo» (p. 168), refiriéndose a la amada ideal-verdadera, improbable-inmediata:

Lejos—¿cómo ideal y verdadera?—
Tan improbable *aún* y *ya* inmediata.
(170)

En «El sediento» (p. 74) se realiza, en el tórrido desierto, el socorro implorado por el insomne de «Noche del gran estío», cuyo enemigo «taurino testuz» se transforma en «toros ocultos»:

¡Desam*paro* *tó*rrido!
La acera de sombra
Palpita con *toros*
O*cultos*. Y *topan*.

La aliteración silábica en *t* solicita y une en una zona musical pre-lingüística la motivación del entero campo semántico, alternando con *p* y *k*. También aquí la base es *palpita* (recordemos que *palpo* y *pálpito* son equivalentes), de manera que *p* / *t* / *k* aliteradas se integran a una vocal: es evidente si miramos la siguiente serie abstracta: *pa-to-pa-pi-ta-to-cu-to-to-pa*.

Los toros simbolizan la oscuridad negativa del miedo infantil en el tercer *Cántico*. El niño se duerme, pero los monstruos oníricos nocturnos no desaparecen: permanecen en sustancia, amenazando y acechando al hombre presente y futuro («Un niño y la noche en el campo», p. 320):

Y el niño va durmiéndose mientras de las tinieblas
Surgen bultos campales, noche agolpada, toros.

Las «masas en bloques» caniculares se vuelven «noche agolpada», modelada en los «toros» de la oscuridad, equivalentes incluso en su imagen fónica al *coco,* efecto de la conmutación *t / k* en *toro* de «De noche»;

Hostil al coco, dócil al encanto

Más tarde, se transformarán en «azar testarudo» («La vida real», p. 470) y «tercera tentativa» del tiempo humano («Las soledades interrumpidas», p. 32).

El triple uso de las palabras se deduce con frecuencia analíticamente del título del poema. Por ejemplo, «sed, sed, sed» de «El sediento»; «¡Más, más, más!», de «El manantial»; «De prisa, de prisa, de prisa» de «El retrasado» por contraste (prisa / retraso); «Sigue, sigue, sigue, sigue», cuadruplicado en el primer y último verso con «Vuelta», es análisis del título de «Sierpe», casi un totem poético de vocablos y series en *s* (*silencio, silbido, siempre, secreto,* etc.).

Del mismo modo, la *p* de «polvo, polvo, polvo» en «Luz natal» (p. 338) deriva de «patria» que es Castilla al margen del notado campo semántico en *p* (*palpo, palpar, palpitar, palpitación, pulso, pulsación, pulular, pululación, pisar,* etc.). La reiteración es solicitada por un conjunto fónico en *p* de esta estrofa así como de las dos precedentes:

¡Oh *patria,* nombre exacto... Es el *planeta patrio*...
oh *patrias* juntas!... *Para* nuestras dos manos...
Pilas, moles, derrumbes / Y *polvo, polvo, polvo*...

Esta serie fónica se extiende a través de todo el poema, determinando un contexto mítico de dos polos: la patria humana y el polvo informe:

Un trozo de universo / Sin cesar revelándose *planeta* (cf. «un trozo de planeta» de A. Machado, IC, v. 31)... *Preciso* ante un confín... Y sin final se *precipitan*... hasta *perderse*... los estériles *paréntesis*... Por *palabras* que son de vuestra boca... Sustentación de *patria*... Sin *principio* ni término. / ¡Oh *padre* generoso... A *pie* quieto muralla... bajo tu *poderío*... Con el *porte,* / Esa inflexión... Y la *palabra.* ¡Nuestra la *palabra*... *Próximos* a sus cielos... *Penumbras*... Mortuoria ceniza *problemática*?... En esta *pulsación* que marcha sola, etc.

Se podría creer que nuestra lista es casual y abstracta. No lo es. Los procesos fonosimbólicos se fundan en una motivación interna de límite que retrocede hasta los mínimos portadores asemánticos; éstos, a su vez, desencadenan los procesos seriales, motivando la selección en registros semánticos diferentes: geológico (*planeta, planicie, pinares, pilas, paredes, primavera, piel, preciso, precisiones, profundidad*), vitales (*pulsación, popular, pisar, perdurar, potencia, precipitarse, perderse*), temporales de eternidad (*sin principio, próximo, presente, pleno acorde*), lárico-generacionales (*patria, patrias, padre, palabra. pie quieto, poderío, porte*), los que incluyen un aspecto negativo de *pietas* por la patria (*polvo, polvoriento, paréntesis estériles, penumbras, precipitarse, perderse*) y algún aspecto de la polémica post-98-orteguiana (*problema, ceniza problemática, polvo, polvoriento, profecía, prepotencia, poder, pelea*).

Naturaleza y símbolo se unen en un punto telúrico-animalesco, el toro-león totémico y mítico, figura del hombre castellano, animal que se convierte en hombre: «El sí, el no del animal que elige, / Que ya se elige humano». Estos versos evocan el bisonte-león unamuniano, el «hombre ibero» machadiano, el toro picassiano de Lorca («Contemplad su figura»): «Mirad su catadura. / Desde el testuz de toro, / Las crines de un león muy jaspeado / Por la piel relumbrante. / Y un sonreír de estío que ilumina / Boca, dientes y voz...»

La aliteración de *t, p, k* que hace contrapeso a *l, r, s, c* tiene sus raíces en la *t* de *toro,* como se ve en la primera estrofa de «El sediento»: «Palpita con toros / Ocultos. Y topan»; la distribución semántica serial es libre y variada, como se ha visto, pero el vértice de obstinación mítica se encuentra en aquel «testuz de toro» del animal-hombre castellano, prefigurado positiva y negativamente en el «taurino testuz» y en los «toros ocultos» del verano tórrido («Noche del gran estío» y «El sediento»), en el «toro estupefacto» de «Ardor» y en los toros-monstruos nocturnos del miedo.

[*A Symposium on Jorge Guillén at* 75 (*BA,* Winter 1968); original italiano mucho más amplio en Guillén, *Opera poetica* (*Aire Nuestro*), Florencia, Sansoni, 1972]

ANDREW P. DEBICKI

ESQUEMAS FORMALES Y SIGNIFICADO INTIMO EN *CANTICO*

Basta una rápida lectura para darse cuenta de las múltiples estructuras formales presentes en los poemas de *Cántico.* Encontraremos en este libro numerosas obras circulares, que empiezan y acaban con la misma imagen o el mismo verso. También hallaremos poemas que contienen diversas organizaciones simétricas de estrofas; otros que se valen del paralelismo y de la repetición de ciertos elementos, y otros más que emplean exactos arreglos tipográficos [1]. El libro entero, dividido en cinco partes en su versión completa, revela una organización armónica [2]. Estudiando detenidamente algunos esquemas de los poemas de *Cántico,* trataré en este trabajo de mostrar cómo estos esquemas encarnan y enaltecen la experiencia que tratan. Así podremos ver que la estructura de cada poema estudiado, lejos de contribuir a un formalismo estéril, es una manera de destacar el sentido vital de la obra. Frecuentemente, los esquemas formales servi-

[1] Varios críticos han comentado estas ordenaciones. Joaquín Casalduero ha analizado la estructura rítmica y estrófica de varios poemas y el empleo del encuadramiento; véase su *Cántico de Jorge Guillén,* pp. 98-114. José Manuel Blecua ha escrito acerca de la disposición de estrofas, secciones y arreglos tipográficos, en *La poesía de Jorge Guillén,* de BLECUA y RICARDO GULLÓN, pp. 146-173. Ver también ELSA DEHENNIN, *Cántico de Jorge Guillén: Une poésie de la clarté,* pp. 42, 126, 138 y 148.

[2] Esta organización ha sido examinada por Casalduero (pp. 98-99 y 206-218) y por JOAQUÍN GONZÁLEZ MUELA, en *La realidad y Jorge Guillén,* páginas 15-26.

Los poemas aquí citados provienen de *Aire nuestro;* sigue indicándose, por medio de siglas, la edición de *Cántico* en la que aparecen por primera vez.

rán para fundir el impacto inmediato y el valor universal del tema tratado [3]. Siempre serán un modo de acentuar la experiencia que se nos ofrece, destacando la feliz compenetración de fondo y forma tan propia de la poesía guilleniana.

Abundan en *Cántico* poemas de estructura circular. Generalmente contienen un número impar de estrofas; la primera y la última se parecen o se relacionan, encuadrando la obra. La estrofa central suele servir como eje de la organización simétrica y circular. En «Sazón», esta ordenación produce un decidido efecto vital:

El vaivén de la esquila
De la oveja que pace...
En su punto la tarde:
Fina monotonía.

¡Polvareda de calma,
Trasluz de lo plenario!
¡Ahínco cabizbajo,
Emulo de la hazaña!

La quietud es extrema
En el rebaño terco.
Acrece y guarda el tiempo
Sus minutos, su hierba.

¡Lejanías en blanco,
Para la rumia grama!
¡Horizonte, tardanza
Del infinito espacio!

En su punto la tarde:
Fina monotonía...
El vaivén de la esquila
De la oveja que pace.

(*Aire nuestro,* p. 97; o. C1.)

Notamos cómo las dos primeras expresiones (versos 1-2 y 3-4, respectivamente) se repiten en orden inverso al final, encuadrando la obra [4]. Lo circular del poema se destaca aún más mediante el paralelo entre la segunda estrofa y la cuarta; ambas constan de dos frases exclamativas

[3] Casalduero (pp. 98-99) ha señalado que Guillén evita la simetría mecánica y que se vale del encuadramiento para expresar simultáneamente lo real y lo esencial.

[4] Casalduero (pp. 112-113) ha notado el encuadramiento empleado en este poema.

que reflejan la emoción del protagonista ante el paisaje. La tercera estrofa es, entonces, el eje alrededor del cual gira este poema perfectamente simétrico. Desde el punto de vista gramatical, es la única que contiene oraciones completas, provistas de verbos; el resto del poema lo forman frases sin verbos principales.

El poema trata un tema bien conocido: el del valor universal discernible en una realidad particular. Gracias a su estructura circular, este tema surge dramáticamente ante nosotros. La ordenación destaca la trayectoria circular del protagonista que contempla un paisaje. Este hombre empieza mirando la escena concreta y dándose cuenta de su efecto inmediato («monotonía»). Luego, en la segunda estrofa, reacciona entusiasmado y entrevé significados más amplios: el cuadro refleja la plenitud. Cuando llega al punto central del poema, siente claramente cómo la realidad particular representa lo absoluto; pasa de la exclamación entusiasta a una percepción quieta, exacta, fundamental. Ve perfectamente la compenetración de lo particular y lo absoluto: describe la quietud del rebaño, pero al mismo tiempo hace de la hierba un símbolo de los minutos, y de la escena una representación de lo perenne. Esta visión culminante, sin embargo, no puede durar. El protagonista desciende por el mismo camino por el que se elevó. En la cuarta estrofa, paralela a la segunda, exclama entusiasmado. En la quinta se encuentra de nuevo subrayando el paisaje en sí y su efecto inmediato.

La organización de este poema, por lo tanto, subraya la experiencia personal de un hombre que gradualmente descubre un valor absoluto en un paisaje, que por un solo momento percibe una relación perfecta entre lo particular y lo universal, pero que luego retrocede a la perspectiva más ordinaria con la que empezó. Esta estructura también une al lector con el protagonista, vivificando así su visión. Sirve para convertir lo que pudiera haber sido un tema abstracto en un significado humano de gran impacto.

Por otra parte, la forma simétrica estiliza el poema. Esto también es indispensable. El asunto tratado corre el peligro de parecer vago y poco original. El hallazgo de valores absolutos en escenas pastoriles es un tema antiguo, fácilmente exagerado; la atribución de emociones al paisaje es un recurso bien conocido. Guillén, al valerse de la simetría exacta y al delinear con precisión los pasos del protagonista, evita la vaguedad. Representa exactamente su tema central. Nos hace sentir que no está aludiendo vagamente a una visión convencional, sino creando de nuevo, con sus propios recursos exactos, la experiencia del descubrimiento de lo plenario dentro de un sitio y de un momento dado. La organización exacta y circular, al dramatizar la progresión del protagonista por una parte, y al estilizar la obra por otra, hace de «Sazón» un poema más vital y más asequible al lector.

La estructura de «Navidad» recuerda la de «Sazón». El poema consta de nueve estrofas. La primera y la última son idénticas, encuadrando la obra. La segunda y la octava difieren entre sí, pero son paralelas: cada una consta de dos heptasílabos alternados con dos pentasílabos. Las estrofas tercera y séptima son otra vez idénticas; contienen exclamaciones, y se imprimen a la derecha de la página. Las estrofas cuarta, quinta y sexta, de cuatro heptasílabos cada una, forman el eje de esta obra simétrica y circular. («Navidad» nos recuerda, en tema y forma, un villancico.)

También aquí la simetría formal refleja la organización temática, y le sirve al poeta para destacar la experiencia de la obra. Las estrofas 1, 3, 7 y 9, que encuadran el poema, contienen exclamaciones gozosas motivadas por el nacimiento de Cristo:

I y IX (idénticas)

Alegría de nieve
Por los caminos.
¡Alegría!
Todo espera la gracia
Del Bien Nacido.

III y VII (idénticas)

¡Tú nos salvas,
Criatura
Soberana!

(Págs. 210-211; o. C3.)

Las estrofas segunda y octava, situadas entre las que acabo de citar, ofrecen detalles que justifican y subrayan las exclamaciones de éstas. Así, las seis estrofas que encuadran el poema —las primeras tres y las últimas tres— tienen mucho en común. Nos hacen sentir el gozo ante la Navidad y comprender el valor que ésta representa para los hombres. Forman un marco entusiasta, exclamativo, para la parte central del poema.

En medio de este marco, Guillén sitúa la descripción del Niño Jesús:

IV Aquí está luciendo
Más rosa que blanca.
Los hoyuelos ríen
Con risas calladas.

V Frescor y primor
Lucen para siempre
Como en una rosa
Que fuera celeste.

VI Y sin más callar,
Grosezuelas risas
Tienden hacia todos
Una rosa viva.

(Págs. 210-211.)

La imagen principal se basa en la semejanza de color entre una rosa y la piel de un niño, y en la vitalidad básica del niño y de la flor. Así subraya efectos concretos producidos por el niño. (La descripción de la risa hace lo mismo.) Por otra parte, la rosa ha sido tradicionalmente símbolo de lo bello y lo puro; su empleo nos hace ver a Cristo como un ideal positivo [5]. La descripción entera, por lo tanto, es un cuadro inmediato que al mismo tiempo apunta al significado trascendente del Niño Jesús.

Al situarse entre las exclamaciones que discutí antes, esta parte central cobra mayor significado. El marco creado por las exclamaciones ha definido al niño como causa de la esperanza y del gozo del protagonista. Situado en medio de estas exclamaciones, el cuadro central viene a ser la culminación y la justificación de este gozo. La descripción concreta resulta más importante: confirma la existencia real del salvador anhelado por el protagonista al principio y al fin. Y su significado trascendente, señalado por la rosa, resulta más claro en vista de la importancia que le ha atribuido el protagonista en sus exclamaciones. El impacto tangible del nacimiento de Cristo, por una parte, y su significado amplio, por otra, se destacan más mediante la organización del poema.

La simetría tan exacta de las diversas estrofas produce además un efecto estilizado. Este, junto con la precisión

[5] Recuérdese el nombre Pimpollo en *Los nombres de Cristo* de Fray Luis de León.

de la imagen central y la presentación escueta, impide que nos parezcan desbordados el gozo del protagonista y el tono del poema.

La ordenación simétrica de «Navidad» difiere un poco de la de «Sazón». En este poema la parte central contenía la visión absoluta; en aquél ofrece la descripción particular. En éste la estructura subrayaba la trayectoria del protagonista; en aquél destaca el tema central. Pero en ambos poemas la estructura circular tiene el mismo efecto de enaltecer y dar mayor vitalidad al tema de la obra.

El poema «Las hogueras» (págs. 440-441; aparece primero en la tercera edición) está encuadrado por los versos «El amor arde contento, / Arde el viento». (El primero de éstos se repite dos veces más en medio del poema.) La obra contiene trece estrofas; además de repetir la primera al final, revela paralelos entre la segunda y la penúltima, la tercera y la oncena, la cuarta y la décima, la quinta y la séptima, la sexta y la octava. Tenemos, entonces, una estructura circular algo parecida a la de «Navidad», que subraya el tema de la obra [6]. Los versos repetidos y el paralelismo entre estrofas establecen la relación entre las llamas y la pasión humana, y nos llevan al tema de las correspondencias entre el amor y los bellos esquemas naturales.

En cada grupo de dos estrofas paralelas, Guillén destaca en la inicial el paisaje y en la posterior la situación humana. Así, la segunda estrofa del poema describe la llama; la penúltima, paralela a la segunda, identifica la llama con la amante y afirma su efecto sobre el protagonista. La quinta estrofa trata de las estrellas y las personifica como damas. La séptima, empleando casi los mismos vocablos, pero invirtiendo su orden, describe la belleza de las damas y las compara con estrellas:

V Estrellas
¡Son llamas
Tan bellas
Las damas!

VII Son bellas
Las damas
En llamas.
¡Estrellas!

(Págs. 440-441.)

[6] Casalduero (p. 211) ha descrito brevemente la estructura de «Las hogueras».

Al crear una correspondencia tan evidente entre las estrofas de cada par, Guillén nos obliga a aceptar una relación igualmente estrecha entre el cuadro natural que ofrece la primera y la pasión humana que afirma la segunda. Los paralelos entre estrofas, igual que el encuadramiento, acentúan el tema central de «Las hogueras»: la relación estrecha entre el amor y la naturaleza. De nuevo, los esquemas formales del poema son recursos indispensables para comunicar su significado íntimo.

Algo parecido ocurre en «Los fuegos» (pág. 331; proviene de la tercera edición), donde se describe una escena nocturna con estrellas y con fuegos artificiales, en la noche de San Juan. El poema se abre y se cierra con el mismo verso invocatorio: «Es tu noche, San Juan, da tu amor a lo oscuro.» En el centro de la descripción que ocupa la mayor parte del poema aparece otra invocación, aún más directa: «¡Oh noche de San Juan, negror, ardor, amor!» Al enmarcar el poema con estos versos exclamativos, Guillén subraya la compenetración emotiva del protagonista con la escena y el efecto que ésta tiene sobre él. En «Los aires» (pág. 472), Guillén también encuadra la obra con una exclamación («¡Damas altas, calandrias!»), repitiendo esta exclamación en el centro exacto del poema. Igual que en «Los fuegos», subraya así el efecto de la experiencia que describe sobre el protagonista. En ambos poemas el encuadramiento y la repetición destacan el plano personal de la obra y aumentan el impacto creado en el lector [7].

Interesa notar que estos versos repetidos sirven un propósito afín al de muchos estribillos de la poesía tradicional: el de acentuar el significado emotivo de la obra [8]. No es que quiera exagerar la afinidad entre la poesía guilleniana y la de tipo tradicional. Pero el parecido aquí notado nos hace ver cómo los recursos exactos de Guillén no son juegos geométricos cerebrales, sino modos de subrayar valores emotivos; y cómo caben dentro de una tradición de la lírica española que se remonta a los cancioneros.

Vale recordar también el empleo frecuente del romance por parte de Guillén. Como ha notado Pedro Salinas, el

---

[7] Otros poemas que revelan estructuras parecidas incluyen «Una sola vez» (p. 334) y «Sierpe» (p. 500).

[8] Véase, por ejemplo, Dámaso Alonso y J. M. Blecua, *Antología de la poesía española; poesía de tipo tradicional* (Madrid, Editorial Gredos, 1956), poemas números 23, 99, 146, 161 y 163.

romance guilleniano no fluye ilimitadamente, sino que se interrumpe, se organiza y se divide en partes. Salinas descubre una ordenación circular y simétrica en «Plaza Mayor», y una disposición tipográfica muy exacta en «Cuerpo veloz»[9]. Tenemos aquí otros ejemplos del arraigo tradicional de la poesía guilleniana y del empleo de la estructura para configurar significados vitales.

Los poemas que acabo de comentar ilustran la forma exacta de muchas obras de *Cántico*; revelan también la frecuencia de ordenaciones circulares y del encuadramiento. Pero nos hacen ver, ante todo, cómo Guillén utiliza estos recursos formales tan precisos para crear y destacar la experiencia personal que nos comunica su poesía.

Efectos vitales se logran también en *Cántico* mediante estructuras algo diferentes. «Las sombras» no contiene ni encuadramiento ni repetición de versos. Pero consta de cinco estrofas simétricamente organizadas:

Sol. Activa persiana.
Laten sombras. —¿Quién entra?
... Huyen. Soy yo: pisadas.

(¡Oh, con palpitación
De párpado, persiana
De soledad o amor!)

Quiero lo trasparente.
También las sombras quiero,
Trasparentes y alegres.

(¡Las sombras, tan esquivas,
Soñaban con la palma
De la mano en caricia!)

¿Tal vez mi mano? Pero
No, no puede. Las sombras
Son intangibles: sueños.

(Pág. 371; o. C1.)

---

[9] Ver SALINAS, «El romancismo y el siglo XX», *Ensayos de literatura hispánica*, 2.ª ed., pp. 328-331.

Raimundo Lida ha estudiado en detalle la arquitectura de las décimas de Guillén, mostrando cómo el poeta ordena sus poemas y sus ritmos para lograr efectos originales. Ver LIDA, «Sobre las décimas de Jorge Guillén», *Cuadernos Americanos*, XVII, núm. C (1958), 476-487 (recogido en este volumen).

La primera, tercera y quinta estrofas describen la situación externa, la entrada del protagonista en el cuarto y su deseo de captar «las sombras». La segunda y la cuarta, exclamativas y en paréntesis, revelan las emociones imaginarias que atribuye el protagonista a las sombras, vistas ahora como amantes esquivas. Así se separan y se contraponen dos mundos: el de las acciones y los deseos conscientes del protagonista y el de su sueño de las sombras amantes. La contraposición formal destaca la distancia entre estos mundos, separando la realidad objetiva del ambiente de los sueños y los deseos. El protagonista no logra unir ambos mundos; no puede traer los sueños a su mundo exterior, hacer transparentes y alegres las sombras; sólo puede imaginárselas. La alternación de los dos tipos de estrofas también dramatiza el repetido cambio de perspectiva del protagonista y su inútil anhelo de fundir dos mundos. De nuevo la estructura de la obra, que consta de la contraposición y alternación de estrofas, es una manera de vitalizar su tema, el de la distancia entre lo alcanzable y lo ensoñado.

Algo parecido ocurre en «La isla. Encanto» (págs. 495-496), donde se alternan estrofas declarativas de cuatro versos cada una con estrofas exclamativas de dos; mediante este procedimiento se destaca la doble actitud, contemplativa y entusiasta, del protagonista. En «Presagio» también se nos ofrece una estructura simétrica de siete estrofas que establece una alternación de dos actitudes:

> Eres ya la fragancia de tu sino.
> Tu vida no vivida, pura, late
> Dentro de mí, tictac de ningún tiempo.
>
> ¡Qué importa que el ajeno sol no alumbre
> Jamás estas figuras, sí, creadas,
> Soñadas no, por nuestros dos orgullos!
> 		No importa. Son así más verdaderas
> 		Que el semblante de luces verosímiles
> 		En escorzos de azar y compromiso.
>
> Toda tú convertida en tu presagio,
> Oh, pero sin misterio. Te sostiene
> La unidad invasora y absoluta.
>
> ¿Qué fue de aquella enorme, tan informe,
> Pululación en negro de lo hondo,
> Bajo las soledades estrelladas?
> 		Las estrellas insignes, las estrellas
> 		No miran nuestra noche sin arcanos.
> 		Muy tranquilo se está lo tan oscuro.

La oscura eternidad ¡oh! no es un monstruo
Celeste. Nuestras almas invisibles
Conquistan su presencia entre las cosas.

(Pág. 429; o. Cl.)

El poema describe la visión ideal que el protagonista se forma de su amada. Esta visión se presenta de manera más quieta y pensativa en las estrofas tercera y sexta, que se imprimen a la derecha de las otras; y de manera más vehemente y declaratoria en las otras cinco, organizadas simétricamente alrededor de la central[10]. La división en dos tipos de estrofa y en dos tonos acentúa el doble estado de ánimo del hablante, y dramatiza su anhelo. La ordenación simétrica del poema, por otra parte, subraya su tema central de la amada como ideal que da valor a la realidad.

«Los amantes» también contiene una ordenación simétrica de estrofas. Estas no se alternan, sino crean un esquema ascendente y descendente:

Tallos. Soledades
Ligeras. ¿Balcones
En volandas? Montes,
Bosques, aves, aires.

Tanto, tanto espacio
Ciñe de presencia
Móvil de planeta
Los tercos abrazos.

¡Gozos, masas, gozos,
Masas, plenitud,
Atónita luz
Y rojos absortos!

¿Y el día? Lo plano
Del cristal. La estancia
Se ahonda, callada.
Balcones en blanco.

Sólo, Amor, tú mismo,
Tumba. Nada, nadie.
Tumba. Nada, nadie,
Pero... —¿Tú conmigo?

(Pág. 47; o. Cl.)

---

[10] Blecua ha observado que «los versos que indican un cambio de voz se imprimen algunas veces sangrados» en *Cántico* (Blecua y Gullón, páginas 170-171).

La estructura simétrica, ascendente y descendente, capta el estado de ánimo del hablante. Este llega a una exclamación gozosa en la tercera estrofa. Las primeras dos estrofas nos elevan gradualmente hasta este momento cumbre: la primera menciona elementos naturales que forman la escena circundante, mientras que la segunda ya presenta a los amantes y los relaciona con la realidad que les rodea. Las últimas dos estrofas se alejan paulatinamente del momento central; el poema acaba aludiendo a la muerte y preguntándose acerca de la duración del amor. La estructura ascendente y descendente de este poema encarna su tema: nos hace sentir el impulso progresivo hacia una experiencia esencial amorosa, nos deja ver el triunfo momentáneo de ésta y nos revela su gradual descenso a la incertidumbre.

Vale observar que *Cántico* contiene poemas largos divididos en tres o en cinco partes, que también muestran una estructura simétrica. (Algunos ejemplos: «Todo en la tarde», págs. 52-55; «Sol en la boda», págs. 158-165; «Anillo», págs. 178-185; «Vida extrema», págs. 398-405.) Algunos de ellos revelan una progresión dramática. En «Anillo» y en «Salvación de la primavera» se desarrollan paso a paso las distintas fases del amor —la presencia de la amada, el deseo, la posesión, el reposo [11]. En «Vida extrema» Guillén nos conduce dramáticamente desde una visión de lo fugitivo de la existencia hasta la confianza en la poesía como modo de preservarla.

Las organizaciones estróficas que acabo de comentar pudieran parecer a primera vista meros esquemas externos. Pero hemos visto que contribuyen al impacto del poema —sea dramatizando la trayectoria del protagonista, sea concretizando el asunto tratado. Vienen a ser, igual que el encuadramiento, un recurso formal que contribuye al significado vital de la poesía de *Cántico* [12].

Se pueden también encontrar en el libro diversas organizaciones creadas por medio de elementos paralelos.

[11] Ver José Luis Cano, *La poesía de la generación del 27* (Madrid, Ediciones Guadarrama, 1970), pp. 69-72.

[12] Véase Casalduero (pp. 98-101) y Blecua (Blecua y Gullón, pp. 164-176). La organización estrófica se destaca también en los siguientes poemas y contribuye de modo importante a su significado: «Esfera terrestre» (página 40), «Sabor a vida» (p. 61), «Las llamas» (p. 372), «Las ninfas» (página 373) y «La isla» (pp. 495-499).

No se trata sólo del paralelismo sintáctico, tal como lo han definido y estudiado Dámaso Alonso y Carlos Bousoño [13]. Además de éste, que también hallaremos, se dan casos de paralelos creados por la repetición, con ligeras variantes, de la misma frase; otros basados en correspondencias entre estrofas; y otros producidos por el empleo repetido de la exclamación. Todos estos tipos de paralelo no sólo ordenan los poemas en los que aparecen, sino contribuyen a su significado y a su efecto.

En «Música, sólo música» se emplea una serie de tres versos muy parecidos y paralelos entre sí para marcar la progresión que ocurre en la actitud del hablante a medida que se desarrolla el poema:

Por los violines
Ascienden promesas.
¿Me raptan? Se entregan.
4 Todo va a cumplirse.

Implacable empeño
De metal y cuerda.
Un mundo se crea
8 Donde nunca hay muertos.

Hermoso destino
Se ajusta a su temple.
Todo está cumpliéndose,
12 Pleno en el sonido.

Se desliza un mundo
Triunfante y su gracia
Da forma a mi alma.
16 ¿Llego a un absoluto?

Invade el espíritu,
Las glorias se habitan.
Inmortal la vida.
20 Todo está cumplido.

(Pág. 102; o. C3.)

El paralelo entre los versos 4, 11 y 20 subraya tres etapas progresivas en la trayectoria del protagonista. El poema pasa de la anticipación de la experiencia («todo va a cumplirse»), a la experiencia misma («todo está cumpliéndose»), y de allí al darse cuenta de su realización

[13] Véase la nota siguiente.

(«todo está cumplido»). La progresión se refleja también en la selección de vocablos e imágenes. Al principio, los sonidos musicales son promesas, personificadas como amantes en el tercer verso. La música se presenta como algo vago, bello y anhelado por el protagonista. Los versos 5 y 6 marcan un cambio: enfocan el acto concreto de tocar el violín. Ahora la música es una experiencia actual, pero una experiencia que tiene también un significado absoluto: es algo perfecto, inmortal (versos 7-8). Esto se acentúa en la tercera estrofa: el acorde armónico de la música («temple») representa la plenitud. Notamos el empleo de un término musical, «temple», que lleva la atención al asunto musical determinado, pero al mismo tiempo se liga con una visión absoluta. En las estrofas segunda y tercera, Guillén se fija en la actualidad concreta y la hace representar simultáneamente un valor cósmico. Las dos últimas estrofas subrayan exclusivamente este valor. No se alude ya a la actividad musical en sí; sólo se presenta su efecto general sobre el protagonista. La música da forma a su existencia y crea para él una realidad perfecta y la sensación de una vida inmortal.

El poema ha presentado la función musical como experiencia perfecta, que nos eleva más allá de nuestra vida común. Cabe dentro de la perspectiva central de *Cántico,* que encuentra en la perfección de ciertas experiencias y en el gozo vital que producen maneras de sobreponerse a nuestras limitaciones. La organización del poema subraya y encarna el tema. La progresión en tres partes, destacada por los versos paralelos, nos hace seguir las distintas etapas que atraviesa el protagonista. Podemos ver paso a paso cómo anticipa el episodio particular, cómo éste le impresiona y cómo llega a adquirir un significado cada vez más absoluto para él, culminando en la percepción de la perfección. Siguiendo esta trayectoria, reconocemos en el poema una experiencia viva.

En «Virtud» hallaremos un tipo diferente de paralelismo. Con una excepción, cada frase del poema es sintácticamente paralela a otra, y casi la repite [14]. Al citar el poema, atribuiré una letra mayúscula a cada grupo de frases

[14] Estas frases se organizan en lo que Dámaso Alonso denomina «ordenación hipotáctica o paralelística». Cada oración o serie sintagmática progresiva es paralela a otra que aparece más tarde en el poema. Ver ALONSO y CARLOS BOUSOÑO, *Seis calas en la expresión literaria española* (Madrid, Editorial Gredos, 1951), pp. 64-70.

paralelas, denominando la primera frase del primer grupo A1 y la segunda del mismo grupo A2:

Tendré que ser mejor: me invade la mañana.	A1 : B1
Tránsito de ventura no, no pesa en el aire.	C1
Gozoso a toda luz, ¿adónde me alzaré?	
Tránsito de más alma no, no pesa en el aire.	C2
Me invade mi alegría: debo de ser mejor.	B2 : A2

(Pág. 315; o. C3)

Vemos en seguida que el poema es nítidamente circular. Observamos además que en dos series de frases paralelas, la primera frase de cada serie se refiere más a la realidad externa y la segunda alude más al sentimiento interno del protagonista. Esto es evidente en la serie B, y se ve también en la C: C1 describe la impresión que le llega desde fuera al protagonista, y C2 su ánimo. Todo esto crea un doble efecto. Por una parte, los paralelos tan evidentes entre las frases de la primera parte y las de la segunda destacan la compenetración del hombre con lo natural. El impacto que produce el paisaje en el protagonista al principio se refleja exactamente en su propia actitud al final.

Por otra parte, la organización de la obra nos muestra la progresión del hombre bajo el influjo del paisaje. Al principio, el protagonista se siente obligado a perfeccionarse porque observa el valor del mundo externo que lo rodea. En la segunda mitad del poema, atiende más a sus sentimientos que al paisaje. Al final, cuando repite su deseo de la perfección, lo hace en vista de su estado íntimo, de su alegría. La obligación externa de ser mejor que sintió al principio («tendré») se ha vuelto más filosófica que física («debo de»). Su ansia de la virtud se ha hecho más personal. La contemplación inicial de un orden externo le ha llevado a declarar un orden interno. El paralelismo entre las frases A1 y A2, B1 y B2 nos obliga a comparar detenidamente la situación inicial y la final, y nos hace sentir la progresión que ocurre en el poema.

De nuevo se nos ha ofrecido en este poema una visión del valor de la vida, basada en una experiencia particular. De nuevo esta visión se ha engendrado y vitalizado gracias a los recursos formales empleados. El paralelismo y la estructura circular no sólo han comunicado la unión del hombre con la naturaleza, sino que han dramatizado también la trayectoria del hombre en su búsqueda del orden.

En «Otoño, pericia» (págs. 198-199) existe un paralelo entre las tres estrofas del poema. Cada una consta de diez versos trisilábicos, cada una empieza con una descripción y acaba con una afirmación exclamativa del otoño. La primera se fija en las siluetas de unos chopos; la segunda alude al movimiento de briznas en los arroyos, y a jaurías; la tercera personifica al otoño como moza que brinda «Mejillas / Propicias /Al modo / Moroso». Se pasa de una viñeta estática a otra dinámica, y de allí a una personificación del otoño. La progresión intensifica la visión positiva del poema; pero además revela una perspectiva cada vez más personal, cada vez menos descriptiva. Nos lleva paso a paso hacia una actitud íntima ante la perfección del otoño.

En otros poemas aparecen grupos paralelos de «sintagmas no progresivos» —de voces o frases que tienen la misma función sintáctica y que detienen el desarrollo de la oración [15]. En «Primavera delgada», por ejemplo, encontramos cuatro frases adverbiales seguidas que comienzan con las palabras «cuando» o «mientras» y se extienden a lo largo de catorce versos. Citaré algunas de ellas:

> Cuando el espacio sin perfil resume
> Con una nube
> ... ...
> Mientras el río con el rumbo en curva
> Se perpetúa
> ... ...
> Mientras el agua duramente verde
> Niega sus peces
> ... ...
> Cuando conduce la mañana, lentas,
> Sus alamedas
> ... ...
>
> (Pág. 123; o. C1.)

Estas frases demoran la acción del poema repitiendo construcciones paralelas y aplazando el verbo principal que seguimos esperando — y que no aparece nunca.

[15] Ver *Seis calas,* pp. 23-29. Los «sintagmas no progresivos», como se demuestra en *Seis calas,* frecuentemente crean una atmósfera y evocan un ambiente.

Crean así una sensación de suspensión que se mantiene hasta la exclamación con la que acaba la obra: « ¡Primavera delgada entre los remos / De los barqueros! » (Página 123.) Esta sensación se subraya también por la lenta cadena de endecasílabos alternados con pentasílabos, y por la presencia de muchos sustantivos acompañados de adjetivos. La sensación de demora es esencial. Destaca la delicia intemporal de la primavera, que es el tema de la obra. La forma externa de «Primavera delgada» apunta a su experiencia central.

Algo parecido ocurre en «Niño». Este poema contiene una cantidad de frases adjetivas en serie, todas ellas describiendo el mar. Muchas de ellas constan de imágenes o de personificaciones:

> Claridad de corriente,
> Círculos de la rosa,
> Enigmas de la nieve:
> Aurora y playa en conchas.
>
> Máquina turbulenta,
> Alegrías de luna
> Con vigor de paciencia:
> Sal de la onda bruta.
>
> Instante sin historia,
> Tercamente colmado
> De mitos entre cosas:
> Mar sólo con sus pájaros.
> ... ...
>
> (Pág. 37; o. C1.)

La presencia de tantas imágenes diversas crea un rico cuadro visual. Al ofrecer estas imágenes por medio de frases paralelas, sin desarrollar oraciones completas, el poema produce el efecto de un amontonamiento de perspectivas y subraya el impacto del mar. Cuando la obra termina con una exclamación (« ¡El mar, el mar intacto! »), ya se nos ha comunicado la riqueza sensorial de este mar.

«Viento saltado» consta exclusivamente de exclamaciones paralelas, que presentan el gozo del protagonista ante la vida. Citaré sólo algunos trozos del poema:

> ¡Oh violencia de revelación en el viento
> Profundo y amigo!
> ¡El día plenario profundamente se agolpa
> Sin resquicios!
> ... ...

¡En el viento, por entre el viento
Saltar, saltar,
Porque sí, porque sí, porque
Zas!

... ...
¡Sin alas, en vilo, más allá de todos
Los fines,
Libre, leve, raudo,
Libre!

¡Cuerpo en el viento y con cuerpo la gloria!
¡Soy
Del viento, soy a través de la tarde más viento,
Soy más que yo!

(Págs. 134-135; o. C2.)

Aunque se trata aquí de oraciones gramaticales completas y no de frases subordinadas, el poema recuerda a «Primavera delgada» en la creación de un solo y extenso ambiente sensorial. Recordaremos que algo parecido ocurre también en la primera y en la última parte de «Navidad», donde unas exclamaciones gozosas crean el ambiente para la parte central del poema. Guillén a menudo emplea el paralelismo de elementos sintácticos —progresivos o no— para crear una atmósfera y para situarnos en ella.

Los paralelismos sintácticos que acabo de comentar parecen tener efectos diferentes de las estructuras de «Música, sólo música» o de «Virtud». En estos poemas, los versos paralelos indicaban la progresión del protagonista; aquí contribuyen a un cuadro estático. Debajo de estas diferencias, sin embargo, existe una semejanza básica. En todos los casos que hemos visto, el paralelismo es una manera de dar concreción al significado de la obra —sea destacando la experiencia del protagonista, sea creando directamente un ambiente emotivo. Al dar realidad a los temas tratados, el paralelismo, igual que las organizaciones estróficas comentadas antes, es un recurso que contribuye a la vitalidad de *Cántico*.

Todos los esquemas que he comentado hasta ahora pertenecen a lo que se llama generalmente la «forma» del poema, distinguiéndose así de sus temas e imágenes, de su «fondo». Pero la línea divisoria entre forma y fondo no es siempre evidente, como han notado muchos crítiticos[16]. En el caso de *Cántico*, encontramos ciertas descripciones e imágenes que desempeñan un papel muy parecido al de los esquemas formales ya comentados. Como éstos, los elementos que ahora vamos a ver configuran y organizan el asunto de la obra, y también la reacción del lector ante este asunto. Sirven entonces como recursos estructurales, pero recursos que nos conducen al significado del poema.

Veamos primero «Perfección»:

> Queda curvo el firmamento,
> Compacto azul, sobre el día.
> Es el redondeamiento
> Del esplendor: mediodía.
> Todo es cúpula. Reposa,
> Central sin querer, la rosa,
> A un sol en cenit sujeta.
> Y tanto se da el presente
> Que el pie caminante siente
> La integridad del planeta.
>
> (Pág. 250; o. C2.)

Desde una perspectiva muy «realista», pudiera llamarse frío este poema: reduce la naturaleza a un esquema abstracto. Pero tal lectura me parece básicamente equivocada. El poema, como lo indica el título, trata de la perfección. El cuadro que nos ofrece no describe toda realidad natural, sino que elige un momento cumbre del ciclo diario, el mediodía. La escena se describe destacando su índole perfecta. Se nos muestra un orden geométrico con el semicírculo del firmamento, el sol en el centro de éste y la rosa directamente abajo. Se crea además un equilibrio exacto entre los planos del poema, como ha notado Concha Zardoya[17]. El compacto cielo arriba aparece al principio, la tierra abajo, al final, y la rosa «central» en medio del poema. Y se subrayan constantemente

---

[16] Véase, por ejemplo, la discusión de la manera de existir de una obra literaria en René Wellek y Austin Warren, *Theory of literature*, 2.ª ed. (New York, Harcourt, Brace & Co., 1956), pp. 129-145; William K. Wimsatt, *Hateful Contraries* (Lexington, Univ. of Kentucky Press, 1965), páginas 228-229, y Dámaso Alonso, *Poesía española; ensayo de métodos y límites estilísticos*, 2.ª ed., pp. 24-32, donde se discuten las interrelaciones entre significado y significante y entre diversos valores literarios.

[17] Véase Concha Zardoya, *Poesía española contemporánea*, pp. 305-307. Se ofrece allí un excelente análisis detallado de todo este poema.

lo redondo y lo esférico: formas perfectas, tal vez hasta arquetipos de la perfección[18].

Mirando estos esquemas, no podemos dejar de sentir el orden de la realidad que se nos presenta. Así llegamos a aceptar instintivamente la exactitud de las cosas. La descripción se ha organizado de tal manera que nos ha llevado a intuir el tema del poema: la perfección posible en la realidad. En este sentido, la descripción es aquí un recurso «interno» que cumple la misma función de los recursos «externos« comentados antes: ordena el material con el propósito de llevarnos instintivamente al tema y a la visión del poema. Recordaremos que en «Primavera delgada» el paralelismo creó una sensación de demora que destacó el tema de la primavera intemporal. Aquí, en «Perfección», la descripción crea una sensación de orden que destaca el tema de la perfección presente en la realidad. Es una técnica ordenadora que nos dirige a la experiencia del poema.

Otra descripción sirve un propósito parecido en «El horizonte»:

> Riguroso horizonte.
> Cielo y campo, ya idénticos,
> Son puros ya: su línea.
>
> Perfección. Se da fin
> A la ausencia del aire,
> De repente evidente.
>
> Pero la luz resbala
> Sin fin sobre los límites.
> ¡Oh perfección abierta!
>   Horizonte, horizonte
>   Trémulo, casi trémulo
>   De su don inminente.
> Se sostiene en un hilo
> La frágil, la difícil
> Profundidad del mundo.
>
> El aire estará en colmo
> Dorado, duro, cierto.
> Trasparencia cuajada.

---

[18] C. G. Jung (en *Modern Man in Search of a Soul,* p. 188) considera el círculo y la esfera como arquetipos de la visión absoluta. Georges Poulet, en *Les métamorphoses du cercle* (París, Plon, 1961), pp. 514-518, sugiere que Guillén emplea el círculo y la esfera para subrayar el sentimiento de estar centrado en la realidad.

Ya el espacio se comba
Dócil, ágil, alegre
Sobre esa espera — mía.

(Pág. 187; o. C1.)

Aquí la línea recta del horizonte, la luz que se extiende sobre toda la escena y el aire —cuya presencia se siente— nos hacen ver el júbilo del protagonista ante la simultánea nitidez y tangibilidad de la realidad. Organizan la escena de tal manera que subrayan el tema de la obra, la visión gozosa de este hombre. La estructura simétrica también subraya este tema. La primera parte (estrofas 1-3) destaca la línea del horizonte, la luz, lo nítido; la segunda (estrofas 5-7) subraya lo concreto del aire y la perfección tangible del paisaje. La estrofa central acentúa la reacción personal positiva del hombre ante el doble valor, exacto y concreto, de la escena. La estructura colabora con la descripción para organizar el poema y destacar su tema del gozo ante lo exacto y lo concreto del mundo.

Pueden encontrarse en *Cántico* muchos cuadros e imágenes que cumplen una función organizadora. En «Sierpe» (pág. 500) el girar de la tierra encarna lo mudable de la realidad y hace que todas las otras imágenes del poema se relacionen con el tema del cambio constante de las cosas. En «Las cuatro calles» (págs. 419-423) el encuentro de cuatro calles otorga mayor significado a la descripción de una ciudad:

Se anudan cuatro calles:
Culminación hacia un vivir más fuerte.
Nunca, ciudad, acalles
Su inquietud. Es tu centro
De suerte.
.. ..

(Pág. 419; o. C4.)

Este sitio viene a representar el vivir positivo, en contraste con el caos de la ciudad y con los elementos negativos de la realidad moderna. Así adquiere valor simbólico, y relaciona la descripción de la ciudad con un tema más amplio [19].

Los elementos que acabo de comentar difieren entre

[19] Ejemplos de cuadros e imágenes que cumplen una función organizadora se dan también en «Esfera terrestre» (p. 40), «Ciudad de los estíos» (p. 156) y «El ruiseñor» (p. 232), entre otros poemas.

sí. Uno de ellos conlleva un significado simbólico; otros son imágenes; la mayor parte son descripciones. Pero todos cumplen el mismo papel: el de ordenar con exactitud el material del poema para subrayar su tema Igual que las organizaciones formales estudiadas antes, estas imágenes y descripciones intensifican la experiencia del poema, al mismo tiempo que la ligan con los temas básicos de nuestra realidad. Se nos hace cada vez más claro cómo Guillén emplea una variedad de recursos ordenadores para ligar lo absoluto y lo particular, lo esencial y lo existencial [20].

Al examinar la organización de los poemas de *Cántico*, debe recordarse también la cuidadosa ordenación del libro entero y de sus secciones. No me propongo estudiar el asunto en detalle. Varios críticos ya lo han comentado; cualquier examen más amplio requeriría todo un ensayo aparte. Pero importa darse cuenta de la estructura del libro y ver cómo ésta apoya lo que ya hemos notado en los casos de las obras comentadas.

Vale destacar primero la división en cinco partes de la edición definitiva de *Cántico*. Esta ha sido explicada de modo algo diferente por Joaquín Casalduero y Joaquín González Muela [21]. Pero los dos han observado la estructura circular que emerge, con correspondencias entre la primera y la quinta parte, y entre la segunda y la cuarta. También hay que recordar que Guillén agrupa cuidadosamente sus poemas; como ha escrito José Manuel Blecua, los reorganiza de edición en edición, encontrando nuevas afinidades y buscando la ordenación más feliz. Cada parte de la edición definitiva empieza con poemas referentes al amanecer y acaba con otros que tratan del anochecer [22]. Todo esto demuestra de la manera más evidente no sólo el deseo de organizar arquitecturalmente el libro, sino también el empleo predilecto de estructuras simétricas y circulares. Ya notamos esta característica en poemas par-

---

[20] EUGENIO FRUTOS ha estudiado la relación entre lo existencial y lo esencial de *Cántico* en «El existencialismo jubiloso de Jorge Guillén», *Cuadernos Hispanoamericanos,* VI, núm. 18 (1950), pp. 411-426.

[21] Ver Casalduero (pp. 205-208) y GONZÁLEZ MUELA (*La realidad,* páginas 15-29). La división en siete partes de la primera edición de *Cántico* también parece indicar un esquema circular.

[22] Véase BLECUA, *La poesía de Jorge Guillén,* pp. 149-154, y Casalduero, pp. 201-202.

ticulares —en la organización estrófica, en el paralelismo, en las imágenes. La estructura simétrica del libro, igual que las de los poemas individuales, destaca el dominio artístico ejercido sobre las experiencias que contiene; y también subraya la resolución de estas experiencias en una visión total equilibrada, cerrada. Al mismo tiempo, acentúa la trayectoria del protagonista por una senda evidente, establecida por el poeta. Así crea el efecto de una búsqueda, de un viaje del hombre a través de la realidad, y añade impacto a la experiencia de la obra [23].

Algunas partes de *Cántico* también muestran una exacta organización interna. La tercera, «El pájaro en la mano», se divide simétricamente en cinco secciones. La tercera de estas secciones, que constituye el centro de todo *Cántico,* parece un microcosmo del libro. Empieza con el amanecer y acaba con la noche; alude a todos los temas centrales del libro: al amor, a la música, al gozo de la vida, a la poesía, a la muerte; se resuelve en una afirmación del ser, expresada en poemas situados en su centro exacto («Mundo continuo», pág. 282, y «En suma», pág. 283). Tenemos aquí otro ejemplo de la precisa ordenación discernible en todos los niveles de *Cántico.*

Como hemos visto a lo largo de este trabajo, los esquemas formales discernibles en *Cántico* sirven para configurar y destacar el significado vital y personal del poema. El encuadramiento, las diversas relaciones interestróficas y el paralelismo son maneras de forjar en la obra intensas experiencias humanas. Como el gran poeta que es, Guillén se vale de organizaciones formales para comunicarnos con toda su complejidad e intensidad significados vitales, no reducibles a la paráfrasis conceptual.

Para ver con toda claridad este papel vivificante de la forma en *Cántico* vale tomar en cuenta las ideas de Guillén sobre el asunto de la forma poética. En varios poemas, como «Vida extrema», «La vida real» (págs. 480-483) y «El manantial» (pág. 46), Guillén subraya la importancia de verter en el poema la esencia viva de la realidad,

---

[23] Aunque hay ciertas diferencias en el tono de diversos poemas de *Cántico,* el libro nos ofrece un punto de vista constante: el de un protagonista generalizado, al cual podemos unirnos fácilmente. No sería equivocado, en mi opinión, hablar de los valores épicos de *Cántico;* el libro marca el viaje del hombre en búsqueda de los valores centrales y perennes de la realidad.

separándola de lo insignificante y de lo perecedero [24]. La forma es, a su vez, la manera más importante mediante la cual el poeta puede preservar esta esencia viva:

Siento que un ritmo se me desenlaza
De este barullo en que sin meta vago,
Y entregándome todo al nuevo halago
Doy con la claridad de una terraza,
Donde es mi guía quien ahora traza
Límpido el orden en que me deshago
Del murmullo y su duende, más aciago
Que el gran silencio bajo la amenaza.
... ...
El son me da un perfil de carne y hueso.
La forma se me vuelve salvavidas.
Hacia una luz mis penas se consumen.

(«Hacia el poema», p. 273.)

¡Sea el decir! No es sólo el pensamiento
Quien no se aviene a errar como un esbozo.
Quiere ser más el ser que bajo el viento
De una tarde apuró su pena o gozo.

¿Terminó aquella acción? No está completa.
Pensada y contemplada fue. No basta.
Más ímpetu en la acción se da y concreta:
Forma de plenitud precisa y casta.
... ...
Revelación de la palabra: cante,
Remóntese, defina su concierto,
Palpite lo más hondo en lo sonante,
Su esencia alumbre lo ya nunca muerto.
... ...

(«Vida extrema», pp. 399-400.)

No es la forma poética mero esquema abstracto, sino «un perfil de carne y hueso», un sistema nítido que moldea y preserva lo más vital de las experiencias humanas. Esta forma es aliada inseparable del contenido de la poesía, como lo nota Guillén en su comentario en prosa a *Cántico*: «y el cántico se resuelve en una forma cuyo sentido y sonido son indivisibles. Pensamiento y sentimiento, imagen y cadencia deben asentar un bloque...» [25]. Guillén

---

[24] Véase GONZÁLEZ MUELA, *La realidad...*, pp. 127-139. BIRUTÉ CIPLIJAUSKAITÉ ha notado que para Guillén la poesía capta la realidad y la vida, en *El poeta y la poesía* (Madrid, Insula, 1966), pp. 339-341, 355 y 358.

[25] GUILLÉN, *El argumento de la obra* [1961], ed. Llibres de Sinera (Barcelona, 1969). p. 95. BIRUTÉ CIPLIJAUSKAITÉ, en *El poeta y la poesía* (pp. 320-321), indica que Guillén afirma la unión de forma y contenido, y cita del mismo ensayo.

aquí revela claramente su visión de la forma poética como un instrumento indispensable para captar valores vitales, y nunca un artificio separable del contenido del poema. *Cántico,* como acabamos de ver, ejemplifica esta visión suya.

[*Hispania,* t. LV, septiembre 1972; recogido en *La poesía de Jorge Guillén,* Madrid, Gredos, 1973]

PIERO BIGONGIARI

EL TIEMPO PASA

Al encenderse una imagen, el tiempo pasa. Eso es, el tiempo raspa concreta, rapazmente el lustre del espejo ilusorio de la imagen arquetípica, haciendo nacer sólo un recuerdo, el recuerdo. Este es el producto del vano asedio a la imagen arquetípica. El recuerdo es dolor, fin, muerte —y todo lo contrario de esto, porque exalta aún más la ilusoriedad— y por consiguiente, la invulnerabilidad de la imagen arquetípica. Por otra parte, es precisamente la parte perecedera —diría experimental, ocasional, la parte del asedio— del recuerdo la que establece la perentoriedad de la imagen: imagen que consiste en una invariante final, es decir, constata su propia esencialidad, su propia esencia precisamente a través de la caducidad de la experiencia que pone a prueba toda la probabilidad de existencia. La esencia del existir es, por consiguiente, su propia improbabilidad suprema. La experiencia se vuelve imagen, desasimiento del supremo momento primario, separación de aquel momento. Pero allá la imagen esconde también su propio origen, es decir, esconde a Dios. Es una lucha esencial entre el caer y el ser. La imagen, destacándose como imagen de su propia inimaginabilidad suprema, acepta también su propia temporalidad, su propia espacialidad. Acepta, pues, que tiempo y espacio —y la pasión humana que los unifica— cierren la fuente del ser para abrir la del existir.

La imagen de Guillén es, en su suprema luminosidad, una imagen ambigua, *à double face*: una imagen que no puede dar la vuelta hacia la cara como la mortaja del Dios escondido, del Dios traicionado por la suprema imaginación humana que necesita establecer hipótesis sobre la invisibilidad para realizar la afirmación suprema, necesaria de lo visible. Pero entonces, lo visible nunca es suficiente; menos cuando se acaba por demostrarlo *more geometrico*. Lo visible, la pasión visible del hombre, se consuma, es destinada a consumarse en una perentoriedad siempre última y siempre ya sobrepasada hasta el arquetipo, hasta aquella separación, aquella desunión inicial. He aquí que la poesía, y sobre todo la poesía de Guillén, mientras que centraliza al hombre como un momento perceptivo, le obliga a emprender camino inverso, a invertir el sentido mismo de la percepción, que es más centrífuga a medida que establece más hipótesis sobre su propia centricidad perceptiva. El mundo existe, las cosas existen tanto más cuanto el hombre parece abolir su exterioridad en su propio orden interior. Así, todo adquiere cualidad sumamente dudosa: mientras se establece allí, se distancia a la vez. Es una operación opuesta a la dantesca de *Paraíso,* donde la «cándida rosa» son los beatos que aparecen a la percepción del poeta peregrinante dispersos en varios grados de la perfección, *et pour cause*: para que él pueda acercárseles en su propia didáctica imperfecta. Para Guillén, no. Para Guillén las sillerías del coro están ocupadas en realidad hasta el infinito por una infinita *gradatio* humana que la imagen niega, escondiéndola a la vez. Esta infinita corporeidad del ser guilleniano se redime y casi se cauteriza en la platonicidad continuamente acabada de la imagen. La de Guillén, de *Cántico* de Guillén, es una *Comedia* al revés [1]. La «cándida rosa» de la imagen fulmínea no es otra cosa que la didáctica del así llamado «poeta puro» para revelar una realidad escalonada sobre los peldaños supremos del infinito: de un infinito lleno al que se acerca el pensamiento «vacío» con su propia «vacuidad» —y se podría decir, vanidad— precisamente para entender esta última plenitud. Pero Dios se esconde necesariamente al peregrino —al *peregrinus mundi,* al «ocioso», al caminante. Si Dios apareciera, éste no podría cumplir su misión: la de cuantificar en el *homenaje* la cualidad del ser, de volverla interminable, innumerable para poder captarla con la cualidad última y vacía, «pensada» de la imagen. Es decir, la imagen esconde a Dios

---

[1] Oreste Macrì se refiere precisamente a la «comedia» guilleniana en «Due poemi di Jorge Guillén», *L'Albero,* fasc. XIII, n. 41-44, 1966.

justo por su suprema transparencia. El arquetipo no es tal si no es negado y a la vez afirmado por su infinita multiplicación.

Tengo en mi posesión, entre otros papeles guillenianos preciosos, la serie de autógrafos que han culminado en el poema «Visto y evocado», compuesto el 13-14 de noviembre de 1958 en Florencia, y que vio la luz del día primero en *Historia natural* (Madrid-Palma de Mallorca, Ediciones de Papeles de Son Armadans, 1960) y ahora en *Homenaje*, 2 Atenciones II, 162. Reproduzco aquí las cuatro cuartillas para someterlas a algunas consideraciones:

PRIMERA CUARTILLA

Visto y evocado

Visto y recordado (*Florencia, Wellesley*)

* * *

Van cayendo las hojas amarillas

* * *

Las hojas, ya amarillas, van cayendo

* * *

Amarillas, cayendo van las hojas

* * *

Cada cinco segundos, una a una.

* * *

Sobre llovida piedra. Frondas rojas
De otoños—los recuerdo—ya profundos.

* * *

Alma, ¿ya no habrá nada que no escojas?

SEGUNDA CUARTILLA

Amarillas, cayendo van las hojas,
Una por una, cada tres segundos
Sobre el llovido asfalto.

Frondas rojas
De octubres que recuerdo, ya profundos.
¿Todo lo quieres, alma, nada arrojas?

* * *

¿Todo lo guardas, alma, nada arrojas?

* * *

¿Todo lo salvas, alma, nada arrojas?
Alma, ¿todo lo sabes (corregido por encima: salvas),
[nada arrojas?

Florencia, 13 - Noviembre 1958
Jueves - Madrugada - Mañana

TERCERA CUARTILLA

Visto y evocado

(*Florencia, Wellesley*)

Amarillas, cayendo van las hojas,
Una por una, cada tres segundos,
Sobre el llovido asfalto.

Frondas rojas
De octubres que recuerdo, ya profundos...
Alma: ¿todo lo salvas, nada arrojas?

CUARTA CUARTILLA

Una por una, cada diez segundos

* * *

cada seis

* * *

Florencia - 14 - Noviembre - 1958
Madrugada - Sábado
(corregido entre las líneas: Viernes)

La fulminosidad de la imagen guilleniana se despliega en un «movimiento lentísimo» hasta que, adquiriendo fuerza racional, casi se escinde en sus componentes inventivos. El «movimiento lentísimo», el *ralenti* fulmíneo de la elaboración nos muestra en filigrana cómo la imagen constituye su propio núcleo atómico en el acto mismo de constituirse como recuerdo y en alejarse del recuerdo hacia la evocación que aleja el recuerdo en la profundidad del ser. Aquí, los *otoños* se definen como *octubres,* o sea, se precisan en un espacio temporal más definido, menos largo, mientras que la *piedra* mojada de la lluvia se descubre como *asfalto,* revelando su tenebroso y lúcido magma de lo profundo. La piedra es más colorada, serena en Florencia; brilla con una luz interior que la lluvia exalta en un azul estrellado, mientras que el asfalto se da como un intermediario tenebroso entre las hojas amarillas que caen y son absorbidas por su magma oscuro, y las frondas rojas de los octubres recordados por el poeta: de un rojo de sangre, existencial, como la «sangue raggrumato / Sui rami alti, sui frutti» en *Anniversario* de Montale. ¡Mañanas felices en las que un hilo comunica Florencia con Wellesley! En la profundidad de los otoños, eso es, de los octubres, el recuerdo se mueve como aquellas hojas amarillas que, antes que caer, rehusadas por el alma —el alma salvada— parecen un batir de alas. ¿Qué pasa? ¿Qué es lo que trae salvación? Es el recuerdo que ha roto las dimensiones del recuerdo y que llega a la profundidad mística, eso es, misteriosa, del alma, extendiendo sus dimensiones meramente perceptibles. Guillén inventa, pues, «El sueño que rememora» más bien que un recuerdo que sueña con una realidad perdida: el sueño que recuerda una realidad por venir, concentrada, a través de la imagen mediadora en su infinita dispersión. También el pasado se da en relación con aquel centro de la rueda que es representado por el presente. El recuerdo, que es necesariamente descentralización, se vuelve evocación en este pasar del centro que es el presente, y de su prolongación igual y contraria, al futuro; esto quiere decir: en el *devenir* imaginario. El abismo, *el llovido asfalto,* es esto: diafragma imaginario de la infinita variedad del ser que es uno solo en cuanto *es* en su suprema proliferación formal: «... el presente ocupa y fija el centro / De tanta inmensidad así concreta».

Recuerdo lo que dice el poeta en «Al margen de Lucrecio», y lo aplico a su investigación poética: «Movimiento lentísimo recorre / Bien previstas etapas forma a forma». Tomemos medida a esta clepsidra poética que a su vez media el batir -caer de las alas hojas en esas dos mañanas florentinas embrujadas. He aquí la tarea del poeta-metrónomo de forma a forma: encontrar, aun en segundos escandidos, la medida del «movimiento lentísimo». Y se verá que el poeta ve caer las hojas, destacarse este color amarillo contra el marrón del asfalto para encenderse en el rojo de las frondas del recuerdo, en el alma que evoca y salva: salva porque sabe (véase la variante de la tercera cuartilla: *sabes-salvas*); cada cinco segundos, que luego se vuelven tres, permanecen tres un rato, entonces crecen a diez, y quedan en la hipótesis de seis. El texto definitivo reza «diez» segundos. Diríamos que el poeta enregistra con su cronómetro un *record* irrepetible, la tensión extrema de aquel «movimiento lentísimo», el *rallentar* de la cantidad en la calidad suprema del ser, la invariante calculada al límite (los diez segundos) en la variante continua del devenir.

Así pierden —o ganan— los poetas sus albas hasta que éstas se tornen mañanas; y el jueves se vuelve sábado sin perder continuidad, saltándose el viernes, si a fuerza de segundos, de segundos galileanos, se conquista lo eterno y se pierde felizmente el cálculo ilusorio del tiempo cotidiano.

1967

[*Books Abroad,* Winter 1968; recogido en *Luminous Reality* (ed. I. Ivask & J. Marichal), University of Oklahoma Press, 1969]

CONCHA ZARDOYA

MAREMAGNUM: PECULIARIDADES ESTILISTICAS

INTRODUCCION

Clamor —con sus tres partes— no se levanta contra *Cántico* —como podría creer el lector superficial— sino que ensancha o abre su temática hacia la historia del hombre. Si *Cántico* es «Fe de Vida», *Clamor* es «Tiempo de Historia». Si *Cántico* interpreta el mundo circundante —mundo ileso— en función del *ser* y del asombro de ser, *Clamor* tiende a la revelación del *vivir* del hombre —«mundo herido» [1]—, entrañable y dramática experiencia, el choque del ser con el tiempo. Con *Cántico* y con *Clamor,* sí, Jorge Guillén afirma «la hermosura de la vida sin exclusión de sus accidentes negativos y adversos, o, mejor dicho, contando con ellos para mayor esclarecimiento» [2] de la vida total: de esa vida que nuestro poeta proclama «más feroz [3] que toda muerte» [4]. *Cántico* y *Clamor,* pues, son libros complementarios y nunca opuestos. Libros que, con *Homenaje,* constituyen una trilogía que es un todo coherente, una obra única: *Aire nuestro.* En ella,

[1] «Sólo ese silbido / Clama en la noche por un mundo herido» («Clamante», *A la altura de las circunstancias,* Buenos Aires, Editorial Sudamericana, 1963, p. 102).

[2] FERNANDO QUIÑONES, «El último libro de Jorge Guillén» [*Viviendo y otros poemas*] (*Cuadernos Hispanoamericanos,* Madrid, 1958, XXXV, número 105, pp. 346-348).

[3] Fernando Quiñones observa acertadamente que «feroz», aquí, carece de connotación peyorativa, siendo una entusiástica y gozosa afirmación vital, según lo corrobora el resto del poema (*Ibid.,* p. 347).

[4] «El acorde», *Maremágnum,* Buenos Aires, Editorial Sudamericana, 1957, p. 18.

temas, formas métricas y modos estilísticos se enlazan internamente, evidenciando una continuidad de vida y de creación: «continuidad poética de diferente calado, sin desfallecimiento y sin mácula» [5]. Por muy diferenciados que parezcan los estilos de cada parte de la trilogía —Manuel Durán se ha referido ya a «las tres maneras de Guillén»[6]—, nos parece a nosotros que en cada una —y, por tanto, en todas— se descubre una misma vena de poesía inteligente y lúcida, sumergida en la riqueza del Universo, elevada siempre a una alta categoría de creación artística, gobernada siempre por una mente que selecciona, ordena, disciplina, estructura y clarifica. Jorge Guillén, «poeta radical» [7], se exige tanto en *Clamor* y *Homenaje,* como en *Cántico.* No son aquéllos más fáciles o más accesibles que éste. Y no queremos insinuar que haya en los tres una cierta clase de hermetismo, o que sea necesario poseer una clave especial para entenderlos. Hay tanta exigencia poética en cualquier décima de *Cántico* como en un poema largo de *Maremágnum,* el primer libro de *Clamor.* El mismo «señorío» castellano ejercita su ascética —más o menos rigurosa, según lo requiera el tema o el libro—, sin concesiones, en las tres partes de esta trilogía: doma, contención, rigor, eficacia poética. Quizá en algunos poemas exista una expresión más ceñida y apretada y, por tanto, más traslúcida. Pero en el resto —y hasta en los más latos— siempre está presente esa conciencia vigilante del poeta: la transparencia se ha trocado en densidad, en intensidad y hondura humana. Tanta inteligencia poética hay en «Perfección» de *Cántico* como en «Potencia de Pérez», largo poema de *Maremágnum,* y aunque este último parezca alocución o anatema. En ambos existe una poesía indivisa que brota de un hombre vivo y vital —Jorge Guillén— que es poeta y artista al mismo tiempo. En el primer poema citado, se extasía ante el orbe porque su mente sabe comprenderlo y su alma amarlo, y esta comprensión y este amor al mundo le hacen sentirse libre, pleno, feliz, en paz consigo mismo y los

---

[5] E. A., *Viviendo y otros poemas,* por Jorge Guillén (*La Prensa,* Buenos Aires, 21 diciembre 1958).

[6] Manuel Durán, «Jorge Guillén: *Viviendo y otros poemas*» (CCLC, 1959), p. 120.

[7] Así llamado por Ramón de Garciasol, en «Jorge Guillén, *A la altura de las circunstancias*» (*La Torre,* Puerto Rico, 1963, XI, núm. 44, página 186).

demás. En el segundo poema, sufre con los hombres, asediados y escarnecidos por el tirano. *Clamor*, así considerado, no está tan lejos de *Cántico*, que era, precisamente, una ordenación poética del entusiasmo ante la realidad, ante la hermosura del Universo. La diferencia radica en que, en *Clamor*, las realidades —o, mejor, las fuerzas que conspiran contra ellas— son otras, y, al ser otras, exigen —por lo menos, algunas veces—, otros cánones estróficos, otros recursos expresivos, pero siempre manejados con pericia de maestro, transfigurados siempre por el genio del poeta. Pero en el fondo —o trasfondo— de *Clamor* siempre está *Cántico* subyaciendo: hay prueba textual en un trébole de *A la altura de las circunstancias*:

Domingo.
Es el día del Señor.
Suene música sagrada.
Cántico sobre clamor.

(Pág. 97)

Jorge Guillén no se arrepiente ni reniega de lo que ha cantado en su primer libro, y a él volverá siempre en busca de paz o alegría en los tiempos de prueba: volverá a cantar muchas veces aún. Pero, en posesión de una sabiduría más humana, admite en *Clamor* —sobre todo, en *Maremágnum*— las voces que su *Cántico* rechazaba: las del exilio, del dolor, de la edad y de la angustia contemporánea, con una estoica serenidad ejemplar en muchos poemas. (¿Estoicismo éste de raigambre castellana?)

Se ha dicho ya que *Clamor* «es el contrapeso espiritual a la actitud de *Cántico*: es la queja, el grito del vivir» [8]. Y todavía podemos añadir que —*Maremágnum*, sobre todo— es un libro que se compromete con lo cotidiano y circunstancial, por vías más cerca de las estridencias y las disonancias que de la armonía, aunque el acorde suene quedamente en lo más hondo o en una final esperanza. La experiencia cotidiana —emplazada en el vivir histórico— se desnuda aquí valientemente hasta rozar —en ocasiones— los bordes de lo antipoético —(¿Qué es, lector, la Poesía?)—, hasta cubrirse de voluntario prosaísmo. Es una actitud deliberada y consciente. Y no es tanto un cambio de estilo o de filosofía poética, como el viril deseo de dejar constancia del tiempo histórico que le ha

[8] ROGELIO BARUFALDI, «Jorge Guillén, testimonio y esperanza» (*CritBA*, 1958, XXXI, núm. 1.308, p. 370).

tocado vivir al poeta, hombre entre los demás hombres. Todos los perfiles turbios, caóticos, indecisos, del instante histórico que Jorge Guillén eliminó totalmente de su *Cántico* —evangelio contra la Nada—, se muestran en *Clamor* con verdad de «documento histórico». Las presiones que sufre el hombre en todas partes son evidentes aquí. El poeta se aparta voluntariamente de algunos cánones, de algunos estímulos de perfección plenaria —nunca de todos—, para situarse al nivel del hombre de la calle, para acusar, increpar o burlarse. El poeta desvela sus experiencias y sus conflictos de hombre actual, de hombre histórico, de hombre social, pero los encubre con su humor o con su sarcasmo. En *Maremágnum* han brotado los «tréboles» y el aforismo de vieja cepa universal y española. El *cántico* se ha vuelto aquí *clamor* y acusación, ante las pavorosas circunstancias vividas por el hombre a partir de la Guerra Civil española y de la Segunda Guerra Mundial. Aunque no falten poemas que aún irradian lograda belleza de fondo y forma [9] —poemas éstos que enlazan directamente el nuevo libro con el anterior, a cuyo sentido esencial no renuncia a pesar de todo—, que aún imponen la ley de la armonía, los restantes, los más significativos, nos revelan hasta qué punto las fuerzas oscuras que gobiernan a los hombres de hoy amenazan la vida, la plenitud del ser y la belleza, «la integridad de planeta» que cantaba Jorge Guillén en su célebre décima [10]. Reina el caos, el maremágnum, en el presente vivido por todos. Reina el dolor. La nada existe o amenaza. El poeta ha de denegar ahora —al menos, en parte— cuanto afirmó antes en su *Cántico,* en su aleluya al ser y a la vida. Y así escribe el poema «Dolor tras dolor», tremenda evidencia de que existe la destrucción, la ruina, la pena sin fin:

> La alarma, tanta alarma.
> Y un dolor invasor ocupa el ámbito
> De la calle, del hombre.
>
> Suena, suena el lamento y no concluye
> Jamás.
>
> Lamentándose cruza quien padece
> Dolor,

---

[9] Pero éstos nos parecen más apasionados, más cerca de la vida.
[10] «Perfección». *Cántico. Fe de Vida.* Buenos Aires, Editorial Sudamericana, 1950, p. 240.

Un dolor siempre injusto,
Aplicado con saña
—Absurda saña y seña del azar—
A destruir el ser y su entresijo
De afirmación divina.

Y el dolor va aguzando
Sus bestias,
Y entre garras y babas repugnantes
Descompone, deforma,
Reduce a torvo apoyo de la crisis
El cuerpo del enfermo y con escándalo
Se le derrumban muchos equilibrios.

Dolores y dolores
Pérfidos, eficaces desde minas
Remotas,
O de repente brutos,
Bajo las armas de unos enemigos
Que serán victoriosos.
Dolor en esa pulpa
De nuevo mancha derramada, magma,
Dolor y su aguijón inquisitivo,
Su fijeza perversa.
Dolor hasta locura.
... ...
Dolor de quien persigue
Sufriendo con su víctima.
Y la cólera estalla vanamente
Contra visible muro:
La reserva del mísero perdido,
Refugiado muy lejos,
Allende las torturas.
... ...
Campo de humillación,
De concentrada humillación, de agravio
Completo
Contra la carne, contra la persona.
Se ahincan las agujas, las injurias
Planeando una extrema
Degradación del alma en su retiro.
... ...
Clamor en el silencio
De los más miserables.
Nada, nada: ni mano en servidumbre
Ni ofrecido sudor.
Pan es sólo mendrugo.
Lecho es sólo intemperie sobre losas
Nocturnas de arrabal.
Borrando sus contornos aquel orbe
Retrae forma y dádiva.
Realidad, no, materia
De anulación, de asfixia
Para el pobre, solemne,
Gusano ya en andrajos con gusanos.

De ese amontonamiento
Se levantan miradas. ¡Ay! Perforan
Todos los paraísos.

No hay surtidor más alto
Que la gran injusticia: funde estrellas,
Apaga los destellos más felices [11].

Existe, sí, el dolor, la injusticia, la degradación. Pero todo eso es Materia, nunca Realidad —nos dice Jorge Guillén. *Maremágnum,* en consecuencia, no niega a *Cántico,* cuyo evangelio sigue en pie y subyace en muchos poemas de *Clamor.* Por esto, aún podemos salvarnos asomándonos «a la altura del almenado viento» (pág. 181). Ascendamos a mayor claridad y respiremos:

... Recompensa y no vaga:
Respirar, respirar, la mayor aventura.

(Pág. 181)

Reaccionemos contra el asalto del dolor, de ese dolor que «por asalto, con abuso, / Nos somete a siniestro poderío» (pág. 16). De ese dolor que no nos gobierna sino que nos desgobierna y que es origen de la ira, de la náusea:

Polvo de una arena
Cegadora nos cubre, nos aspira.
Y la mañana duele, no se estrena.

Surge el ceño del odio y nos dispara
Con su azufre tan vil un arrebato
Destructor de sí mismo...
(Págs. 16-17)

El poeta siente su impotencia y la del hombre frente al odio. Y se pregunta: «¿Es venenoso el mundo? ¿Quién, culpable?» (pág. 17). Mundo en que triunfan la fuerza y la injusticia: «se convence al hostil pistola en mano» (pág. 17). Pero aún afirma la vida contra el caos: aún cree en la armonía:

Pero el caos se cansa, torpe, flojo,
Las formas desenvuelven su dibujo,
Acomete el amor con más arrojo.
Equilibrada la salud. No es lujo.

---

[11] *Maremágnum,* pp. 187-194.

La vida, más feroz que toda muerte,
Continúa agarrándose a estos arcos
Entre pulmón y atmósfera. Lo inerte
Vive bajo los cielos menos zarcos.
... ...

Al manantial de creación constante
No lo estancan fracaso ni agonía.
Es más fuerte el impulso de levante,
Triunfador con rigores de armonía.

Hacia el silencio del astral concierto
El músico dirige la concreta
Plenitud del acorde, nunca muerto,
Del todo realidad, principio y meta.

(«El acorde», III, pp. 18-19)

Jorge Guillén sabe que «tras el perfecto acorde la disonancia embiste» (pág. 30). Tras *Cántico* —perfecto acorde—, *Clamor, Maremágnum* —conjunto de disonancias y estridencias. Pero la suma compone la armonía: la armonía última del mundo, verdadera Realidad. El mundo —ahora— es un vagón, «hacia su meta lanzándose, corriendo»: maremágnum veloz con estruendo de tren (página 30). Pero todo el estruendo acabará por difundirse en armonía puntual, sutil, exacta. Jorge Guillén, así, volverá a afirmar la vida sobre la destrucción y la muerte: «Dejad que sea nuestra vida / Más que su muerte» (página 37). Por encima del drama de España, de Europa y del mundo. Por encima de muertos, de presos y de desterrados, de ciudades en ruinas, de formas siniestras, de tiranos y de bufones, de humillación y de endiosamiento. Por encima de todo, triunfa la Vida: la Vida que —para nuestro poeta— «no es más que vida» (pág. 196).

Entremos en *Maremágnum*, la primera parte de *Clamor*. No estudiamos aquí los temas que lo integran, temas que por otra parte ya han sido comentados por algunos críticos. Sin embargo, el análisis de sus peculiaridades metafóricas y estilísticas nos revelará —desde dentro hacia fuera— el contenido y estructura temática del libro: la forma transparenta el fondo y con él coexiste.

LA EXPRESION FIGURADA

I. FIGURAS LÓGICAS

Jorge Guillén —poeta y artista consciente— sabe aprovecharse en *Maremágnum* de las figuras lógicas no para producir sorpresa o efecto, ni como recurso simplemente artificioso, sino para poner más de relieve la verdad del mundo actual y la persistencia, por debajo del caos, de la armonía última, afirmando la «continuación de nuestro ser viviente» (pág. 16).

1. *Antítesis.*—Aparece usada con finalidad diversa. En rigor, algunos poemas y estrofas están construidos sobre un choque de ideas, de sentimientos o de sensaciones. Y el libro entero se basa en la oposición entre orden y caos, vida y muerte, amor y odio, júbilo y tristeza, hermosura y fealdad, libertad y tiranía, gobierno y desgobierno, derecho y abuso, armonía y disonancia, luz y sombra, paz y guerra, verdad y mentira, justicia e injusticia, lo perfecto y lo imperfecto, lo natural y lo excéntrico, la creación y la destrucción, la realidad y la materia, el cántico y el clamor.

Veamos algunas antítesis en los versos mismos. Los primeros de «Potencia de Pérez» las contienen: «Hay ya tantos cadáveres / Sepultos o insepultos»; «Hay tanta patria reformada en tumba / Que puede proclamarse / La Paz» (pág. 40). De hecho, todo el poema no es más que una serie de antítesis expresas o tácitas: «Cuanto más resplandece la Verdad, / Más difuntos la cantan», «Donde hay Fe santamente se asesina» (pág. 42). El tan aclamado, glorificado y ungido, está «Solo sobre su escena, / Sólo ante sus insignias y sus cruces» (pág. 50). Sostiene «aquel Orden: su desorden» (pág. 52). «Luzbel desconcertado» es también un poema creado sobre y con antítesis: según el ángel de la luz expiatoria, el mundo es el «Caos» (página 92), la «Creación [está] fracasada» (pág. 74), y la Tierra es el Infierno (pág. 75); ha fracasado la Armonía del gran Músico (pág. 74), ya que reina el maremágnum. En contra del viejo Dios, Luzbel ha inventado la Crítica, Diosa que mueve «un orbe portentoso, / Más allá de los cúmulos unánimes» (pág. 82). «La mente es quien inventa el universo» (pág. 82). Y es una larga antítesis «La hermosa y los excéntricos», en donde la antítesis del amor es la sodomía, elegantemente llamada «excentricidad» por el poeta. Y es una antítesis continua el poema «Guerra en la paz», amenazada ésta por el «Satán atómico» (página 164), el «fatal cataclismo» (pág. 162).

2. *Dialogismo.*—Para dar más fuerza al contenido histórico y psicológico de su *Maremágnum,* Jorge Guillén utiliza con frecuencia el dialogismo. Forma parte, claro está, de la prosopopeya, del fenómeno metafórico de la humanización y personificación en muchos casos. Pero, en la mayoría de ellos, es su tendencia a dramatizar lo vivido y lo sentido por él y por todos —en este Tiempo de Historia— lo que le lleva al empleo de este recurso de gran eficacia. Así, el poeta crea un diálogo, aunque en algunas ocasiones sea tácito, y habla con los hombres, con sus personajes poemáticos, con el lector, consigo mismo, con el pájaro del alba, con el mastodonte, con las moscas y hasta con la motocicleta. A veces, hace hablar a sus personajes: tras el largo monólogo de Luzbel, dialogan el Gobernador y el Gran Poeta; Pérez ordena: «Hombres buenos: creed, creed, creed» (pág. 47). Este dialogismo ejerce su fuerza dramática en poemas largos, en décimas y tréboles, con preguntas y respuestas, con interrogaciones y exclamaciones, con vocativos. Está teñido de seriedad, de ironía o de burla.

He aquí algunos breves ejemplos:

—¿Es poeta o profesor?
Preguntaba el malicioso,
Trasparente de candor.
—¡Soy el gitano y el oso!

(Pág. 120)

—Con el límite pelea.
—¿Hace más de lo que puede?
¿Un Luzbelillo? —No adrede.
La vida estalla en idea.

(Pág. 127)

—¿Y la Tierra? —De avión
Murió. —¿Por qué ese final?
—Falta de imaginación.

(Pág. 129)

Te haces odiar, motocicleta,
Terrible aparato modesto,
Avispa —Vesubio— trompeta
Siempre en erupción: te detesto.

(Pág. 133)

II. Figuras patéticas

Jorge Guillén —conmovido por el dolor de los hombres, desconcertado por el caos que reina en el mundo, indignado por la subversión de valores, afectado por la muerte y la destrucción, irritado por las disonancias y estridencias— rompe en algunos momentos el rigorismo lógico y racional de algunos versos, obedeciendo a fuerzas e impulsos interiores, a la pasión, a la ira, al sarcasmo. Estas figuras patéticas colaboran —como es natural— en ese hondo dramatismo y contenido humano que caracterizan a *Maremágnum*. Pero todas ellas, sin embargo. están refrenadas por la mente vigilante del poeta, consciente siempre de su oficio: están empleadas y dosificadas *inteligentemente* por la habilidad técnica del artista. No se dan nunca con exceso ni en forma desmedida o atropellada: su estallido se equilibra siempre con el intenso rigor formal que estructura versos y estrofas, aunque los poemas extensos parezcan haber sido creados con mayor libertad expresiva. Son chispazos de vida humana que trasciende la forma; aliento y calor humanos que sobrepasan o repristinan la expresión convencional, liberados de toda gala retórica. Son temblor o estallido de la criatura desvalida, sufriente o indignada ante las fuerzas del mal que amenazan la vida y la hermosura. Son justa deprecación, execran justamente, envuelven la amargura en sarcástica ironía. O expresan aún el entusiasmo del poeta ante la no extinguida belleza del mundo y de algunos seres.

1. *El apóstrofe.* a) El poeta execra con un simple sustantivo exclamativo, esencia misma de lo execrado: «¡Tirano!» (pág. 51). b) Manifiesta desengaño: «¡Vanidades, callad!» (pág. 67). c) Expresa su ironía: «¡Patria unánime!» (pág. 41), «¡Júbilo de camisas!» (pág. 43). d) Afirma su entusiasmo: «¡Plenitud de hermosura en desnudez!» (pág. 67), «¡Oleaje marino, femenino!» (pág 63), «¡Oh Capri de cristal en el calor...!» (pág. 68), «¡Ah, Rei-

na de Naciones, mujer hermosamente destinada al hombre...!» (pág. 143).

2. *Epifonema.*—Muchos tréboles, décimas y poemas largos de *Maremágnum* acaban con una exclamación final que intensifica su dramatismo o su efectividad: se prolongan o resuenan en el espíritu del lector. Estos versos exclamativos sobrepasan la simple admiración porque ellos son la reflexión final arrancada a nuestro ánimo, suspenso ante la consideración de lo que antecede. A causa de este matiz se convierten en epifonemas, pues son término de una anterior exposición. En tales epifonemas concentra Guillén, muchas veces, el sentido más profundo de su estrofa o de su poema, siendo sujeto y, a la par, conclusión de ellos. O en ellos vibra la ironía, la indignación o el sarcasmo, grita el dolor, el júbilo canta: «Trabajar es también sufrir. ¡Gran deber!» (pág. 39); «Todo es bar y delicia oscura. / ¡Televisión!» (pág. 56); «Nada es ahora más sabio, / Nada es más eterno. ¡Fiesta!» (página 196); «Para el orbe no hay desengaños. / ¡Vida vida: vedla segura!» (pág. 115), etc.

3. *La exclamación.*—Además de los apóstrofes y epifonemas, *Maremágnum* contiene, a causa de su explícito dramatismo y de su expresión objetivo-subjetiva, abundantes exclamaciones de toda índole: afirmativas, irónicas, sarcásticas, condenatorias. Y aparecen en toda clase de poemas, diseminadamente, pero actuando siempre en el momento justo y en el lugar debido. Su extensión varía y responde a las tensiones del poema. A veces constituye un trébole:

> ¡Y si este mundo no fuera
> Más que este precipitado
> De realidad verdadera!
>
> (Pág. 102)

O forma la mitad de una estrofa en «Luzbel desconcertado»:

> ¡Yo, que soy ángel, fatalmente el ángel
> De la suprema luz,
> Como si fuese un hombre
> Complacido en el fuego,
> En un sagrado fuego expiatorio,
> Verdugo que gozara

Con esa crueldad
De los civilizados!

(Págs. 73-74)

4. *La interrogación.*—Nos excusamos de repetir aquí lo que hemos dicho en cuanto a la exclamación. Pero hemos de añadir que algunos poemas están formados exclusivamente por varias interrogaciones, como «Pared», constituido por seis versículos y seis preguntas. Una sola interrogación da cuerpo a algunos tréboles. Muchos poemas terminan con una angustiosa interrogación para la cual el poeta no espera respuesta. Algunas veces, aquélla es irónica o burlesca; otras, implica desengaño, resignación estoica, aceptación universal. Y en alguna ocasión, es adivinanza. Pero nunca aspira, en *Maremágnum,* a lo inefable poético, como en su primer libro: aquí, el hombre insomne «es la Pregunta» (pág. 24).

He aquí algunas interrogaciones paradigmáticas:

Erudito: ¿por qué me explotas?
¿Mis cielos se encuentran abajo,
Por entre esas nubes de notas?

(Pág. 135)

¿Qué señas nos esbozan esas nubes?
¿Se trata de vivir —o de morir?

(Pág. 178)

¿Es venenoso el mundo? ¿Quién, culpable?
¿Culpa nuestra la Culpa?

(Pág. 17)

Diseminadas a lo largo del poema, crean expectación, amenaza, angustia, curiosidad, en «Guerra en la Paz», «Aire con época», «Dolor tras dolor», «Potencia de Pérez» y «La hermosa y los excéntricos».

PECULIARIDADES METAFORICAS

I. VIVIFICACIÓN

Aunque la humanización es la peculiaridad metafórica que más abunda en *Maremágnum,* hemos hallado dos ejemplos de vivificación. En el poema «Guerra en la Paz», la palabra «guerra», con su rigor de erres, se vivifica onomatopéyicamente en «mosquito monstruoso» que zumba, «retorna, persiste», «va en alas» (pág. 161). En «Subida», el poeta siente vivas las montañas —como animales— al imaginar que camina placenteramente por «azuladas cumbres / Con *lomos* siempre extraños a la Historia» (pág. 181).

II. Humanización

«El acorde» —poema heraclitiano que sirve de introducción a *Clamor* y en el que Jorge Guillén afirma su fe en la creación constante y en el triunfo de la armonía por debajo de todas las disonancias— comienza con la humanización de la mañana: en ella cree el poeta porque cada día le descubre el mundo: «La mañana ha cumplido su promesa» (pág. 15), sí, pero «duele» y «no se estrena» porque el dolor y la náusea asaltan a los hombres. En otro poema, «La tarde... abruma a los ahora encorvados (página 39) trabajadores andaluces. Y, porque reina el maremágnum, «La noche profundiza su propia soledad» (página 24). Jorge Guillén, además, humaniza otras formas de la temporalidad en «Aire con época», por medio de adjetivos humanantes, para que triunfe el hoy sobre el ayer, lo vivo sobre lo muerto, «la historia del minuto»: «¡Hoy, hoy! / Un hoy real, muy rico, / Más fuerte que el ayer, de pronto pálido» (pág. 176). Pero hay escombros en las ciudades y el poeta sabe que sobre ellas reina «el horror de la luz», espantada por las «hórridas ruinas» (pág. 54).

Jorge Guillén humaniza, luego, los elementos de la Naturaleza. En un trébole, «el aire, tan cortés, ya es célebre» (página 100). En «El viento, el viento» —poema que salva la belleza y la afirmación dentro de *Maremágnum*—, el viento, humanizado, crea, habla, sospecha, canta, irrumpe, amontona hojas y hasta sueña, ciñe y conduce al poeta, no consiente su tristeza:

> Viento, viento, viento, viento:
> Tú me inventas, yo te invento.
> (Pág. 182)

En «Viernes Santo», «La tierra se conmueve» (pág. 35). El mar toma forma humanada en «Mar que está ahí»: es «buen compañero, sencillo, cotidiano», «infiel, caprichoso, perjuro» (pág. 171). En un trébole, al comenzar un día, el poeta proclama al sol dador y ordenador de su vivir: «Sea, sol, lo que tú me elijas» (pág. 96). En nuestra época, se borran las disonancias entre lo humano y lo astral, en «abrazo planetario», pues nada es ajeno al hombre» y «la luna está muy cerca» (pág. 176). Humanizados viñedos «recogen y cantan» (pág. 153) a la Esposa, después de haberse consumado el Amor. En una décima, dominando con su canto la algazara de la plaza y ante la sombra de Cortés, los pájaros de Cuernavaca son humanizados en «últimos conquistadores» (pág. 125).

También encontramos en *Maremágnum* interesantes humanizaciones de cosas concretas: el «cristiano autobús» (página 97), «cesante el farol» (pág. 100), «estúpidos» y «soñolientos» rincones (pág. 72); las ruinas sufren miedo, «con el temor de no ser ni su angustia» (pág. 54); la ciudad ilustre «aspira a ser perenne» (pág. 160) o «erguida, duerme entre los insomnios» (pág. 25) de los hombres o es «subalterna», «humilde proveedora fecunda» (pág. 154) de los sodomitas.

El poeta precisa y concreta lo inaprehensible y vago de la amenaza con verbos humanizantes:

> ¿Se temerá a sí misma?
> Y tiembla en el espacio matinal...
>
> (Pág. 160)

> ¿La véis ahora? Tiembla. ¿No se atreve?
> Se atreve, se desnuda,
> A todos amenaza la Amenaza.
>
> Flota, desciende, yerra,
> Se fija en los vocablos...
>
> (Pág. 161)

Guillén humaniza lo abstracto, en parodia trágica, cuando describe la «Potencia de Pérez»: «La Verdad se desposa con el Régimen...», «La Verdad avanza destruyendo» (página 42).

III. Deshumanización

Este proceso metafórico no podía faltar en el caótico mundo que denuncia Jorge Guillén en *Maremágnum*. El hombre se degrada en él, se animaliza o se destruye. El pobre, por ejemplo, es «gusano ya en andrajos con gusanos» (pág. 193). En el ámbito de los excéntricos, una cuarentona ostenta «catadura equina» (pág. 145). El hombre huido es «infeliz conejo» (pág. 48) que al fin muere. Bajo el dominio de la tiranía, son rivales los «lobos» y los «gamos» (pág. 45). Para Luzbel, los hombres son «desventuradas bestias —hombres / Y gallos» (pág. 72) que descansan y cacarean. Y Pérez es un ex-hombre porque «se llama Pérez» y porque, sobre todo, es Pérez: el «Pérez vergonzante», «el más terrible Pérez, que se llama / Pérez y que lo es» (pág. 52). Es Pérez —nombre-hombre— despersonalizado, sin esencia:

> A solas silencioso el tan nombrado
> No queda ni ante sí,
> Figura sin figura
> Si no se la proponen los espejos.
>
> (Pág. 52)

Con esta deshumanización —irónica y trágica a la vez—, máxima negación del ser y del hombre, Jorge Guillén somete al tirano a la suprema catarsis que es dable en poesía: le cosifica en «fajín augusto» (pág. 47). Y los soldados que desfilan ante él, también han dejado de ser hombres, convertidos todos en un gran «artefacto», «máquina entre las máquinas mortíferas» (pág. 51).

En otro mundo —en Oaxaca de México—, el poeta contempla a tres inditos que, en cuclillas, están junto a una pared: le parecen «*Relieve* sobre palacio», «hombres dulcemente *orillas* / Por siglos y siglos lejos / Desde su melancolía» (pág. 107).

Una deshumanización que exalta la belleza femenina, mediante su vegetalización, es visible en «La hermosa y los excéntricos»: «¡Qué frutal por la piel, y con su riego de sangre-savia, tan animal y vegetal! Hermosa desde su luz, regalo» (pág. 140). El mismo tipo de deshumanización vegetalizante aparece en el mismo poema pero aplicada a un excéntrico: «Hortensia escapada de su jardín, un adolescente gesticula, rápido, rítmico...» (pág. 142).

IV. Cosificación

Ya hemos visto casos de «cosificación» en la metáfora «fajín», aplicada al tirano Pérez, y en «máquinas mortíferas» referida a los soldados. Aunque obvia, « ¡Júbilo de camisas! » (pág. 43) contiene otra. A ellas se suman, en el largo poema, las que aparecen en la descripción del desfile: los que asisten no son personas sino cosas: «plumajes, charoles, armas nítidas» (pág. 50). En cambio, humanizadas, «Las tribunas, repletas, / Yerguen sus cortesías» (página 51). El ámbito de Pérez es esperpéntico.

Para Luzbel, el mundo no ha sido creado por Dios sino por la mente del hombre: es cohete, cosa, luz fugaz (página 82). Para el poeta, «El mundo es un vagón», «Maremágnum veloz como un estruendo / De tren» (pág 30); Europa es un barco hundido (pág. 60). Jorge Guillén, por último, cosifica lo abstracto cuando escribe patéticamente: «No hay libertad, trasto viejo» (pág. 48).

V. Concretización

A veces, el poeta procura dar cuerpo —realidad tangible y concreta— a lo que no lo tiene. Así, en la noche, trata de precisar el silencio que le rodea, confiriéndole densidad: «Hay tal soledad de silencio / Que me sume en sus espesores» (pág. 132). En la altura, configura para el viento almenas desde donde contemplar y trazar realidades, respirar plenamente: «almenado viento» (pág. 181). Con esta imagen capta poéticamente lo intangible e invisible, sugiriendo elevación y arrobo al mismo tiempo. De igual modo dibuja el trabajo mental: «Pero el magín es camino / Que traspasa todo muro» (pág. 159). Lo vasto se hace aprehensible por vía de una metáfora que lo concreta, al disminuirlo y limitarlo, connotando además riqueza poseída: «Con sosiego el mundo es palacio» (página 133). También lo abstracto puede materializarse ante los ojos de la imaginación, creando una sobrerrealidad poética sobre la realidad ético-social:

> No hay surtidor más alto
> Que la gran injusticia: funde estrellas,
> Apaga los destellos más felices.
>
> (Pág. 194)

VI. Degradación

El tirano degrada las perfectas formas geométricas, el sabio orden del mundo: vuélvese centro del desorden, dios de un bando que le necesita:

> Ahí,
> Céntrico ahí, perdura.
> ¡Cuántos le necesitan y le inventan!
> Que mande
> Sosteniendo aquel Orden: su desorden,
> Sus bandos,
> Sus chanchullos patrióticos.
>
> (Pág. 52)

(Nótese cómo Pérez ha desplazado e invertido los centros, las realidades céntricas, centrales de *Cántico.*) El sol, también, se ha degradado al brillar sobre la falsa pompa que le glorifica, pues es «tan cómplice» (pág. 50). El redondo mediodía que resplandecía en *Cántico,* preside ahora un mundo deshumanizado y falso: no es la fiesta de la Naturaleza:

> El día redondea un sol muy rico
> De plumajes, charoles, armas nítidas.
> A tanta pompa en rigidez aplaca,
> Ya resplandor, el triunfo así arrojado
> Brillantemente a todos.
>
> (Pág. 50)

El «redondeamiento» no se refiere aquí al esplendor del cielo en la hora central del día, sino que pende sobre la plaza de toros y la muchedumbre, masa sin alma: «Público en tarde redonda» (pág. 61). La perfecta redondez se ha degradado sobre el ruedo y la cruel lidia. Y la plenitud compacta que reinaba en *Cántico* —«compacto azul sobre el día» («Perfección»)—, degrádase en *Maremágnum* por representar en él un mundo despoblado y desierto, con cactos en vez de plantas —en vez de la rosa central—, sometido a la ciega voluntad del jefe:

> Pensamos todos a una
> Sobre un desierto compacto
> Para que a todos reúna
> Como emblema el puro cacto.
>
> (Pág. 48)

La desnudez abstracta que iluminaba muchos poemas de *Cántico,* preside ahora —degradada o subvertida— negocios turbios: «¿Corruptelas? No importan. / Importa sólo la total Justicia» (pág. 43). Justicia injusta pues no rije ni vale para todos. El maremágnum también ha degradado y subvertido el júbilo de *Cántico,* pues la dicha ahora consiste en cazar al hombre:

> Tal es nuestra dicha
> Que hasta el más honesto
> Desde alguna ficha
> Cae en nuestro cesto.
>
> («Coro de Policía», p. 45)

«Por ley de asesinato», la tiranía reina sobre las muchedumbres «de boca amordazada» (pág. 53).

VII. Imágenes y metáforas sensoriales

En *Maremágnum* no prevalecen absolutamente —como en *Cántico*— las sensaciones captadas por vía visual, porque se entretejen con las acústicas en parecida proporción: el ruido, el estruendo, la disonancia, integran y condicionan el maremágnum, el vivir histórico. Pero examinemos antes la textura cromática del libro.

1. *Cromatismo.* Si en *Cántico* Jorge Guillén alza el color a un plano de belleza esencial, elevada, platónica o parmenídea, para realzar con nitidez absoluta el puro ser objetivo, en *Maremágnum* lo usa para precisar las realidades feas y hermosas que transcurren en el tiempo, vinculándolas a él en su devenir histórico. A veces, acierta a emplearlo con un valor simbólico; otras, con significación psicológica. Ha de «pintar» la época, aunque no se esfuerce demasiado en cargar su paleta de muchos colores: ciertas tintas básicas le bastarán para destacar aquello que merece ser subrayado. La variación cromática, en algunos casos, y el claroscuro le servirán también para su propósito.

a) *Colores de la serie xántica o caliente.*

Blanco. Aunque no abunda, lo administra en forma sustantiva o reforzado por un adjetivo. Lo aplica a la mujer, a la Naturaleza, a las casas andaluzas y, metafóricamente, a la Historia: «¡Aquel *blancor*!» (pág. 118) de la mujer rubia; «Y jugando se asciende hasta las nieves / De *blancura feroz* / Sobre sus picos vírgenes» (págs 175-176); «Sólo imperan muros desde su *cal*» (pág. 39); «Diferir es manchar la gran *blancura* / De la Historia aclarada» (pág. 43).

Amarillo (rubio-dorado-blondo-ocre). Colorea íntegramente la décima «Pecas» y es dado por dos adjetivos y realidades que esencialmente lo poseen —hojas secas, otoño, sol, piel de mujer, trigo, verano—, estableciendo las diferencias que le separan de Mallarmé al contemplar la misma realidad: a éste le sugiere indicios otoñales, a Jorge Guillén señales del verano. Luzbel ve una ciudad cuyas casas son albergues de maldades y tienen «tejados viejos con sus tejas ocres» (pág. 75). Con el amarillo y sus variantes, Jorge Guillén ha pintado a la mujer y ha dado color a la ciudad luzbélica.

Rojo. Junto con el amarillo colorea dos paisajes de otoño, unidos ambos a los árboles que caracterizan a Nueva Inglaterra y la patria del desterrado, contraponiendo su presente y su pasado: «arces rojizos», «un leve Octubre dorado de chopos» (pág. 179). Con amarillos y verdes, el rojo evoca las luces nocturnas de la bahía de San Francisco (pág. 126). Con el azul, colorea vivamente el traje de una excéntrica (pág. 151); se dinamifica y hasta se humaniza, en función de muleta y representando al torero que la mueve (pág. 61). El rojo presta su color al Viernes Santo: «Es viernes hoy con sangre: / Sangre que a la verdad ya desemboca» (pág. 35). En «Potencia de Pérez», unge al tirano de sangre y da la nota cromática más intensa, quizá, de todo el libro: «*Ensangrentado* Pérez bien ungido...» (pág. 53). Con el verde caracteriza los semáforos, cuya realidad se poetiza en: «Los cruces en que el tiempo palpita, verde o rojo» (pág. 33).

Verde. Con él colorea paisajes, el mar y el «Jardín que fue de Carlota», en Méjico.

b) *Colores de la serie ciánica o fría.*

Azul. Tiñe los grises del oleaje en el mismo mar. En la descripción de un andrógino, realza su aire femenino.

En «Potencia de Pérez», es color tácito de «¡Júbilo de camisas!» (pág. 43); sobre un laberinto de oficinas. erige un porvenir, «azul de estío azul» (pág. 43).

Gris. Con el negro es uno de los colores más abundantes en el mundo de *Maremágnum*. Está en los aluminios que «refulgen con aceros» (pág. 172), en «Tiempo de volar». Los ojos de «La hermosa» son «entre verdes y ya grises» (pág. 140). Los campesinos andaluces son «morenos por herencia, *grises* en la luz, pálidos de fatiga» (página 39). El gris es la transición entre las orillas y la espuma de la cala mediterránea que evoca el poeta (página 38). Europa, para el náufrago —el exilado—, se vuelve más y más distante, envuelta más y más en niebla gris (página 60). No quiere ver el suelo: el Otoño le ayuda: «Lo gris, no. Se opone Octubre» (pág. 116). Grises son los muros —«como láminas límpidas» (pág. 33)— de la ciudad moderna. La nota gris más intensa y significativa aparece en «Guerra en la Paz», evocando el paisaje —el anti o ex-paisaje— inventado por el Satán atómico: «Duna de un mar ya seco / Bajo un *gris* de abolidas calaveras» (página 164).

c) *Colores lumíneos.*

Negro. Hay muchas tonalidades oscuras, si no negras, en *Maremágnum*: el tema lo exige. Así, son «grises o negruzcos» (pág. 160) los sillares góticos que se asoman a la plaza de «Guerra en la Paz». El fulgor de Luzbel desafía el fondo «tenebroso de penas / Humanas, humanísimas, / Sólo a nivel de lúgubre malvado, / Del tribunal terrestre» (página 90), desafía la noche del «infierno» en que se deleitan los hombres policíacos. El orbe humano se mueve bajo un «mediodía / De *sombras* condenadas» (pág. 82). Y el negro integra también el anti o ex-paisaje creado por la bomba atómica: «Orilla con espectros, / Después difícilmente campo triste, / Campo entre sus muñones, / Sus añicos *nocturnos*, / Su polvo» (pág. 164). El negro presta indefinida coloración ambigua al paisaje ciudadano de los excéntricos: «Matrona y ataviada de oscuro» (pág. 151). Finalmente, es el color con que el poeta alude al mundo del sueño: «Quiero dormir y me inclino / Sin moverme hacia lo *oscuro*» (pág. 159).

Sensaciones lumíneas.

a) *La luz.* Aún reina la luz —triunfante en *Cántico*— en el mundo de *Maremágnum.* Aún reina el sol en el Tiempo de Historia, a pesar de que prevalezca «el día fosco» (pág. 16), el cual, por serlo, «llega a ser amargo» (pág. 16). La luz —como la vida— continúa viviendo «bajo los cielos menos zarcos» (pág. 18). La luz, sí, coexiste, esencial, con el gran acorde (pág. 19). Las auroras existen: en «Tren con sol naciente», en «Invasión». Aún la luz es eje divino de la Creación en «La "U" maléfica» (pág. 36). Y aún reina la luz en la playa de «Mediterráneo», en donde, a mediodía, el cuerpo femenino se ofrece en culto «al dios solar» (pág. 55). Y aún reina en la isla de Capri (pág. 68). El sol también alumbra algunos tréboles, algunas décimas, actos sencillos, realidades bellas que todavía existen en el mundo. Y aún hay luz de luna. Luzbel mismo es «fatalmente el ángel / De la suprema luz» (pág. 73), «de la luz ilimitada» (pág. 82), aunque su luz ni le guía ni le alumbra (pág. 91). Triunfa la luz en el poema «Pentecostés» —¿acaso inspirado por el célebre cuadro del Greco?—: hay en él violentas luces simbólicas, «tumulto de relampagueos» (pág. 58), «haces fogueantes», «cielo exaltado» (pág. 59). Pero también brilla en *Maremágnum* una luz trágica: «Ciegos bajo su luz» —la de la Sinrazón— (página 189), los locos hombres deliran, desesperan ante el mundo inerte. Y la luz, por último, se cierne sobre las «Ruinas con miedo».

b) *La sombra.* Mas la sombra se opone a la luz. Jorge Guillén, en el mundo caótico de su libro, sabe contrastarlas de un modo impresionante, creando alucinantes claroscuros, dramáticas atmósferas. Evoca los sombríos ambientes del mal y de la destrucción. Penetra las sombras del caos: «El día fosco llega a ser amargo» (pág. 16); «Y el mal se profundiza, / Nos lo profundizamos, sombra agrega» (pág. 17). Luzbel denunciará «la gran tiniebla / Del orden» (pág. 82), no pudiendo soportar «la noche / De ese "infierno", su fondo / Tenebroso de penas / Humanas, humanísimas» (pág. 90). Hay sombra en los calabozos, en las minas, en las cámaras de asesinato. Hay «tinieblas» en los cimientos de la ciudad, «algo que escalofría» (pág. 191).

c) *Claroscuro.* Luces y sombras se oponen y combaten, también, en *Maremágnum,* contrastando el orden y el desorden, el amor y el dolor, la hermosura y la corrupción, la vida y la muerte. Las sombras de las cárceles contradicen la luz del mediodía (pág. 82). Y el clamor de los dolientes está hecho de «rabia oscura o claridad rabiosa» (página 83). Jorge Guillén sabe crear, sin embargo, otros claroscuros sorprendentes, contraponiendo realidades interiores y conceptos abstractos. El pensamiento del insomne, por ejemplo, es «chispa» que «luce contra la noche» (página 24). En la abominable atmósfera de la tiranía de la paz que reina sobre incontables muertos, el poeta reflexiona: «Cuanto más resplandece la Verdad, / Más difuntos la cantan» (pág. 42). El mundo moral también puede crear un claroscuro de tolerancia ética:

> ¿Que mi amigo es pecador?
> Así nos une la sombra
> De una claridad mayor.
>
> (Pág. 128)

Y la realidad circundante crea, a su vez, vivísimos claroscuros: en una plazoleta llena de sol, por ejemplo, un niño negro resalta en la luz, sin ver «sombras ni muros» (página 123).

2. *Sensaciones acústicas.* El título general de *Clamor* y el de *Maremágnum* imponen, dentro de lo conceptual ideológico, un contenido acústico que intensifica la significación total de ambas obras. No es raro, por tanto, que las sensaciones acústicas —y los recursos estilísticos que ellas exigen y desarrollan— abunden en los poemas más directamente vinculados al tema o los temas centrales. Realidades auditivas, estridencias, disonancias, alaridos, gemidos, etc., penetran versos y estrofas, a través de sustantivos, adjetivos, verbos y adverbios, formando una textura acústica de gran potencia y virtualidad, con la que se conforma el Tiempo de Historia evocado por el poeta. Y, por debajo de la tectónica disonante y estridente, el acorde, la aspiración suprema a la final armonía.

a) *Sensaciones disonantes.*

1. *Mediante sustantivos*: alarido brutal, alarma, explosiones, choque, erupción, tráfagos, crujidos, chirridos,

borbotones, alborotos, batahola, fragor, ladrido, trimotor, sirena, cataclismo, redoble, ruptura, plañido, etc.

2. *Mediante adjetivos*: brutal, torrencial, rodante, discordante, gimiente, clamante, etc.

3. *Mediante verbos*: estalla, mugen, crujir, muele, chirriando, ladrar, destrozar el oído, aturdir, chillar, zumbar, clamar, crujen, desquician, etc.

Ejemplos: «A borbotones / Se precipitan ruidos preñados de alborotos» (pág. 26); «Tras el perfecto acorde la disonancia embiste, / Y llega a un paroxismo» (página 30); «Ya el ruido / Del trimotor, costumbre discordante, / Forma una soledad de viento fiero» (pág. 172); «entonces... / Gemido clamoroso de final» (pág. 35); «Próximo pasa el tráfico rodante. / La gran ciudad chirría, se apresura, / Y sonando no deja de ofrecerse...» (pág. 160); «Rumores de cadenas chirriando entre lodos» (pág. 60). Por último, al final del estruendo, en una zona remota, la Armonía:

> ... Y el tren, hacia su meta lanzándose, corriendo,
> —Mirad, escuchad bien—
> Acaba por fundirse en armonía,
> Por sumarse, puntual, sutil, exacto,
> Al ajuste de fuerzas imperiosas,
> Al rigor de las cosas,
> A su final, superviviente pacto.
>
> (Pág. 30)

b) *Sensaciones melódicas*.

1. *Mediante sustantivos*: acorde, concierto, músico cantar, murmullos, aves, campanadas, reloj, ritmo, canción, músicas, armonía, rumores, susurros, cadencia, orfeón de estrellas, lluvia, onda, compás, laúd, melodía, contrapunto, silencio.

2. *Mediante adjetivos:* sonoro, sonante, melodiosa, resonante, armonioso, vibrante, etc.

3. *Mediante verbos:* suena, tararea, cantar, resuena, modula.

Ejemplos: «¡Cuántos pájaros en nido! / Música ya como ruido» (pág. 32); «El pájaro solitario / Modula sus variaciones / Para aliviar mi cansancio» (pág. 100).

3. *Sinestesias*

Jorge Guillén, algunas veces, crea sinestesias al entrecruzar las percepciones de sus sentidos, coloreándolas anímicamente, transfiriéndoles, en un plano interior, los estados de su espíritu —alegría, dolor, ironía, sarcasmo:

a) *Vista-oído*: «astros sonantes» (pág. 147), «negros sonoros» (pág. 33), «encendido fragor» (pág. 58), «maná torrencial» (pág. 59), «cumbre de sus voces» (pág. 59).

b) *Oído-vista*: «orfeón de estrellas» (pág. 93), «cadencias de aurora» (pág. 65), «vibración de fuego» (pág. 58), «golpes radiosos» (pág. 59).

c) *Vista-oído-vista*: «claror que vibrase hacia el grana» (pág. 116).

d) *Vista-oído-tacto*: «su forma, su vocablo, / Caliente aún y más allá del fuego» (pág. 59).

e) *Oído-vista* (*o tacto*): «Cantaba aquella piel» (página 65).

f) *Tacto-vista*: «Era el blando relieve de las ostras» (pág. 65).

g) *Tacto-oído-vista*: «Me roza el ruido / Que la luz desencadena» (pág. 159).

h) *Sensaciones transpuestas*: «clamor con rabia oscura o claridad rabiosa» (pág. 83), «amables murmullos espesos» (pág. 126), «temblor incongruente» (pág. 160), «fragor indignado» (pág. 35).

Por contener sensaciones visuales, olfativas, táctiles y gustativas, podemos considerar que «La luna es una delicia» es una décima sinestésica:

> Luna en todo su ejercicio.
> La noche entera es aroma
> Que a la claridad se asoma,
> Exceso ya, casi vicio.
> Junio asciende al buen solsticio,
> Y hasta el calor acaricia
> Como una mano, ficticia
> No del todo porque agrada,
> Y en la noche adoncellada
> La luna es una delicia.
>
> (Pág. 112)

«Pentecostés» es el poema de la palabra vista y coloreada: por tanto, es también sinestésico: «Y el tumulto de luz fulgió con luces. / Innumerables luces como lenguas / En vibración de fuego / Buscaban, descendían / Arrebatadamente...», etc. (pág. 58).

FIGURAS DE DICCION

Al estudiar el contenido sensorial de *Maremágnum* hemos visto que hay en él una textura acústica. A ésta vienen a sumarse los diferentes recursos de dicción, fortaleciendo su trama y su tono, su intensidad y su altura.

1. *Anáfora.* Jorge Guillén no sólo se sirve de la anáfora como elemento de unidad melódica sino como clave temática de algunos poemas y, además, de todo el libro: las palabras *maremágnum* y *clamor* se repiten muchas veces, al lado de *acorde* y *armonía.* Junto a ellas, hay otras que las explican en diversos grados y variaciones, y que también se repiten. Tales anáforas, pues, refuerzan la unidad de la obra y enlazan los temas centrales con sus variantes.

Veamos ahora algunos ejemplos para constatar su riqueza.

En el poema de la Introducción, «El acorde», después de aparecer en el título, esta palabra inicia la segunda parte: «Acorde primordial» (pág. 16); reaparece en la tercera estrofa de la tercera parte en forma desarrollada: «El acorde a sí mismo no se engaña» (pág. 18). Se amplía la anáfora en la estrofa siguiente y compone dos versos, como si el acorde ganara amplitud: «El gran acorde mantendrá en tu cima / Propia luz esencial: así te asiste» (pág. 19). En la estrofa final, el acorde llega a su plenitud al enlazarse con el astral concierto eterno. Esta anáfora progresiva le sirve a Jorge Guillén como prólogo y epílogo de su libro, fijando en la mente del lector esta idea: debajo del *maremágnum* del mundo subyace el acorde, la armonía; la creación no cesa ni la luz tampoco.

En «Mañana no será otro día», la anáfora —«de noche» y «el insomne»— aparece alternadamente al principio de los versículos, llevando nuestra atención de la una hacia el otro, hasta que, al final, se anuncia el despertar: el renacer. La anáfora ha marcado el ritmo binario del poema y, al desaparecer, ha fundido la noche con la aurora: reanudación del vivir.

En «Tren con sol naciente», «vagón» y «tren» aparecen en la primera estrofa y en las dos últimas, en forma ampliada y con un nuevo metaforismo: el vagón, el tren real, objetivo —en que el poeta nos ha ido describiendo a los pasajeros—, se ha convertido en una imagen del mundo: «El mundo es un vagón». «Maremágnum veloz como un estruendo / de tren.» / «... Y el tren, hacia su meta lanzándose, corriendo...» (pág. 30). La anáfora ha progresado y ha enlazado con el poema de la Introducción: el estruendo del tren «acaba por fundirse en armonía»: se ha logrado el acorde.

En «A pesar mío» hallamos una anáfora (sin variaciones) parentética, al final de cada versículo —«(No lo entiendo)»—, para expresar la perplejidad que nos causan los sueños: son absurdos porque las realidades soñadas cambian, nos evaden y se nos evaden.

En «Adoración de la criatura», la anáfora destaca por tres veces el sujeto del poema. En «...Que no», la anáfora es el núcleo temático-ideológico en torno al cual gira el poema. En «La 'U' maléfica», esta *u* es una vocal anafórica a lo largo del poema. En «Todos o casi todos los hombres», la anáfora —«muerte»— aparece al final de la primera y de la última estrofa para contraponer sus sentidos. En «Potencia de Pérez» se diseminan y se entretejen muchas anáforas, trabando fuertemente la contextura del poema que, sin ellas, acaso perdería tensión en su unidad: encadenan estrofas y realzan significaciones. La anáfora condena a los «protagonistas» de la farsa o del drama: Pérez es mencionado 8 veces y 8 veces también «Jefe», su epíteto sustantivo. «Orden» y «Verdad» se mencionan 4 veces; «coro», 6; Dios, 4. La palabra «muertos» aparece en 4 ocasiones, además de sus variantes: «Cadáveres», «difuntos», «sepultos o insepultos», «enterrados», «desenterrados». En «Ruinas con miedo», la anáfora «ruinas» se presenta en el título y en el último versículo, reforzada por sus variaciones sinonímicas «escombros», «públicos esqueletos» y «paredes mutiladas». En «Pentecostés» también existen anáforas con variaciones sinonímicas diseminadas: «tormenta», «tumulto», «luces», «fuego», «encendido fragor», «relampagueos», «vibración de fuego», «cielo exaltado», «golpes radiosos». «Un pasillo» —presente en el título y al final— se nos da, además, en una anáfora exclamativa, al acabar el versículo con variación en el adjetivo. En «Muchacha en Capri», la anáfora es el nombre propio geográfico dado en el título, se repite en una exclamación explicativa, inicia un versículo y termina el último en doble epifonema: « ¡Capri, Capri! » (pág. 69). En «Luzbel desconcertado», hay abundantes anáforas diseminadas: el pronombre «yo» se repite 9 veces, Dios 5, El (con mayúscula) 2, el Otro (con mayúscula) 4, Angel también 4, y 8 veces la palabra «clamor», contra «rezos», «quejas» y «dengues venerandos»; obvio es decir que dichas anáforas intensifican la fuerza dramática y conceptual del poema. Del mismo modo actúan, diseminadas, en «Dolor tras dolor», poema en que esta palabra se repite en 15 ocasiones, creando esa atmósfera de tragedia que caracteriza a nuestra época y marcando así una de las constantes temáticas de *Maremágnum*. En «Guerra en la Paz», las anáforas crean la expectación y el terror en esa angustia de la bomba atómica y de la guerra: esta palabra se repite 9 veces y, junto a ella, «amenaza», «cadáveres», «dolor» y «clamor» en algunos versos. En «La hermosa y los excéntricos», por el contrario, la anáfora sirve para exaltar a aquélla, bajo el sinónimo de «Reina», que se repite 21 vez, diseminadamente: la anáfora señala en el libro el triunfo de la hermosura y del amor casto sobre las oscuras pasiones de un mundo promiscuo y negativo. Muchos otros poemas contienen anáforas que no podemos estudiar aquí, pero nos interesa mencionar especialmente «El viento, el viento», porque contiene un tipo de anáfora que actúa en forma paralelística o simétrica: el título anafórico, duplicado en el primer verso del estribillo —repetido dos veces—, inicia 14 estrofas del poema; la primera y la última forman otro estribillo, pero «viento» ha sido reemplazado por su sinónimo «aires», palabra que empieza y termina dichas estrofas. (Notemos que la anáfora alaba aquí el viento, tema muy característico de *Cántico*.) Y advirtamos que, en los tréboles, dada su brevedad y concisión, aparecen muy pocas anáforas. Y escasas son las que contienen las décimas. En conclusión, podemos decir: que la anáfora abunda en los poemas de cierta extensión y en los largos; que, en la mayoría de los casos, posee una significación trágica o dramática; que es empleada también para denostar, burlarse, exaltar o, en algún caso, para expresar el sarcasmo.

2. *Aliteración, onomatopeya y rima interna. Maremágnum* contiene, como hemos podido ver, una gran varie-

dad de sensaciones e imágenes acústicas, una gran riqueza de disonancias y estridencias, algunos acordes y melodías, ritmos de exaltación afirmativa o de ira apasionada. La anáfora contribuye enormemente a la estructura temática y a la aprehensión, por vía acústica, de muchas realidades temporales. A este procedimiento vienen a sumarse, combinadamente, la aliteración, la onomatopeya y la rima interna, incrementando los efectos de sonoridad o disonancia propios del mundo actual y de la ciudad moderna.

Veamos algunos ejemplos.

a) *Aliteración y onomatopeya*: «Rumor de transeúntes, de carruajes» (pág. 15); «Al cómitre de antigua o nueva tralla» (pág. 18); «A borbotones / se precipitan ruidos preñados de alborotos» (pág. 26); «Como un estruendo de tren... Y el tren, hacia su meta lanzándose, corriendo» (pág. 30); «En grises muros lisos con láminas límpidas, / Vertical de un vigor sin vértigo suspenso» (pág. 33); «santamente se asesina» (pág. 42); «Estrépito, / Contradicción, contraste» (pág. 82);

> Correctos, brutales,
> Sutiles, entramos,
> Salimos, rivales
> De lobos y gamos.
>
> (Pág. 45)

> Ay, la guerra... Zumbando,
> Mosquito monstruoso,
> Con un rigor de erre, erre, erre,
> «Guerra, guerra» va en alas,
> Y retorna, persiste.
>
> (Pág. 161)

> Avispa —Vesubio— trompeta
> Siempre en erupción...
>
> (Pág. 133)

> Variando va la variante.
>
> (Pág. 133)

Y la vocal «*u*» ulula en «¡U! / Esa «u» de Belcebú...» (pág. 36).

b) *Aliteración y rima interna*:

> Y aparezca ese Pérez vergonzante
> Que embrollo y perifollo casi ocultan:
> Un Pérez, ay, terriblemente Pérez,
> El más terrible Pérez...
>
> (Pág. 52)

La masa humana se apelmaza.
... ...
Con una amenaza de maza.

(Pág. 112)

Me crea lo que no era.

(Pág. 182)

El viento frente al poniente
Nada triste me consiente.

(Pág. 183)

Viento en este pensamiento:
Tú me inventas, yo te invento.

(Pág. 183)

Que son los suburbios más turbios

(Pág. 122)

Ganamos, gozamos, volamos.

(Pág. 56)

c) *Cacofonía*: En los «coros» de «Potencia de Pérez», advertimos la función irónica, burlesca y sarcástica de la rima consonante y de la rima interna, produciendo efectos cacofónicos mediante ripios conscientemente buscados:

La ley levanta
Frente al oficial cacumen
La sacrosanta
Letra que todos consumen.
... ...
Cuando un jefe toca un timbre,
Algo nuevo se enmaraña.
Nadie rehúya la urdimbre
De nuestra araña sin maña.

(Pág. 44)

Las llamas al hereje
Le hacen señas: ven, ven.
Dios es con Nos el eje,
Amén.

(Pág. 49)

3) *Elipsis*: Su deseo de concisión y síntesis lleva a Jorge Guillén —ya lo había hecho en *Cántico*— a utilizar la elipsis, a pesar de la gran extensión y *allure* de muchos poemas de *Maremágnum*, pero, naturalmente, lo hace con más frecuencia en los poemas de forma tradicional. La elisión del verbo ser es la más común, aunque también elide otros verbos y otros elementos gramaticales. A causa de la elipsis, algunas veces cambia el ritmo del poema, al abreviarse o cortarse las cláusulas y frases. El ritmo

rápido puede acompasarse, volverse lento y hasta sincopado.

Recojamos ejemplos de elipsis y, en algunos, observaremos un especial dramatismo, una intensidad muy acusada y concentrada:

> ¿Es venenoso el mundo? ¿Quién, culpable?
> ¿Culpa nuestra la Culpa?
>
> (Pág. 17)

> (Despertar: renacer.)
>
> (Pág. 25)

> Más justicia, desorden, caos viejo [hay]
>
> (Pág. 18)

> Lloran las tres Marías. Hombre sacro.
> La Cruz.
>
> (Pág. 35)

> Aplausos. Gritos. ¿Oreja?
>
> (Pág. 61)

> Ocios, negocios, hasta luego,
> Carreras de caballos, hola...
>
> (Pág. 108)

[Va a sus ocios y a sus negocios, se despide con un hasta luego, va a las carreras de caballos, dice hola...]

> ¿Libertad? ¿Y para qué?
>
> (Pág. 128)

> Cadáveres, cadáveres, cadáveres.
>
> (Pág. 163)

[El Satán atómico reinará sobre cadáveres...]

CONCLUSION Y FINAL

Hemos examinado aquí algunas 'particularidades' lógicas, metafóricas y estilísticas de *Maremágnum* y nos hemos dado cuenta de que son múltiples y variadas. Hemos hecho aflorar —creemos— motivos significativos. Ahora podemos concluir que se integran en una tectónica eminentemente 'concertante' —a pesar de aquellas 'estridencias' y 'antítesis' que mencionábamos—, asociados o consociados íntimamente con el tema o temas de la obra, con la visión guilleniana del mundo, con la personalidad humana y creadora del poeta. Pero abriéndose también a una tectónica más amplia: la de *Cántico* y la de *Clamor,* de la cual forma parte. Hay niveles de significación, rasgos de estilo, que coinciden en estos libros en apariencia muy diferentes. Jorge Guillén —como todo gran poeta— procede con la conciencia aguda de lo diverso, pero también con la certeza de que lo diverso converge hacia la unidad total. Las significaciones diversas de las 'particularidades' nos remiten siempre a un 'sentido último' que constituye la unidad íntima de cada obra dada en la totalidad concreta del objeto-sujeto. Quien conozca la obra completa de Jorge Guillén sabrá reconocer el carácter sintético de esta convergencia. El estudio estilístico de *Aire nuestro* nos revelará algún día hasta qué punto y de qué modo se enlazan *Cántico, Clamor* y *Homenaje* dentro de una estructura armónica y coherente. Pues no sólo el estudio de los temas nos llevará a esa comprensión viva del conjunto: el sentido global o total de una obra única —verdadero monumento— dentro de la poesía española y de la poesía universal del siglo XX. Descubriremos que su último sentido no es tautológico ni anfibológico, sino sincrético, múltiple, muy matizado, rico y profundo, dentro de una vigorosa coherencia unitaria, dentro de una estructura total equilibrada y armoniosa. Ese estudio nos permitirá enriquecer y agrandar nuestro contacto sentimental, espiritual e intelectual con cada una de sus partes, insertas en una totalidad clara y radiante.

Dentro de *Aire nuestro* —total concepción del 'yo', de las cosas, del espacio, del tiempo, de la vida y de la muerte, del ser y de la nada—, *Maremágnum* —y, con él, *Clamor*— es tan necesario y esencial como *Cántico* y *Homenaje,* porque sin él aquella total concepción no hubiera sido posible. Su subjetividad está determinada por el mundo exterior, pero éste no es el hermoso y ordenado cosmos de la Naturaleza sino la tantas veces caótica maquinaria social. *Maremágnum,* precisamente, la expone y la denuncia, pero la salva también para la esperanza de una armonía última en consonancia con la del universo.

Jorge Guillén —acusado de frialdad humana, de extemporaneidad histórica por su *Cántico,* sin pensamiento histórico, sin inquietudes políticas, de ser proclásico y de poseer una expresión 'pura', con elegancia de voz (como si se tratara de un poeta menor, a pesar de ser uno de los más grandes dados por España y el mundo)— afirma en *Maremágnum* su interés —y su participación— en la tragedia del hombre actual, pero sin llegar a perder su fe en la vida como salvación necesaria. Se compromete con el vivir histórico de su tiempo, pues ha logrado arrancar las máscaras de la realidad social y cultural y exponer la intrínseca estupidez y violencia, la deformación trágica de la existencia humana en el contorno histórico del siglo XX. Hay, sí, en *Maremágnum,* un trasfondo ético-moral que vincula a Jorge Guillén con la rabiosa moralidad de los poetas barrocos, de Quevedo y de Goya, que también sintieron lo abisal, nocturnal e infernal de la realidad española y universal. Pero, al superar el desengaño —en cuanto se refiere a la realidad y a la condición humana—, se acerca más a Cervantes, escritor también afirmativo que creía en la realidad última de la virtud y en la fuerza positiva de la existencia.

El mundo arquetípico de *Cántico* —elevado a esencias desde la vida— se complementa con el tremendo mundo de la discordia y de la estridencia, de la existencia histórica del hombre, que Jorge Guillén denuncia en *Clamor* y en *Maremágnum,* especialmente: libro éste lleno de abrumadoras contradicciones, tensiones, inquietudes e incoherencias. *Maremágnum* es el *vis-à-vis* del poeta con la desorientación, inseguridad ostensible y terror del mundo que nos rodea. Su visión metafórica, pictórica y acústica del desequilibrio y de la disonancia —ya hemos visto algunos aspectos de su técnica—, que por su escarnio y su sarcasmo podría ser desengañada, se cataliza y resuelve en fe y esperanza, en afirmación vital, en una última —¿castellana o estoica?— serenidad. Lo corrosivo, lo deforme, lo grotesco —hombres tenebrosos, siluetas o sombras de un *Inferno*—, se disuelven en una aspiración a la luz. *Maremágnum* es un Juicio del mundo contemporáneo —una forma de catarsis—, pero no es el Juicio Final. Es un documento de historia nacional y universal y un documento existencial de nuestro siglo. Se inserta en el devenir histórico, sin dejar por esto de estar unido a *Cántico,* libro supra o extrahistórico, afirmando una continuidad profunda por debajo de la aparente discontinuidad temática. Por otra parte, está unido a él genéticamente: cuando Jorge Guillén escribía el cuarto *Cántico,* llevaba ya en su interior a *Clamor,* según lo ha demostrado Robert Weber [12]. No hay, pues, fronteras absolutas entre los dos libros. Por nuestra parte, hemos dado algunos ejemplos estilísticos que, aunque revelan cambios y nuevas significaciones, afirman también una insistencia y continuidad expresiva.

Si en *Cántico* proclamaba Jorge Guillén que «la rosa es todas las rosas», ¿no afirma en *Maremágnum* que «Pérez es todos los Pérez», es decir, todos los tiranos? Si esto es así, resulta que, en ambos libros, lo universal-absoluto se concreta y se particulariza de la misma manera. Lo que ha variado ha sido el objeto del poetizar: la rosa ha cedido su lugar al «fajín augusto». El denuesto, además, desemboca en la afirmación: porque execrar el mal es, sencillamente, exaltar el bien.

Frente al mundo ileso de *Cántico,* de realidades arquetípicas, *Maremágnum* es un mundo épico-dramático con personajes reales, descritos con técnica que sería realista si no existiera ese valor supra-real de símbolo universalizante, ya que hay en él títulos y personajes simbólicos: la realidad, otra vez, se eleva al modo de *Cántico.* Este era 'puro', sí, «*ma non troppo*», en palabras de su autor. Podríamos decir igualmente que *Maremágnum* es, sí, un libro de poesía 'impura', «*ma non troppo*»: «Tiempo de historia».

[Versión inglesa en *Luminous Reality.* University of Oklahoma Press, Norman, 1969; recogido en *Poesía española del siglo XX,* II. Madrid. Gredos, 1974]

[12] Robert J. Weber, «De *Cántico* a *Clamor*», RHM, XXIX, núm. 2, abril, 1936, pp. 109-119.

BIOGRAFIA ESENCIAL

18 enero 1893	Nace en Valladolid
1899 - 1909	Estudios primarios y luego el Instituto San Gregorio en Valladolid
1909 - 1911	Estudio en Friburgo, Suiza
1910	Primer viaje a Italia
1911 - 1913	Estudiante en la Facultad de Filosofía y Letras de la Universidad de Madrid; vive en la Residencia de Estudiantes
1913	Se traslada a la Universidad de Granada y obtiene la Licenciatura en Letras
1913 - 1914	Estancia en Halle y Munich, Alemania
1917 - 1923	Lector de español en la Sorbona, París. Corresponsal del diario *La Libertad,* de Madrid.
1919	Empieza a escribir *Cántico* en Trégastel, Bretaña
1921	Se casa en París con Germaine Cohen
1923	Muere su madre en Valladolid
1924	Doctor en Letras por la Universidad de Madrid
1925	Oposiciones a cátedras de lengua y literatura españolas
1926 - 1929	Catedrático de lengua y literatura española en la Universidad de Murcia
1927 - 1928	Colabora con Juan Guerrero Ruiz en la redacción de *Verso y Prosa*
1929 - 1931	Lector de español en la Universidad de Oxford
1931 - 1938	Catedrático en la Universidad de Sevilla
1934	Dicta conferencias en Rumanía
1936	Encarcelado por razones políticas en Pamplona
1938	Va al exilio
1938 - 1939	Catedrático de literatura española en Middlebury College, USA
1939 - 1940	Catedrático en la Universidad McGill en Montreal, Canadá
1940 - 1957	Catedrático en Wellesley College; desde 1957 *Emeritus Professor*
1947	Muere su esposa Germaine *Visiting Professor* en la Universidad de Yale

1950	Muere su padre
	Profesor visitante en El Colegio de México, México
1951	*Visiting Professor* en la Universidad de California, Berkeley
1952	*Visiting Professor* en Ohio State University
1957 - 1958	*Charles Eliot Norton Professor,* Universidad de Harvard
1961	Segundo matrimonio con Irene Mochi Sismondi en Bogotá
	Profesor visitante en la Universidad de los Andes, Bogotá
1960, 1964, 1970	Profesor visitante en la Universidad de Puerto Rico, Río Piedras
1966	Profesor visitante en la Universidad de Pittsburgh
1968	Profesor visitante en la Universidad de California, San Diego

PREMIOS:

1955	Award of Merit of the American Academy of Arts and Letters
1957	Premio Città di Firenze
1959	Premio di Poesia Etna — Taormina
1961	Grand Prix International de Poésie, Bélgica
1964	Premio San Luca, Firenze

LIBROS PRINCIPALES:

Cántico (1919-1928), Revista de Occidente, Madrid, 1928.

Cántico, Cruz y Raya, Ed. del Arbol, Madrid, 1936 (reproducido por J. M. Blecua, en *Cántico* (1936), Labor, Barcelona, 1970).

Cántico. Fe de Vida, Litoral, México, 1945.

Cántico. Primera edición completa, Editorial Sudamericana, Buenos Aires, 1950; segunda edición completa, 1962.

Clamor. Maremágnum, Ed. Sudamericana, B. A., 1957.

Clamor. ...Que van a dar en la mar, ibid., 1960.

Clamor. A la altura de las circunstancias, ibid., 1963.

Language and Poetry, Harvard University Press, Cambridge, 1961; versión española, Revista de Occidente, Madrid, 1962.

El argumento de la Obra, All'Insegna del Pesce d'Oro, Milano, 1961; Llibres de Sinera, Barcelona, 1969.

Homenaje, All'Insegna del Pesce d'Oro, Milano, 1967.

Aire nuestro. Cántico. Clamor. Homenaje, ibid., 1968.

Y otros poemas, Muchnik Editores, Buenos Aires, 1973.

BIBLIOGRAFIA CRITICA

Dos bibliografías buenas se han publicado recientemente: la de Oreste Macrì, más extensa, y la de Andrew P. Debicki, más selecta, más exacta y más útil por sus comentarios. Remitimos al lector a ellas. En ésta sólo se vuelven a enumerar libros completos dedicados a Jorge Guillén y se añaden los trabajos más recientes no recogidos en estas dos.

BLECUA, J. M., «En torno a *'Cántico'*, en *La poesía de Jorge Guillén (dos ensayos)*, Zaragoza, «Heraldo de Aragón», S. A., 1949.

CARO ROMERO, Joaquín, *Jorge Guillén,* Madrid, Epesa, 1974.

CASALDUERO, Joaquín, *Jorge Guillén. Cántico,* Santiago de Chile, Cruz del Sur, 1946; segunda edición ampliada: *Cántico de Jorge Guillén,* Madrid, Editorial Victoriano Suárez, 1953; tercera edición ampliada: *«Cántico» de Jorge Guillén y «Aire nuestro»,* Madrid, Ed. Gredos, 1974.

CIPLIJAUSKAITÉ, Biruté, *Deber de plenitud: la poesía de Jorge Guillén,* México, SepSetentas, 1973.

COUFFON, Claude, *Dos encuentros con Jorge Guillén,* París, Centre de Recherches de l'Institut d'Etudes Hispaniques, 1963.

DARMANGEAT, Pierre, *J. G. ou le Cantique émerveillé,* París, Librairie des Editions Espagnoles, 1958.

DEBICKI, Andrew P., *La poesía de J. G.,* Madrid, Ed. Gredos, S. A., 1973.

DEHENNIN, Elsa, *Cántico de J. G.: une poésie de la clarté,* Bruxelles, Presses Universitaires de Bruxelles, 1969.

GIL DE BIEDMA, Jaime, *Cántico: el mundo y la poesía de J. G.,* Barcelona, Seix Barral, 1960.

GONZÁLEZ MUELA, Joaquín, *La realidad y J. G.,* Madrid, Insula, 1962.

GULLÓN, Ricardo & J. M. BLECUA, *La poesía de J. G.,* Zaragoza, «Heraldo de Aragón», 1949.

LIND, Georg Rudolf, *Jorge Guilléns Cántico. Eine Motivstudie,* Frankfurt/M, Analecta Romanica, 1955.

Luminous Reality, ed. I. Ivask & J. Marichal, Norman, University of Oklahoma Press, 1969.

MACRÌ, Oreste, «Studio su 'Aire Nuestro' poema della salvezza», en *Guillén. Opera poetica («Aire Nuestro»),* Firenze, Sansoni, 1972 (versión española de próxima aparición en Ariel).

PLEAK, Frances Avery, *The Poetry of Jorge Guillén*, Princeton, Princeton University Press, 1942.
PRAT, IGNACIO, *«Aire nuestro» de Jorge Guillén*, Barcelona, Ed. Planeta, 1974.
RUIZ DE CONDE, Justina, *El Cántico americano de J. G.*, Madrid, Turner, 1973.
TREND, J. B., *Jorge Guillén*, Oxford, Dolphin Book Co., 1952.

Números especiales de revistas en homenaje a J. G.:

Books Abroad, Winter 1968. (*A Symposium on Jorge Guillén at* 75).
Cuadernillo-Homenaje al poeta J. G. (Murcia, Publicaciones de la Real Sociedad Económica de Amigos del País, 1956.)
Insula, núm. 26, febrero de 1948.
Le lingue straniere, XIV, 3, maggio-giugno 1965.
Revista de Occidente, núm. 130, enero de 1974.
Urogallo, IV, 24, noviembre-diciembre de 1973.

ESTE LIBRO SE TERMINO DE IMPRIMIR
CON PAPEL DE TORRAS HOSTENCH
EL DIA 8 DE FEBRERO DE 1975,
EN LOS TALLERES TIPO-
GRAFICOS «VELOGRAF»,
TRACIA, 17.
MADRID-27